D1626719

WERNER LUFT

Rauchringe

Feste des
Tabaks

WERNER LUFT

Rauchringe

Feste des
Tabaks

*Von Zigarren
Pfeifen und Zigaretten
vom Schnupfen und
vom Kauen*

Prestel

Prestel-Verlag München, 1961
Druck Dr. C. Wolf & Sohn, München

Inhalt

»... *ich meine*«,
erwiderte mein Onkel Toby und nahm
die Pfeife aus dem Munde, deren
Kopf er zwei-, dreimal auf dem Nagel
seines linken Daumens aufstieß,
während er seine Rede begann, —
　　　　　　»ich meine, sagte er ...«

Sterne, Tristram Shandy, 21. Kapitel

Praeludierend

Stopfen wir uns eine Pfeife, bevor wir anfangen, und
. . . wie sagen die jovialen Rauchonkel?: »Stecken wir
uns eine Zigarre ins Gesicht.« Stopfen wir die Pfeife
mit Bedacht; das Stopfen ist der Genuß vor dem Genuß, selbst wenn es längst zur automatischen Gebärde
geworden sein sollte; der Reflex bleibt spürbar. Pu-
sten wir sie noch einmal durch? Manche von uns klopfen sie erst in der Handfläche aus; ein paar Krümel
Asche sind immer hängen geblieben, und nichts Scheuß-
licheres gibt es als ein verstopftes Pfeifenrohr. Einige
schlagen sie auch auf den Rand ihres Aschenbechers —
was als barbarisch zu gelten hat — und unterwegs, in
der Bahn, benutzen sie sogar ihren Stiefelabsatz; es gibt
da ungezählte Variationen. Uns ist, im langen Laufe
unseres Lebens, nur ein Pfeifenhabitué begegnet, der
niemals dergleichen tat wie Pfeifenausklopfen; das fällt
uns soeben ein, und es muß Ende der zwanziger Jahre
gewesen sein. Wir saßen in Berlin bei Huth, Potsdamer
Straße, und tranken einen Schoppen, mit uns ein frem-
der, ziemlich eleganter Mann, von dem unsere Bekannten flüsterten, er sei, obwohl Österreicher, italienischer

9

Ehrenfaschist. Kuriose Sache das. Auch tuschelten sie, er reise in Bilderhandel, aber nur vorgeblich; in Wirklichkeit betätige er sich als politischer Agent. Sieh' einer an, dachten wir, Bilderhandel und Spionage, nicht schlecht; beide leben, so uns recht ist, vom großen Coup; aber dazu die Tabakspfeife? Rauchen und Verschwörung, reimt sich das? Es schien uns nicht zusammenzustimmen.

Dennoch, und das wird einen Teil unseres heutigen Gesprächs ausmachen, erleben wir, daß wir Raucher sehr leicht in solche Verdachte geraten, gar, daß wir tatsächlich mit Hilfe des Tabaks konspirieren, fast von Kindesbeinen an. Denn seit wir ihn besitzen, hat der Tabak notwendig aus der Revolte leben müssen, jedenfalls so oft, daß am Ende nur Mimikry zu sein scheint, wenn wir, wie soeben, uns bei Zigarre und Pfeife ganz ausnehmend ehrbar gerieren. Eine vertrackte Sache, so ironisch wie widerspruchsvoll; wir werden dem eifrig nachzuspüren haben. Und jener besondere Mann, an den wir uns flüchtig erinnerten? Nun, er war ein Stutzer, etwas, was wir nie sind und sein wollen. Schon daß er seine Pfeife in einem wildledernen Etui bei sich trug; wer von uns tut das? Und stets rauchte er nur einen Kopf voll; dann steckte er sie wieder weg, allerdings nicht, ehe er sie vorher sorglich gesäubert hatte. Nun ist Pfeifenreinigen eigentlich keine elegante Arbeit; doch bei ihm war sie es. Mit Hilfe eines Papierwauschs putzte er fein säuberlich; weder Akt noch Aktion waren ärgerlich, und das Weinrestaurant Huth galt als gepflegtes Lokal. Erst als er sein Rauchinstrument wie ein chirurgisches Besteck vollkommen geputzt hatte, packte er alle Utensilien in seine Etuis zurück.

Das war sichtlich kein Pfeifenraucher, wie wir ihn landläufig finden; er war eher, sit venia verbo, ein Pfeifenästhet. Solche Vögel sind selten. Pfeifenrauchen ist eine derbe Sache, und wir sind seitdem auch keinem anderen begegnet. Gewiß stopfen wir landläufigen Pfeifenraucher unsere Pfeife stets mit Bedacht; jener Mann aber zelebrierte, was wir andern handhaben, wobei wir dies Wort im Sinne von Handwerken meinen und im Sinne eines sehr stofflichen Kontakts mit unserm Material. Und das ging jenem Manne ab, das verriet ihn. Sicherlich hätte er Pfeife sogar rauchen dürfen in dem Potsdamer Café, an dessen Wänden ein Schild hing: »Pfeiferauchen verboten!« Kein Kellner hätte gewagt zu protestieren, weil der Mann fast einen priesterlichen Akt aus dem Pfeifenrauchen machte. Aber obwohl es aus bestimmten kultischen Bezirken herkommt, widersteht solches Gebaren inzwischen der Pfeife und ihrem Dienst überhaupt. Jedenfalls meinen wir Heutigen und Hiesigen das, und einer von uns entlarvte darum das Falsche: Der Bursche will uns nur demonstrieren, was für feine Kerle die Faschisten sind. Also doch Konspiration. Nun, im Umgang mit politischen Agenten sind wir unerfahren, trotz allen frühen Verrufes, der uns Raucher vors Inquisitionsgericht, auf die Galeere und aufs Schafott gebracht hat. Davon werden wir sprechen müssen, rauchend, ein Langes und ein Breites, viele Pfeifen lang. Stopfen wir uns um so mehr erst eine von den vieren, die wir vor uns liegen haben; stopfen wir sie nicht zu fest, nicht zu locker; denn das will gelernt und geübt sein, und für einen Pfeifenraucher ist es stets ein Signal, wenn er seine Pfeife schlecht gestopft hat; dann ist nicht nur sie, sondern auch er nicht in Ordnung, ist er gestört, verstört, mit der Welt zerfallen. Und eine schlecht gestopfte Pfeife schmeckt nicht.

Und wer nicht Pfeife raucht, soll sich seine Zigarre anzünden, ebenfalls gemächlich, eine Corona etwa. Wir sind sehr für Coronas und, selbst wenn das für einen Tick gelten sollte, hauptsächlich des Anzündens wegen; es ist eine besondere Hantierung. Auf jeden Fall stecke sich jeder, was er raucht, eigenhändig an; niemand lasse zu, lasse jemals zu — und dies muß wie ein Schwur sein!–, daß ihm Feuer gereicht werde. Derlei ist schlechthin unzumutbar sowohl für den Pfeifen- wie für den Zigarrenraucher. Der Zigarrenraucher hat die Spitze seiner Corona sorgfältig abgeschnitten. Es sollen sich unter den Zigarrenrauchern Leute finden, die benutzen dazu Zigarrenabschneider; ein guter Zigarrenraucher verschmäht sie als Mechaniken, die die Spitze seiner Zigarre zu zerreißen drohen. Der rechte Zigarrenraucher hat stets ein scharfes Federmesser zur Hand, und während der Pfeifenraucher neben ihm seine Pfeife stopft und mit den äußersten Fingerkuppen tupft und sanft preßt, schneidet er die Spitze seiner Zigarre in feinem Zirkel ringsum ab; auf keinen Fall zu knapp, das ist wichtig; Geiz rächt sich erbarmungslos; und wie sollte Geiz auch am Platze sein, da es sich bei allem Rauchen um Verschwendung, Ehefrauen sagen mitunter gar um Vergeudung handelt.

Wir haben einen Mann gekannt, diesmal keinen österreichischen Faschisten, sondern einen berlinischen

Ingenieur, Paul Gebhardt in Stralau — sein Andenken halten wir hoch; denn er verfügte noch in den dunkelsten Zeiten der Inflation wie der Weltwirtschaftskrise über ein wohlassortiertes Lager an Zigarren, grundsätzlich Fehlfarben, weil er auf Äußerliches wenig gab — dieser Mann verschmähte sogar das Federmesser. Wie gesagt, er war Berliner — gebürtiger und nicht nur gelernter wie wir —, und vielleicht erklärte das seine gewisse Nonchalance; jedenfalls biß er grundsätzlich die Zigarrenspitze mit den Zähnen ab, selbst in Gesellschaft von Damen, also nicht nur, wenn wir allein waren. Natürlich feuchtete er vorher die Spitze an, ehe er zubiß; auch spie er sie dann nicht in die Gegend; das dürfen vielleicht Fernlastkraftfahrer tun, zum Kabinenfenster hinaus. Gebhardt hingegen nahm sie sich ganz zierlich von den Lippen — er war trotzdem kein Rauchästhet —, und wer ihm dabei erstaunt zusah, den belehrte er mit einer kuriosen Parabel. Wenn ein Kind, erläuterte er aufklärerisch, geboren wird und die Hebamme schneidet die Nabelschnur durch, dann verbluten unweigerlich Mutter und Kind, sobald die beiden Enden nicht sofort abgebunden werden; beißt jedoch, etwa bei einer Notgeburt, die Mutter oder ein anderer die Schnur mit den Zähnen ab, dann stillt sich das Blut von selbst, weil das Beißen ein natürlicher Vorgang ist. Womit denn der Maschinenbauer die Tabaksrolle, die er rauchen wollte, für ein organisches Wesen nahm.

Nun aber zurück zum Feuer. Sollte sich einer zu uns setzen, in unsre Korona, der Zigaretten raucht, dem darf natürlich jedermann Feuer reichen. Unter Zigarettenrauchern gilt das sogar als unbedingte Höflichkeit, und Frauen blicken uns höchst indigniert an, wenn wir ihnen die Streichholzschachtel einfach in die Hand drücken; sie wollen bedient sein. Gar kein Zweifel, daß sich diese Bedienung zu einem chevaleresk-erotischen Impromptu nutzen läßt, und da zu diesem Flirt (wie zu jedem andern) nur zwei Partner gehören oder gehören sollen, nützen sie kokett-intrigant aus, was bei uns allen als bekannt vorausgesetzt wird: nämlich, daß mit einem Streichholz nie mehr als zwei Glimmstengel angezündet werden dürfen. Mit dem Rauchen hat das selbstredend überhaupt nichts zu tun; es ist barer Aberglaube. »Der Dritte stirbt«, sagen sie, die Zigaretten rauchen, und vornehmlich die weiblichen, die sonach das Spiel mit dem Feuer und das mit dem Tode als Prickel und Kitzel einsetzen. Umgehend erzählen sie dem Uneingeweihten jene Anekdote, die, zu unserer Zeit wenigstens, in den Burenkrieg verlegt wurde; das war lange genug her, um glaubhaft zu wirken. Die Buren schossen gut, hieß es damals, und sobald drüben auf der andern Seite ein Brite sich die Zigarette anzündete, wußte der Südafrikaner, wo der Feind stand; reichte der Tommy das Streichholz sodann weiter, legte der Ohm-Krüger-Mann an, und beim dritten, der sich des Feuers bediente, drückte er ab. Eigentlich eine scheußliche Geschichte, nicht wahr? . . . Gut, daß sie für Zigarren- und Pfeifenraucher nicht zur Debatte steht, zumal für sie selbst ein Streichholz nur ein Notbehelf ist, denn leider sterben Fidibusse aus, und wir haben sie sehr nötig.

Kleiner Exkurs über den Fidibus

Im Duden steht, Fidibus sei ein lateinischer Ausdruck, und natürlich deklinieren wir stets: fidibus, fidibi (masculinum): der gefaltete Papierstreifen zum Pfeifenanzünden. Der Duden fügt stets die gehörige Verdeutschung der Fremdwörter hinzu, sofern sie ihm einfällt. Bei Zigarre und Zigarette zum Beispiel riskiert er keine Verdeutschung; die müssen wir undeutsch hinnehmen genauso wie Tabak, der eben ein haïtisch-spanisch-französischer Ausdruck bleibt, obwohl doch zu erwägen wäre, ihn mit Rauchkraut einzudeutschen oder mit Schmauchblatt, ganz kurz auch mit ›Schmauchel‹ — was höchst aparte Zusammensetzungen ergäbe. — Um aber zum Fidibus zurückzukehren, den der Duden wie oben zitiert verdeutscht, so kann er, falls die Reste unserer Lateinkenntnisse nicht trügen, ohne weiteres kein lateinischer Ausdruck sein; denn die Römer haben weder Papier noch Pfeife gekannt. Er hätte ein mönchslateinischer Ausdruck sein können; doch auch die Mönche im Mittelalter haben der fidiborum mitnichten bedurft; und so ist er erst in einem spä-

*teren Zeitalter entstanden und zwar im 17. Jahrhundert,
in der Zeit, da der Tabak bei uns heimisch wurde.*

*Das 17. Jahrhundert, das des geliebten Barock, war nicht
nur im Hinblick auf den Dreißigjährigen Krieg ein höchst
bemerkenswertes, eines, in dem sich das Leben und durchaus nicht nur das der besser gestellten Schichten noch ent-
faltete und erfüllte, sondern auch in Hinsicht auf unsern
Tabak! Johann Georg Schoch geboren 1634 zu Leipzig, gestorben 1690 im Dienste des Herzogs zu Braunschweig, Ly-
riker — siehe Schochs ›Neuerbauter Poetischer Lust- und
Blumengarten‹ Leipzig 1660 u. ö. — soll das Wort ›Fidibus‹
in seinem ›Sauflied‹ erstmalig literarisch verwendet haben.*

*Es kennzeichnet aber die noch grundbelesene Zeit des
Barock, daß der Ausdruck selbst hochliterarischen Ursprungs war; denn irgendeiner, und dem muß es dann dieser und jener um des gelungenen Ulkes nachgeplappert
haben, irgendeiner soll seinem Freunde ein ›Zündpapier‹
(so genannt bei Joachim Rachel, geb. 1618, als Rektor gest.
3. Mai 1669, Satiriker der Opitzschen Schule) mit den Worten gereicht haben: »... et ture et fidibus iuvat placare ...
deos ...«, was zu deutsch etwa heißt: »Mit Weihrauch und
Saitenspiel laßt uns die Götter besänftigen« — tus turis
(neutrum) Weihrauch, hier gleich Tabaksqualm — ein Zitat
aus Horaz Ode 1, 36. Ist das nicht würdig? Horaz in unserer
Runde! Wie viele Oden hätte er wohl über den Tabak ver-
faßt, hätte er sich seiner erfreuen dürfen!*

Rauchringe

Natürlich haben wir, bei Eröffnung dieses Diskurses,
uns nicht zufällig als Pfeifen- und Coronaraucher in-
stalliert. Beide, Pfeife wie Corona, bieten uns die
gleich breite Brandfläche an, und so brauchen sie etwa
die gleiche Zeit und die gleiche Bemühung zum Anstecken. Seien wir nachsichtig mit dem Jüngling, der

Defe TABACK word fabriceert en
verkogt by Johan Peter Kohl.
m Bremen onder de Wapen
van Harlmgen en Amfterdam.

unter uns zum erstenmal einer Corona gewürdigt wird; es gelingt ihm vorerst schwer, den flachen Schnitt gleichmäßig anzuglühen. So sehr uns das kostbare Stück dauert, das wir ihm freundschaftlich oder väterlich überantwortet haben, einmal hatten auch wir damit anfangen müssen. Es war ein wichtiger Augenblick: corona, coronae (femininum): die Krone – aller Rauchereien. Uns brachte es ein Herr van Heemskerck bei, in Militsch auf den Maltzan'schen Gütern; und als ehemaliger Generalstabsoffizier verfuhr er strategisch-geduldig mit der Einweisung minderausgebildeter Zigarrenrekruten — unter absoluter Schonung unseres Selbstgefühls. Übrigens ziehen Coronas stets vortrefflich, dank ihrer breiten Fläche, und wer Gäste, sonderlich jugendliche, in seinem Hause empfängt, der sollte sie stets vorrätig haben.

Was aber tut er, wenn sein Besucher aus den verschiedenen Kistchen eine Zigarre wählt, die spitz zuläuft, gar in Kreiselfaçon? Unsere ganze Korona, die sich soeben zusammengefunden hat, um beim blauen Rauch das lange Gespräch über den Tabak und das Rauchen zu beginnen, sie wird zwar leise, doch gründlich erschüttert, sobald sich herausstellt, daß »das Dings nicht zieht«; die Störung, ja Verstörung ist erheblich. Freund Gebhardt in Berlin-Stralau riet in solchem Falle, und gewiß unter moralischer Anstrengung, unverzüglich eine andere Zigarre zu nehmen. Freilich, nun liegt das mißglückte Exemplar unter Umständen den ganzen Abend auf dem Tisch wie ein Menetekel, ein Pfahl im Fleisch der lebendigen Unterredung, und verleiht ihr einen resignativen Unterton. Denn wir setzen ja voraus, daß es sich um eine gute Zigarre gehandelt hat, das heißt, um eine Zigarre aus gutem Tabak, auch um eine gut gefertigte Zigarre. Unsere Zigarren sollen ja immer aus guten Tabaken bestehen — wobei allerdings jeweilige Geldverhältnisse eine gewichtige Rolle spielen; und da wir, als kleine Leute, kaum Henry Clays rauchen, geschieht es doch hin und wieder, daß die Wickelung nicht einwandfrei ist. Oder? Einige der Unsern behaupten, es gäbe tatsächlich Zigarren, die nichts als gestopfte Deckblatthülsen seien. Hände weg, können wir da nur rufen, und lieber gar keine Zigarre als eine schlechte; denn längst, wir werden ausführlich davon zu reden haben, hat sie ausgespielt als Attribut hoher sozialer Stellung — was freilich noch nachklingt — und da auch die Pfeife seitdem kein Signum sozialer Unterlegenheit mehr ist, sondern fast schon ein Romantikum, empfiehlt es sich von selbst, lieber einen guten Rauchtabak zu erstehen als eine schlechte Zigarre zu rauchen.

Zurück nun zu unserem jungen Mann mit Kreiselfaçon. Des Fidibus Flamme züngelt nicht hoch, wenn er zu saugen beginnt, und das ist ein ungutes Zeichen. Er drückt an dem schönen Stück herum. O doch, mitunter hilft das, und daheim, wenn er sozusagen unter sich ist, wird er vermutlich eine lange Stopfnadel nehmen und sowohl vorn wie hinten tief hineinpiken; auch das hilft bisweilen. Nur jetzt fehlt solche Gelegenheit, und so fehlt es nicht an Verlegenheit. Alte Zigarrenhasen grinsen dreist und vergessen — oder erinnern sie sich im Gegenteil allzu genau? —, daß sie sich, so lange ist's doch noch gar nicht her, in der glei-

chen Lage befunden haben. Eine Zigarre, eine zerbrochene mit Nebenluft kann unser Deliquent bei uns
nicht bekommen haben. Darum nehmen wir einfach
an, unser junger Mann habe seine Zigarre wirklich
nicht richtig anzuzünden verstanden; durchaus mensch-
lich, ja? ... wobei wir unbedingt von dem Verdacht
schweigen, er habe das Mundstück versehentlich mit
dem Brandende verwechselt, den Kopf mit dem Kneifer ... ein grauslicher Verdacht, der auf angeborene
Zigarrophobie schließen ließe; und damit wäre unser
junger Freund völlig falsch in dieser sonst durchaus
liberalen Korona. Unter erschwerenden Umständen —
etwa daß er die Zigarre auf den Teppich fallen läßt
oder gar, daß er darauf wartet, bis ihm der im Zigar-
rendienst ergraute Herr Nachbar das angebrauchte
Streichholz überläßt! — unter solchen Umständen hätten wir ihn sogar ins Frauenzimmer zu verweisen, wo
Zigaretten stehen und zwar solche mit markiertem
Mundstück. Da, in dieser erotisierten Atmosphäre kann
ihm nichts Peinliches zustoßen, und statt seiner holen
wir flugs die alte Gräfin Maltzan herüber.

Haben Sie sie noch gekannt? Wenn nicht, haben Sie
eine der wesentlichsten Begegnungen versäumt. Jedenfalls gehört die alte Gräfin Maltzan zu unseren zigar-
rentlichsten (sit venia verbo!) Jugenderinnerungen und
zwar auch in Militsch, das mithin geradezu ein Zigar-
renschicksal erlitten. 1923 spielte das. Die alte Gräfin
Maltzan war eigentlich gar keine Gräfin, sondern nur
eine Komtesse, nach ›bürgerlichen‹ Begriffen; aber der
Kaiser, Wilhelm ii., hatte ihr die Erlaubnis erteilt, sich
Gräfin zu nennen, wieso weiß ich nicht, und es schwirr-

ten darüber die verwegensten Gerüchte und Verdächtigungen durch die Gegend. In der Nähe von Militsch besaß sie ein Rittergut, wohin sie mich eines Tages mitnahm, zum Mittagessen; und ich entsinne mich noch, daß ich dort zum erstenmal Quittenmus verzehren mußte. Zum andern erstenmal aber erlebte ich eine Frau beim Zigarrenrauchen. Nun, seitdem ist das öfters vorgekommen; jedoch unsere Mutter hatte nie eine Zigarre geraucht, unsre Großmutter auch nicht; es gab eine jüngere Schwester der Mutter, die als extravagant gelten wollte, es sicherlich nicht war, aber dann doch einmal in der Silvesternacht auf unserm Balkon, mithin in aller Öffentlichkeit! — und gewiß hatte sie einen Schwips — eine Zigarette rauchte. Ganz im Anfang unseres Jahrhunderts spielte das, weit vor dem Weltkrieg, und vermutlich gab die Tante Brüdern und Schwestern nur eine kokette Vorstellung, was ihr, laut mütterlicher Auskunft, auch schlecht bekommen sein soll. Das mit der Koketterie müssen wir uns aber merken, für später, wenn wir auf das weibliche Rauchen ganz allgemein zu sprechen kommen; jetzt holen wir statt dessen lieber die Gräfin in unsere Korona; denn ihr wird nicht schlecht, sie versteht eine Corona in unsrer Korona zu rauchen, nämlich mit dem rechten Anstand, der außerdem zum handwerklichen Können gehört oder von ihm erst bedingt wird.

Neulich, in Kopenhagen, saßen im Tivoli die Zigarre rauchenden Muttchen ringsum auf den Bänken, pafften, was die Giftnudeln hergaben, will sagen: es war eine rauhe Art, die Verbrennungsprodukte des gerollten Tabaks ein- und auszustoßen, routiniert, o ja. Aber wie sie dort vor den Spielautomaten standen, die Zigarre schief im Mundwinkel, und nach Geld gierten, war das in seiner Ungelassenheit sozusagen zigarrenwidrig.

Seinerzeit hingegen, 1923, sah ich vermutlich noch fassungslos zu, wie die Komtesse in ihrer Junggesellenbude — ja, das war ihr Wohnzimmer — nach beendetem Mahl eine Zigarrenkiste vom Schrank herunterholte und erst mir eine Zigarre anbot und dann sich selbst die ihre aussuchte. Sie suchte aus; heute weiß ich, daß sie also, genau wie der Ingenieur Gebhardt, Fehlfarben rauchte, aber, im Gegensatz zu ihm, ein Sortiment. Sortimente enthalten bekanntlich Fehlfarben verschiedener Qualität — das Wort Qualität hier im Sinne von Art, nicht von Wert verstanden; wir werden nachher noch darauf einzugehen haben — und so ist es stets ein Extravergnügen, aus dem noch vorhandenen Vorrat diejenige Sorte auszuwählen, die für die augenblickliche Gelegenheit die rechte sein dürfte. Ja, und dann kramte sie aus dem auf ihrem Schreibtisch befindlichen Durcheinander von Papieren, Schlüsseln, Kartoffeln, Samen, Schachteln und wer weiß was noch ein Federmesser hervor. Von ihr also haben wir das mit dem Federmesser gelernt; behutsam schnitt sie das Mundstück ab; sorglich probierte sie, ob die Zigarre Zug hätte. Darauf kommt es bei den Zigarren also an und besonders bei den spitzen: vor dem Feuer zu prüfen, ob Zug genug vorhanden ist; es ist das die Parallelhandlung zu unserer Pfeife, die wir, ehe wir sie stopfen, erst im Handteller ausklopfen und sodann ebenfalls auf freien Zug prüfen. Es muß das mit unserem Atmen etwas gemeinsam haben; denn ihm soll sich das Rauchen gleichsam ein- und anschmiegen, sich ihm trotz besonderer Funktion angleichen, damit es sich selbständig und selbstverständlich vollzieht.

Der unbekannte Gott der Raucher mit Sonderauftrag Zigarre, deus ignotus tobaccatus zigarrensis, muß uns seinerzeit in diesem entlegenen Winkel besonders im Auge gehabt haben: Einweisung in den Gebrauch einer Corona und Vorbehandlung einer Zigarre mit Spitze. Jeder von uns hat einmal solche Einweisung erfahren; die für Zigarren ist besonders heikel noch deswegen, weil es so viele Formvarianten gibt. Darüber an anderer Stelle. Geduld also; denn jetzt sind wir überhaupt erst dabei, sie anzuzünden. Nun aber keinesfalls: »Gebt Feuer, ach wie zieht ihr schlecht!« Jeder durfte sich lange und ziemlich einsam mit seiner Pfeife und seiner Zigarre beschäftigen. Zigarettenraucher freilich, sofern sie überhaupt in unserem Kreise und nicht bei den Damen sitzen, sind mit ihren Glimmstengeln längst ›am Zug‹. Ihnen mag unverständlich sein, wie lange wir immer mit dem Anfang zögern. Präliminarien.

Tatsächlich befinden wir uns in einer seltsamen Situation. Alle haben wir uns zu großem Gespräch versammelt; vorher aber sammeln wir uns selbst, sehr einzelgängerisch, und es ist, als ob wir uns mit unserer Zigarre oder Pfeife vorbesprechen, ganz unsere Individualität einholen, aus der wir dann die Unterhaltung nähren wollen. Auch könnten wir sagen, der Rauch, der nunmehr hier und dort aufzusteigen beginnt, prädisponiere die Sätze, die nun folgen sollen. Daher legten wir so entscheidenden Wert auf die Präparationen; und vorher müssen die Schwaden sich finden und über unseren Köpfen zur großen blauen Wolke zusammenwehen, ehe das erste Wort fallen darf. Die Zigarrenraucher streichen mit der Zigarre leise unter der Nase vorüber; das tut jeder nur einmal; der erste volle Zug ist gezogen — oder sollen wir sagen: geschlürft? Jetzt, ganz im Anfang, entfaltet die Zigarre ihr köstlichstes Aroma. Auch die Pfeifenraucher nehmen einen Mund voll Rauch, den sie breit an ihrer Nase vorbeiziehen lassen. Der Hausherr, der die Tabakwaren besorgt hat, blickt aufmerksam in die Runde und prüft die Augen seiner Gäste: wird das erste Aroma die Gesichter zustimmend leuchten lassen? Ein Angeber unter uns fächelt sich den ersten Rauch nochmals und allzu ostentativ zu; aber diese Dissonanz löst sich bald auf. Die Pfeifenraucher tupfen auf ihre Pfeifenköpfe; sollte der Tabak beim Entzünden über den Rand gequollen sein, wird er sanft zurückgedrängt. Noch eine Viertelminute bitte, und dann jenes erste Wort, nicht über das scheußliche Wetter, auch nicht gleich über Diskonterhöhung oder über die letzte Uraufführung, nein, über die neue Zigarrensorte muß es fallen, die unser Bremer Lieferant zur Probe geschickt hat, und damit über unser heutiges Zentralthema: über das Fest des Rauchens.

Wieso ein Fest?, mag einer provozierend fragen; sollte unser Thema nicht lauten: der Tabak, seine Zurichtung und sein Verbrauch — oder auch: seine Vernichtung? Vielleicht gar: seine Orgie? Was für prekäre Querfragen so gleich am Anfang; und unverzüglich wirft der nächste Disputant ein: Ist der Konsum des Tabaks nicht etwa eine Seuche? Und hat der Mann nicht gar recht, uns um der reinen Wahrheit willen unversehens so in die Parade zu fahren? Selbstzufrieden überlassen wir uns unbedenklich einem bedenklichen Genuß. Und bitte, haben wir nicht wie bei jedem Thema so auch hier genau zu sein, zumal uns gleich eingangs das Ironische und Verdächtige am Rauchprozeß zu behelligen verstand? Dabei spielen wir immer an den Grenzen. Es gibt in unsern Tagen einen nicht unbedeutenden Maler, der so lange stärksten Kaffee trinkt, bis er deliriert; in diesem Zustand kommen ihm seine Einfälle, Einfälle, die ihm die vom Alltag abgeschliffene Nüchternheit nicht mehr anbietet. Zweifellos argumentiert er, auch diese Einfälle gehörten zu unserem Bereich oder Besitz; also zählte es zu unserer Pflicht, ihrer innezuwerden, bis an die Grenze der Selbstbedrohung. Ungesäumt denken wir auch an Baudelaire und den Haschischrausch, an Huxley und das Mescalin, an die Steigerung unserer Sensibilität durch Krankheit. Wie bitte? Wohin wir uns treiben lassen? Nun, es treibt uns trotz allen Umwegs mit unseren Überspitzungen geradenwegs zum Fest des Rauchens zurück. O, sicherlich treibt dabei mit uns Rauchern auch der Teufel sein Spiel. Ungeachtet dessen muß in unserm Gespräch an einer Stelle die Bemerkung fallen, daß es, zum Donnerwetter noch einmal, so etwas wie den Raucherkrebs gibt. Sobald wir davon hören, schirmen wir uns natürlich ab und verschanzen uns hinter der Erklärung, ganz sicher sei das Faktum nicht, und ob die Teere, die der Tabak beim Verbrennen entwickelt, hinreichen, uns auf diese elende Weise umzubringen, bleibt dahingestellt. Immerhin, hier ist jeder auf sich ganz allein angewiesen. Gewiß widerstrebt es uns, nun den in Moralin getauchten Zeigefinger hochzuheben und zu dozieren, daß sich immer nur die Übertreibung räche, und wir in unserer Korona versicherten glaubhaft, wir übertrieben nicht. Wer weiß aber, wann er übertreibt? Das ist der Unsicherheitsfaktor: die Organismen reagieren verschieden; den einen bringen täglich drei Zigaretten um, den andern keine vierzig, und neulich ist an Lungenkrebs auch ein Nichtraucher gestorben. Um Ausreden, wie Sie sehen, sind wir wie sonst so auch hier nicht verlegen, und unverzüglich tischt einer von uns die alte Geschichte auf von dem uralten Bauern, der, als der Herr Pastor ihm wegen seines allzu vielen Rauchens Vorhaltungen machte, antwortete, er sei inzwischen doch hundert Jahre alt geworden. Da soll der Herr Pastor entgegnet haben: »Ja, und wenn du nicht so viel geraucht hättest, wärest du vielleicht schon hundertundzwanzig.«

Mit solchen dummen Späßen versuchen wir leichtfertig, die heikelste Frage abzuwimmeln. Doch wird sie uns auf den Fersen bleiben. Oder gilt wie sonst, so auch hier, daß an bestimmten, den prekären Punkten

uns echte Auskünfte versagt sind, so daß wir, ja, anders läßt es sich gar nicht ausdrücken: drauflosleben müssen? Also rasch weiter. Was nun den Verdacht einer Seuche anlangt — wir haben das, als wir es vorhin einwarfen, wahrhaftig nicht sehr ernst gemeint; aber nun hat es uns, und wir müssen Rede und Antwort stehen. Die Nachschlagebücher verweisen uns dabei auf den weit gelasseneren Ausdruck Epidemie — und alsogleich klingt es nicht mehr so scheel. Auch auf Endemie verweisen sie uns, und damit sehen wir uns unweigerlich zu präzisen Feststellungen angehalten. Epidemien, steht im Lexikon, seien zeitlich und zwar durch Ansteckung auftretende Krankheiten. Selbstverständlich verziehen wir bei dem Wort Krankheit spöttisch die Mundwinkel. Anderseits unterliegt kaum einem Zweifel, daß die Definition Epidemie wenigstens in gewissem Maße auf unsere Tabaksfreuden zutrifft, nämlich, sobald wir den Nachahmungstrieb mit Ansteckung gleichsetzen. Und wer wollte bestreiten, daß wir alle einmal andere nachgeahmt haben und angesteckt wurden, als wir anfingen zu rauchen?
Ernste und trotzdem liebenswerte Leute gibt es, die feien sich gegen diesen Trieb, indem sie allem Tabak grundsätzlich entsagen; sie halten es mit der menschlichen Vernunft, oder besser: Vernünftigkeit unvereinbar, sich eines Stimulans zu bedienen, das die Moral, wenn nicht untergräbt, so doch schwächt — von körperlichen Schäden diesmal ganz zu schweigen. Wir sehen das ein, wir sind doch keine Tröpfe. Es ist schrecklich: wir Raucher sehen immer alles ein — und rauchen doch. Ei, haken diese prinzipiellen Nichtraucher sofort ein

(von den unprinzipiellen brauchen wir nicht zu sprechen, das sind die, denen Rauchen eben kein Vergnügen
macht): ei, wie entlarvt ihr euch in eurer Haltlosig-
keit! Wir entlarven uns, und jetzt müssen wir sogar
bekennen, angesichts derart massiver Denunziationen
entlarven wir uns ohne besondere Schamhaftigkeit. Was
sollen wir denn anderes sagen als: das Rauchen macht
uns Spaß? Rufen die prinzipiellen Nichtraucher: mehr
Spaß macht, seinen Spaß ohne diesen Spaß zu haben!
Recte dixistis; dennoch rauchen wir weiter. Im Lexikon, mahnen unsre ungebetenen Mahner, im Lexikon,
das ihr so gern nachschlagt, steht schwarz auf weiß,
das Nikotin sei eines der giftigsten Gifte. Was bleibt
uns übrig, als auch das zuzugeben? Es ist scheußlich,
und wir entsinnen uns, daß auf der Universität uns
einmal ein Kommilitone verraten hat, wenn einer sich
umbringen wolle, genüge es, zwei Zigaretten zu essen.
Allerdings essen wir niemals Zigaretten, sondern wir
rauchen sie, und wohlgemut — das ist wahrscheinlich
die Wirkung des Giftes, die amoralische! — antworten
wir noch: das keimfreie Leben macht anfällig. Stimmt's
nicht? Und damit sind wir mit unserm Disput unversehens nochmals beim Herrn Pastor und dem alten
Bauern angelangt. Stellt sich etwa und letzten Endes
gar heraus, daß diese Anekdote für unsere Sache einen
zentralen psychologischen Kern enthält? Jedenfalls
müssen wir an dieser Stelle noch einige ergänzende
Worte über Epidemie und Endemie einfügen. Unzwei-
felbar stimmt, daß das Rauchen zu ersterer zählt; denn
örtlich begrenzt ist es, und zwar auf unseren Planeten
Erde. Die Astronomie — die vermutlich andere Sorgen

hat — hat kaum jemals festgestellt, daß die Tabakspflanze auch auf anderen Planeten gedeiht. Zudem hat
sich der Tabaksverbrauch erst in jüngerer Zeit epidemisch auf unserem Planeten ausgebreitet. Übereinstim-
mend berichten alle diesbezüglichen Bücher, so daß wir
es einfach glauben müssen, der Tabak sei aus Amerika
gekommen und zwar von den Indianern, den Ureinwoh-
nern des Landes. Von dort trat die Tabakspflanze, wie
die prinzipiellen Nichtraucher sagen werden, ihren ver-
heerenden Siegeszug an, ungehemmt trotz aller Widerstände, über die vier beziehungsweise fünf Kontinente,
was nichts anderes heißt, als daß sie zeitlich und zwar
retrospektiv abgrenzbar ist.

Und dies mit dem 12. Oktober 1492 post Christum
natum.

Die genaue Stunde steht leider nicht fest; es ist aber die
Stunde, in der Kolumbus auf der westindischen Insel
Guanahani landete. Vorher war diese Epidemie, groß-
räumig gesprochen — und nur so vermögen wir zu
sprechen — vorher war sie eine amerikanische Endemie.

Sobald wir das aussprechen, tritt der bemerkenswerte
Fall ein, daß wir leicht amoralischen Raucher einer
Meinung werden mit unsern hochmoralischen Wider-
parten, den prinzipiellen Nichtrauchern. Endemie, steht
im Lexikon, sei das Auftreten einer ansteckenden Krankheit innerhalb eines bestimmten Gebietes. Doch die
Nichtraucher fügen hinzu, es handele sich um eine epi-
demische Endemie, und wenn zwar der 12. Oktober
1492 für das Ende der amerikanischen Endemie ein
sehr präzises Datum sei, möchte sich doch das Ende der
Epidemie zeitlich verzetteln; dennoch stehe fest, daß

es eines Tages auf der Erde keinen Tabak mehr geben wird. Alles, sagen sie, habe seine Zeit; das Opium hatte seine Zeit, und nun ist sein Verbrauch enorm zurückgegangen, die Hexenverbrennung ebenso, gar das Tabakschnupfen. Zugegeben, es wird eines Tages auch das Tabakrauchen vergehen; wir zweifeln nicht daran, daß das eine traurige Zeit sein wird. Zu befürchten ist auch, daß dann eine andere Seuche an seine Stelle tritt. Es gibt da entsetzliche Möglichkeiten. Doch begnügen wir uns jetzt, festgestellt zu haben, daß Tabakrauchen epidemisch-endemischen Charakters sei, und orientieren wir uns schleunigst über Ursprung und Ausbreitung dieser gefährlichen Sucht. Denn sehen Sie, es ist doch schon höchst alarmierend zu hören, welcher botanischen Gruppe das inkriminierte Kraut zuzurechnen ist: nämlich den Nachtschattengewächsen!

Zu uns nach Deutschland kam es, das Nachtschatten-
gewächs Tabak, nicht direkt über den Ozean. Wie vieles andere kam es aus Frankreich zu uns, wo es bereits
Anfang des sechzehnten Jahrhunderts auftauchte. Ein
altes Lexikon behauptet, nach Deutschland sei der Tabak im Jahre 1565 gelangt. Das ist eine höchst frag-
würdige Bestimmung, nämlich seiner Bestimmtheit
wegen. Wieso gerade 1565, zumal schon der Begriff
Deutschland für diese Zeit recht ungenau ist. Aber so
zwielichtig, nachtschattig, verhält es sich bei diesem
verflixten Teufelskraut immer; es tut so, als sei es standesamtlich gemeldet, ehrbar denn, und dann muß es
sich nachsagen lassen, daß seine Herkunft dunkel ist
wie sein Treiben. Das wird uns noch genügend zu
schaffen machen. Ungefähr wird die Zeitangabe schon
stimmen. Irgendein Mann dürfte das seltsame Gewächs
seinerzeit einmal über die vielen deutschen Grenzen
gepascht haben, nach Sachsen, nach Hamburg, nach
Bayern — falls Paschen überhaupt nötig war. Es kann
ein Landsknecht gewesen sein oder ein Quacksalber,
worunter ebenso gut ein Medicus oder ein Apotheker
oder sogar einer der letzten, entarteten Alchimisten
verstanden werden darf. »Was hast du da im Schnappsack?« mag ein Zöllner ihn angeherrscht haben, und
»tabacco« radebrechte der Bursche. Was war das, tabacco? »Heilst du alte Huren damit von der französischen Krankheit?« Diese Seuche hatte sich ja ebenfalls
erst kürzlich über die westliche Grenze bei uns einge-
schlichen, in Nacht und Schatten; und jetzt wurde etwa

das Gegengift nachgeliefert, he? In Gestalt von ver-
trockneten Huflattichblättern. Ab damit! Und der Mann
trollte sich. Drüben, im Welschen, hatten sie ihm tatsächlich gesagt, es sei ein Zauberkraut. Zollbeamten
wird er das nicht auf die Nase binden, und übrigens
hat er es selbst schon probiert: macht beschwipst ohne
Schnaps, pulverisiert eingesogen, es kitzelt dich und du
mußt niesen, auch so um die Brust herum gibt es ein
angenehmes Gefühl. Ist aus dem neuen Land gekommen, das sie Amerika nennen, woher das viele Gold
stammt, um das die Könige jetzt Kriege führen; wächst
bei uns nicht, darum ist es so kostbar; sie sagen, bei uns
sei's zu kalt dafür und nicht feucht genug; soll ja da
drüben ein ganz besonderes Land sein.

Mehr wußte der Mann, der bei Aachen über die
Grenze kam, bei Basel oder bei Straßburg, seinerzeit
kaum. Wissen viele von uns Rauchern heutzutage mehr?
Ist natürlich nicht wichtig, obzwar zur Kennerschaft
Wissen um Möglichkeiten gehört; auch ist rasch nach-
geschlagen, heutzutage: der Tabak zählt zur Pflanzen-
gattung der Nicotiana; er gedeiht in ein- und mehr-
jährigen Stauden und Halbsträuchern; wegen seiner
schwachen Wurzelbildung muß der Boden intensiv
vorbereitet werden; viel Hacken ist nötig, und die Ernte
erfolgt in Etappen: die unteren Blätter sind zuerst zu
pflücken, sie heißen Grumpen, dann folgen die Sandblätter. Aha, die Sandblätter!, nicken wir Tabakigno-
ranten kennerhaft; denn weil auf jedem zweiten Kistchen Zigarren das Wort Sandblatt steht, geben wir uns
ein Air: die Sandblätter aus Sumatra. Aber bitte, liebe
Freunde, Sie entsinnen sich hoffentlich dunkel, daß Su-

matra mitnichten in Amerika liegt. Doch weiter: nach zwei, drei Wochen kommen das Mittel-, das Haupt- und schließlich das Obergut an die Reihe, und jedes dieser Güter, das sehen wir ungescheut ein, hat seine besonderen Qualitäten. Was sich für uns Kenner wohl ›am Rande versteht‹, oder? Und wir dürfen uns, nach solcher Kenntnisnahme, tüchtig in die Brust werfen, denn alles das wußte der Mann, der den ersten Tabak aus Welschland ins Alemannische brachte (wo es des- halb auch seine bevorzugte Stätte, Anbaustätte nämlich fand), damals keineswegs. Um so genauer wissen wir es; wir wissen es sogar sehr genau. Wer von uns Äl- teren ist denn nicht schon Tabakpflanzer gewesen, wer von uns Rauchern? Ach, das ist nun bereits lange her, daß unter dem Dach unserer Baracke hübsch gebün- delt, gebüschelt die Tabaksblätter wie riesige grüngelb- braune Fledermäuse baumelten. Die Zeit vergeht . . . aber unsern Enkeln werden wir davon noch erzählen: ›Opa‹ als Tabakspflanzer in Wedel (Holstein) oder Gardessen (Braunschweig) oder in Naila (Franken- wald). Allerdings, märchenhaft wie an anderen groß- väterlichen Erzählungen war daran nichts, höchstens kurios und zwar, weil dieser Anbau in keineswegs warmfeuchten Gegenden stattfand, höchst bedenklich auch, weil dem Großvater einmal die ganze Ernte ge- stohlen wurde und er in äußerster Tabaksnot dann wieder stahl, bei Nacht und Schatten, Nachtschatten- gewächse.

Nach dem letzten Weltkrieg spielte das. Der Tabak erlebte seinen höchsten Triumph, und — schadenfrohe Randbemerkung eines amoralischen Rauchers — den

C

By HENDRIK MEYER en ZOON,
Woont op Drogbak, op de hoek, van de Buyten
Weringerstraat, over de Oude-Stads Herberg in't
Wapen van Holstyn, is deze en meer andere Sorten
Van Suicent-Tabak, als meede alle zoorten van
KNASTER Gekorven en by de Rollen te koop.
Tot AMSTERDAM.

passionierten Nichtraucher hätten wir sehen wollen, der seinen Tabaksbezugschein um der Moral willen vernichtete, statt ihn gegen andere Raritäten einzutauschen, höchst unmoralisch einen Notstand nutzend. Tabak wurde, wenn nicht zur Haupt-, dann doch zur Nebenwährung. Nicht nur, daß er zu zehnfachem Normalpreis gehandelt wurde; gegen ihn ließen sich Brot, Margarine, Textilien ergattern, und wessen Frau oder Mutter nicht rauchte, der erhielt deshalb noch längst nicht deren Raucherkarte, o nein, ein Pfund Suppenknochen waren der Hausfrau wichtiger. Wir meinen nicht die tabaccophobe Ehefrau, die triumphierte, daß wir das Geld nicht mehr verpafften, statt den neuen Pelzmantel zu kaufen, sondern jene, die uns das Rauchen wohl gönnte, aber ihre Zuteilung einsparte, um den Kindern ein Tönnchen Salzheringe oder uns selbst ein Paar Filzschuhe zu erstehen. Zigaretten wurden zum Maßstab der Gattenliebe. Einige unserer in diesen Dingen erfahrenen Bekannten sagen, eine gewisse Liebe wurde damals nur noch gegen Zigaretten gewährt. So hatten sich also die Verhältnisse einschließlich der Liebesverhältnisse genau verkehrt, da früher, wenigstens unter Umständen, diese Art Liebe selbst eine Währung gewesen. Wir entsinnen uns leicht irgendeines Zufallsgesprächs, das wir in der überfüllten Bahn mitanhören mußten und während dessen ein attraktives junges Mädchen seinem Bekannten erzählte, es hätte mit Glück die Stellung gewechselt, und neben dem höheren Gehalt bezöge sie statt eines bisherigen Monatskontingents von hundertfünfzig Zigaretten nunmehr zweihundertfünfzig.

In dieser Situation mußte — mußte nicht, sagen die passionierten Nichtraucher — mußte, sagen wir, wer seine Arbeits- und sonstigen Kräfte nicht gegen Tabaksware verhökern konnte, versuchen, sich seine eigene Währung zu schaffen. Wir falschmünzerten also. Diese Dukaten waren schlechter Prägung, aber sie galten, und selbst wenn wir unsere eigenen Erzeugnisse vertilgten, genossen wir sie in der heimlichen Genugtuung, irgendeinen Anonymus geprellt zu haben, und wenn nicht den ziemlich dubiosen Vater Staat von damals, dann wenigstens das Schicksal oder auch die aus den Fugen geratene Volkswirtschaft. Ein Streifen Boden, der sonst brach lag, fand sich, und überall, neben den Bahndämmen, auf Ruinen, in Vorgärten zwischen den Rosenstöcken, selbst in den Blumenkästen der Balkons, steilten die so niemals gesehenen charakteristischen Tabaksstauden, und der zukünftige Großvater berichtet, auch ihm sei geglückt, hinter Calw (Würt-

temberg) oder Lichtenfels (Main), eine halbe Stunde von der Baracke entfernt, in der er untergekommen war, ein Beet zu ergattern, und wochen-, ja monatelang sei er täglich dahingepilgert — den Weg fände er noch heute geschlossenen Auges —, um das Gedeihen der Pflanzen zu überwachen, wie vorgeschrieben und in den Instruktionen, die von Hand zu Hand gingen, nachzulesen: zu jäten, zu hacken, zu häufeln, zu gießen, wieder zu jäten, nochmals zu hacken — und bald sei's auch kurz vor der Ernte gewesen. Nur eines Tages habe nichts mehr dort gestanden, denn eines Nachts habe sich ein böser Zeitgenosse hingeschlichen und vorzeitig, will sagen: rechtzeitig die schwach nur in der Erde verwurzelten Pflanzen ausgerissen und sich mit der Beute davongemacht. Nie hat Großvater ›ausklamüsern‹ können, wer ihn so heimtückisch beraubt. Anzeige bei der Polizei? Du lieber Himmel, auf solche dummen Gedanken verfiel damals niemand; wir wollen niemanden anschwärzen; aber wußte seinerzeit einer, ob es nicht jemand von der Hermandad selber gewesen war? In ihren Amtsräumen stand der blaue Rauch; das Falschmünzern zahlte sich aus, indem es jedermann zum Komplicen machte und niemanden mehr inkriminieren ließ. Gift als Gold, ja?

Wir stahlen alle, so oder so, nur daß der Tabaksdiebstahl gewissermaßen in der Sache sich deckte, in den Dubiosen der Sache. Staatsanwälte riskierten seinerzeit ihr Amt für zwei mitgenommene Klosettpapierrollen; Studienräte zogen mit dem schwächsten Lateiner ihrer Klasse auf Kohlenraub aus, nachts um zwei Uhr, sorgfältig geplant nach Güterbahnhof West; Ärzte schrieben Rezepte gegen Butter aus. Unschuld wurde fällig gegen fünfzig, na sagen wir lieber, gegen hundert Zigaretten. Die Enkel glauben dem Großvater kein Wort; wir glauben es uns selbst nicht mehr, obzwar wir es mitgetrieben haben, jeder an seiner Statt. Und abends saßen wir in unserer Stube, in der Wärme gestohlener Kohlen und der Behaglichkeit ungekränkten Gewissens — ja, das durchaus! — entrippten unsern Tabak, Diebsgut auf jeden Fall (denn zumindest hätten wir ihn versteuern sollen, und das hatten wir gewiß nicht getan), besprachen mit Frau oder Freund, wie er zu beizen sei; o, uns machte keiner mehr etwas vor, wir waren vom Bau und experimentierten nach den verwegensten Anweisungen. Am verwegensten war, wer auf die Beize ganz verzichtete und, kaum daß ein Blatt trocken war, es mit der Schere zerkleinerte, um das unentbehrliche Kraut, das Giftkraut, das Teufelskraut, das unsere Moral von Grund auf zerrüttende Kraut endlich in die Pfeife stopfen zu können. Übrigens gab es unter diesen Umständen viel mehr Pfeifenraucher als sonst, denn da es auch kaum Zigarettenpapier gab, konnten wir uns keine Zigaretten drehen. Kunstfertige unter uns versuchten einmal, sich eine Zigarre zu basteln; sie gaben es bald auf, unförmige Dinger mit tausend Nebenlüften entstanden. Positiv gewendet dürften wir sagen: in dieser Zeit bewährte sich die Pfeife als Urinstrument des Rauchens. Es muß, mit Verlaub zu sagen, in unseren Buden mitunter entsetzlich gestunken haben. Natürlich bestand unsere Leidenschaft für den Tabak hier auch ihre Probe. Oder war es eine Sucht, die sich nicht schämte, unter jedes Niveau zu gehen, nur um frönen zu können? Wie heikel waren wir doch einmal gewesen, wenn es galt, unsern Tabak auszuwählen. War jenes Verkommnis oder dieses? Beides gar? Die Frage ist wiederum prekär. Nachtschatten, Nachtschatten ...

Praekolumbianisches

Stets fragt sich eben einiges prekär, sobald wir vom Tabak sprechen — wenngleich wir behaupten dürften, daß unser Gespräch dadurch erst Sinn und Akzent erhält; das Selbstverständliche kann bekanntlich der Überlegungen entbehren. So ist die Kartoffel gewiß ein nicht weniger bedeutendes Geschenk Amerikas an uns; aber obzwar sie ebenfalls zu den Nachtschattengewächsen zählt, gelüstet niemanden, des langen und breiten von ihr zu reden; sie ist ein Segen. Wir passionierten Raucher möchten natürlich den Tabak auch so schlechthin einen Segen nennen können. Unmöglich. Wir machten uns vor uns selber lächerlich angesichts der Vorbehalte, deren sich niemand erwehren kann. Das Dilemma beginnt schon damit, daß er seinen Zauber nicht nur seiner toxischen Beschaffenheit dankt, sondern zugleich, oder sagen Skeptiker: selbstverständlich den religiösen Kulten. Wir drücken uns hierbei äußerst vorsichtig aus, obwohl wir es gar nicht nötig hätten; denn dem Großen Geist oder Manitu zu huldigen und ihm Früchte und Kräuter zu opfern, nun, das scheint uns, trotz Kains, menschlicher und menschenwürdiger zu sein, als zu seinem Ruhme Jungfrauen zu metzeln. Jedenfalls muß sich eines Tages oder Nachts zu den mehreren vor dem Tempel abgebrannten Gewächsen eben auch das Blatt der Tabaksstaude gesellt haben; und sollte theologisch auch stimmen, daß dem angerufenen Hauptgott ein Mädchen mehr zusteht: ganz abgesehen davon, daß auch wir in einem bestimmten Zustand von Reife uns lieber einer Zigarre getrösten, als die Strapaze eines weiblichen Abenteuers auf uns zu nehmen, es muß das verbrannte Kraut Gnade gefunden haben vor dem höchsten Wesen. Natürlich ist unaufklärbar, wann und wo und wieso zum erstenmal; das hat sich mählich herausgebildet. Keinesfalls wollen wir hier etwas mystifizieren. Wahrscheinlich warf einmal eine Alte oder unsertwegen auch eine Junge, die froh war, nicht mehr geopfert zu werden, da warf sie eben, weil nichts anderes zur Hand war, kurzerhand ein Bündel trockenen Krautes ins Opferfeuer; nicht gleich beim Haupt- und Staatsopferakt zu Macchu Picchu und im Beisein des Sonnengottes selbst, des Inkakaisers, sondern erst einmal, sozusagen probeweise, beim dörflichen Opferfest. Neulich, als sie nicht genügend Holz zum Feuermachen gehabt — der Mann hatte einen Rausch ausschlafen müssen und keine Scheite zerkleinert — waren ihr ein paar Strünke des Unkrauts in den Herd geraten, versehentlich fast. Hinter dem Wigwam wucherte es seit einiger Zeit; nicht wegzukriegen war das Zeug. Als der Mann endlich aufgewacht oder auch vom Feld heimgekommen war, hatte er gefragt, was sie da verräuchert habe. Hatte er sie, wie bei Wilden üblich, diesmal nicht pflichtschuldigst versohlt? Das Feuerchen hatte ihm offenbar gute Laune gemacht. Der Dorfpriester mochte beim Einsammeln seines Deputatschnapses gleichfalls geschnüffelt haben, pflichtschuldigst voller Mißtrauen, weil Gaukeleien, und seien es solche mit Düften, ausschließlich in sein Fach schlugen; und so hatte er, draußen beim Opferfest, auch gefragt, was für einen Zunder sie da verknastere, und wenn das nur gut ginge; es hätte ohnehin schon lange nicht mehr geregnet. Aber vielleicht regnete es gerade dann bald darauf oder wenigstens im nächsten Jahr bei gleicher Gelegenheit, einmal aber bestimmt? ... zumal alle im Dorfe neugierig geschnuppert hatten. Die Nachbarin wollte zwar unken, aber es regnete tatsächlich. Zufall? Oder war die Gute eine Hexe, die, auch wenn sie weißgott keine Jungfer mehr war, auf den Scheiterhaufen gehört hätte? Jedenfalls blieb ein Gerücht haften, dem Großen Manitu habe der Duft des Unkrauts besonders gut in die göttliche Nase gestochen; das Dorf sektierte fast, und im Nachbarweiler stänkerten sie bereits ... wegen des neuen Gestanks, der ruchbar geworden. Der Regen war jedoch ein unzweideutiger Gunstbeweis gewesen, und neun Monate später kamen mehr Kinder zur Welt als sonst. Die Männer mußten sehr lustig geworden sein in dieser Nacht. Freilich wollen wir uns jetzt nicht ganz verlieren und behaupten, seine Majestät der Sonnengott zu Macchu Picchu, der Inkafeste, wo es der Garnison längst an Rekruten mangelte, habe von dem Kinderreichtum des Tabak verräuchernden Dorfes erfahren. Es hat uns zu widerstehen, unsern Tabak schon hier mit solcherlei Staatsräson zu verkuppeln — wenn wir alten Skeptiker auch zu wissen meinen, daß Staatseinsichten (entweder fiskalischer oder militärischer Art) oft größeren Ausschlag geben als guter Glaube. Die fiskalische Komponente aber in diesem Konzept, nämlich Staatsräson mit Tabakkonsum zu kopulieren, werden wir bald genug zu spüren bekommen, nur nicht etwa bei den ›Wilden‹ Amerikas, sondern bei uns besseren Menschen selbst. Welche Dilemmata wird das dann ergeben . . .

Eines Tages also wurde, etwa weil es so lange, allzu lange nicht geregnet hatte, auf dem großen Residenzopferfest gleichfalls ein Bündel oder, wie sich hierorts gehörte, gleich ein Fuder des unbekannten Reisigs verbrannt. Vielleicht kam darnach der Regen nicht übers Land, aber dafür, trotz Ernteschwierigkeiten, der Kindersegen mit einem Prinzen an der Spitze? Jedenfalls steht fest, daß die Endemie so begann, kultisch denn oder quasi-kultisch. Zugleich aber wird der oder jener alte Indio seitdem ab und an einen Strunk oder ein vertrocknetes Blatt der Tabakspflanze heimlich ins heimische Herdfeuer geworfen und damit eben, so wie wir Weihnachten mit den Tannenzweigen, gottesfürchtig ein wenig gegokelt haben. Das machte ihm immer Laune, roch nicht übel in der sonst schlecht klimatisierten Hütte, machte ihn geselliger und ließ ihm auch die Squaw, die ihm sonst auf den Nerven und in den Ohren lag, geselliger erscheinen; und damit waren die präliminarischen Tabakfreuden endgültig geboren oder gegründet. Denn nicht unerwähnt darf in diesem Zusammenhang bleiben, daß zu lesen steht, selbständig entdeckt, also ohne Beihilfe weißer Männer, hätten die Indianer außer dem Genuß des Tabaks neben dem

Maisbau und der Bienenzucht, dem Kautschuk und der Wasserpumpe vornehmlich die Vergärung von Rauschmitteln wie auch das Strychnin. Vom Strychnin wollen wir hier nicht weiter sprechen. Uns genügt, wenn wir mit Nikotin zu tun haben. Und eines Tages denn rollte einer der erfindungsreichen Indios die Tabakblätter zu einer Tabago zusammen, sog daran, um sie besser und direkter genießen zu können, pustete vielleicht auch, so wie wir alle beim erstenmal tun, und spendierte sich damit und so auch uns die erste Zigarre. —

Tabago, so erfahren wir, haben die ersten von Europäern erblickten Glimmbüschel geheißen, die die Indianer sich in den Mund steckten und aus denen sie den Tabakrauch sogen, um ihn — ja so war es wohl in dieser Barbarei — anschließend zu verschlucken. Jedenfalls hoffen wir, recht gehört zu haben. Recht gehört haben wir betreffs des Wortes Tabago, von dem nun unser Wort Tabak stammt, auch das italienische tabacco, das französische tabac, das englische tobacco, das spanische tabaco, das russische Tabak usw. Lateinisch und griechisch gibt es keinen Tabak, obzwar uns wundern sollte, wenn jenes Amt im Vatikan, das für den internen

lateinischen Schriftverkehr der Kirche unsere modernen Begriffe latinisiert, sich nicht auch des Tabaks angenommen haben sollte; eine Gelegenheit dazu bot sich
bald, wie wir sehen werden. Tabagos also zeigten seine
Kundschafter dem Las Casas und berichteten von dem
seltsamen Gebrauch, den die Eingeborenen davon machten. Las Casas hieß ein Dominikanermönch, der bald
nach Entdeckung Amerikas nach Kuba gegangen war,
1511, um dort zu missionieren. Ihm verdanken wir
einige unserer wenigen Kenntnisse über die Ureinwoh-
ner des Landes. Er liebte sie offenbar, ward auch einer
ihrer ersten Bischöfe, nämlich in Mexiko, und er er-
wirkte Erlasse zu ihrem Schutz. Allerdings, und das
trübt die Christlichkeit seines Bildes, förderte er dafür
die Einführung der Negersklaverei, was dann leider
einen anderen amerikanischen Minister namens Henry
Clay, nach dem eine der kostbarsten Tabagos benannt
worden ist, vermochte, an seinen fraglosen Zigarren-
ruhm den fragwürdigen Verruf eines Gesetzes zu hef-
ten, demzufolge jedermann auf flüchtige Negersklaven, also Tabakpflücker schießen durfte. Unbekannt
hingegen ist, ob Las Casas die Tabagos selbst ausprobiert hat. Heutzutage gehörte ein solcher Selbstver-
such unerläßlich zur Aufgabe eines Ethnologen, um
der Sache auf den Grund zu gehen; aber vielleicht
wurde dem Las Casas bereits schlecht, wenn ein paar
der spanischen Söldner vor seinen Augen eine Kost-
probe wagten; es soll und muß ihnen zuerst übel bekommen sein. Wir stellen jedermann anheim, sich seine
Zigarre anzuzünden und nun nicht genüßlich den Rauch
über Zunge oder auch Nase wieder von sich streichen,

gar ihn in blauen Ringen zur Decke steigen zu lassen —
was eins der akrobatischen Kunststücke ist, um die sich
einige von uns ihr Lebtag vergebens bemühen — sondern statt dessen den Qualm zu verschlucken. Vielleicht
potenziert sich dabei die Wirkung des Nikotins? Sicherlich sogar; doch wenn die Indios es tatsächlich so
gehalten haben, dann waren sie oder dann hatten sie
sich langsam dermaßen ausgepicht, daß sie gegen das
Gift so immun waren wie Mithridates, der aus Angst,
vergiftet zu werden, sich langsam an alle möglichen
Gifte gewöhnt hatte, bis, als die Angst vor den rache-
durstigen Römern größer geworden war als vor einem
Attentat, es ihm nicht mehr gelang, sich mit Gift umzubringen. Und wer weiß, wozu im damaligen Amerika die Inkaoberen sich des Strychnins bedienten? . . .
nur gegen Kreislaufstörungen und nur am eigenen
Leibe? Warum sollten Indianer weniger schlau sein als
ein kleinasiatischer König? . . . wohingegen die Mägen
lammfrommer Europäer höchst anfällig gewesen sein

DEP. 10090.

dürften gegen Beräucherung! Wenn nun aber Las Casas oder einer seiner Vertrauensleute, die zugleich Vertrauensleute der verfolgten und drangsalierten Indianer sein mußten, in ein Eingeborenendorf kam und dort an Versammlungen teilnahm, wie verhielt er sich denn da? Zuschauer blieb er bei den Tänzen, bei denen die Pfeife als Requisit half und der Tabak als Stimulans mitwirkte, seinen Kräften gemäß, wohlverstanden; denn in Trance versetzt das Rauchkraut niemanden, und wenn etwa die Irokesen oder Seneca es noch heutzutage bei ihren eagle dances als Heilkraut verschmauchen, um Krankheiten zu bannen, müssen sie ihre Patienten-Opfer schließlich doch und oft zu spät in die Hospitäler einliefern. Doch im beratenden Concilium ging die Friedenspfeife von Mund zu Mund, nicht klinisch nun, sondern soziabel. Heikelige Situation für einen bisherigen Nichtraucher, dem das Zeug vielleicht nicht bekam. Dabei fragen wir nicht etwa nach der Hygiene; dieser Art Skrupel gab es noch nicht; sie sind erst neueren Datums, haben anderseits uns einmal einem ähnlich Prekären ausgesetzt, dem Verdacht mangelnder Kumpanei, damals, als wir Burschen uns beim Bauern einquartierten und er uns nach dem Abendbrot ganz selbstverständlich eine seiner Pfeifen anbot. Im Unterschied zu dem Las-Casas-Mann konnten wir da das Pipesmoken verleugnen, um statt dessen aus dem grobgeschnittenen Tabak, so gut es ging, eine Zigarette zu drehen. Der Spanier wird um Friedens und Völkerfreundschaft willen den Rauch haben schlucken müssen; Zigaretten drehen konnte er nicht, so weit war es auch noch nicht, von der hierfür nötigen Fingerfertigkeit ganz abgesehen; denn selbst unser Glimmstengel fiel nicht meisterlich aus, wiewohl wir das Kunststück gelernt zu haben glaubten. Sicher doch waren auch dem ersten, Tabago produzierenden Indio anfangs nicht alle Exemplare geglückt, und der Iberer hätte zu üben gehabt. Freilich, wir selbst hatten, als Sekundaner, unsere Griffe gerade einem Kriegsmann wie ihm abgeguckt, seinerzeit während des ersten Weltkrieges, als wir Erntehilfe leisteten. Landser verstehen sich ja oft trefflich auf solch elementare Praktiken. Auf unserem Hof arbeiteten wir mit einem russischen Gefangenen, einem gedrungenen Mann in zerfetztem Uniformrock, der mit uns nur der Gebärdensprache mächtig war. Dieser Mann, ein Abgrund an Gutmütigkeit, nahm einen Wisch Zeitungspapier, schob ihn in die zerschlissene Rocktasche, kramte darin, unsichtbar also und mit nur einer Hand, und brachte nach ein paar Sekunden überraschenderweise eine gerollte Zigarette zum Vorschein. Wie würden wir prahlen können, wenn wir, heimgekehrt ins Pennal, während der Mathematikstunde unter der Bank unversehens eine Papirossy zum Vorschein brächten — spät nach vollzogenem Urakt der Tabagofabrikation. Es ist aber nicht einfach, sich gutgeformte Zigaretten selbst zu drehen, und erst später als Studenten brachten wir es mit gummiertem Zigarettenpapier zu gewisser Fertigkeit, noch immer in dem leisen Ehrgeiz, es dem Russen gleichzutun. Und dann lesen wir, viele Jahrzehnte später, von einem anderen Meister dieser Kunst im ›Pariser Tagebuch‹ Gotthard Jedlickas, wo er von Georges Braque spricht und zwar so: »... im übrigen dreht er seine Zigaretten aus

Zigarettenpapier ›Job‹ mit einer faszinierenden Geschicklichkeit; wenn er sie rollt, so schaut er nicht auf das Papier mit dem Tabakshäufchen, sondern vor sich hin, als ob er dabei mehr den Bewegungen nachspüren als diese vor sich sehen müsse, wobei sich der Ausdruck der braunen Augen in einem raschen Wechsel verschleiert, wieder aufhellt, wieder verschleiert: Spiegelung des Verlaufs des gefühlshaften, empfindungsmäßigen, denkerischen Prozesses in seinem Gehirn. Mit einer verwirrend schnellen Bewegung netzt er auch das Papier, um die Zigarette zu kleben. Er zündet sie an einem alten Feuerzeug an, das er mehrere Male in Bewegung setzen muß, bevor es brennt, was ihn nicht ungeduldig macht, sondern zu seiner Rauchhygiene zu gehören scheint«.

Ein klassischeres Zeugnis dafür, daß sich der Elementarakt des unbekannten Indios immer wieder und sozusagen bestätigend wiederholt, bezwingend, wenn nicht gerade zwanghaft, und schöpferisch gegenüber den Industrieerzeugnissen, in präkolumbianischer Tradition, ein klassischeres Zeugnis läßt sich kaum finden. Als Gegenstück dazu entsinnen wir uns, nach dem Abitur und vor dem Auszug an die Universität vom alten Hingst, unserem langjährigen Lateinlehrer, abends zum Abschied eingeladen worden zu sein. Der lange Degenkolb war dabei, und das muß 1922 gewesen sein. Zigaretten und das längst inflationierte Geld waren knapp. Um uns aber männlich genug bewirten zu können, holte der Schlunzer, so nannten wir den Alten, ein Päckchen Tabak sowie eine Schachtel mit bereits rund verklebten Zigarettenhülsen herbei und dazu ein längliches Blechinstrument, in das er den Tabak packte; das schloß er dann, steckte es in die Hülsen und zog es wieder aus ihnen heraus, elegant eine Zigarette präsentierend. Den ganzen Abend gab er sich dieser Spielerei hin, in privater Zigarettenindustrie. Pauker sind eben so, weit vom Urgrund der Dinge entfernt, wiewohl Schlunzer noch der humanste von allen war. Ihm dankten wir auch solche Anekdoten wie die von Mithridates und seiner Giftimmunität.

Diesen Exkurs müssen wir bitten zu entschuldigen, wenngleich er uns, so meinen wir jedenfalls, nicht ganz durch ungehörige Jugenderinnerung ins Abseits verschlagen hat; denn einmal tritt der Schlunzer hier ein für die Zwischenstufe von reiner Handarbeit der Tabagos zur vollautomatischen Zigarettenproduktion, in effigie zumindest, anderseits besorgt sie uns, von der erwähnten Hülse für Tabak her den Anschluß an eine andere Hülse, nämlich an die Pfeife. Bevor sie doch zur Friedenspfeife avancieren konnte, mußte sie erfunden sein, und zweifellos ist sie erst einmal ein (ebenfalls technisiertes?) Hilfsinstrument gewesen, eine Art Band um die Tabagos, die nicht so straff zusammengedreht waren, als unindustrielle Gelegenheitsprodukte, wie unsere Zigarren ... obwohl sie deren Urahnen waren. Irgendeiner wieder, verehrungswürdiger Anonymus, vielleicht auch nur ein Faulpelz oder ein Tolpatsch, hat die Pfeife erdacht, ist auf sie verfallen, aus Mißmut, weil ihm bereits die siebente Tabago verpatzt war, aus Jux auch, weil er als dörflicher Witzbold für derartige Späße aufzukommen hatte; jedenfalls hat er den verpatzten letzten Tabago in eine Röhre gesteckt — ihn

47

raucherte doch so sehr und er mußte etwas haben —
und daran leicht verzweifelt oder verdrossen genuk-
kelt. Und siehe da, das ging auch, das war sogar probat, und eines Tages war für den Tolpatsch gar kein
Tabago mehr vonnöten.

Postkolumbianisch

Die Pfeife ging von Hand zu Hand, von Mund zu
Mund; der Rauch stieg empor, in alle vier Winde geblasen, und sobald er hochwehte, hatte der Große
Geist Manitu den Gast, der bei uns hockte, willkom-
men geheißen. Ob er an den Marterpfahl kam, falls
der Qualm am Fußboden dahinkroch wie bei Kains
Opfer, ist nicht festzustellen; physikalisch gilt als wahrscheinlich, daß es eines Marterpfahles nie bedurfte.
Rauch schwelt zwar gern um unsere Köpfe, etwas
träge, zugegeben, steigt aber dennoch langsam an die
Zimmerdecke; und angenommen, die Friedenspfeife
wurde im Freien geraucht, so bestand Gewißheit, daß
der Rauch nach kälteren Himmeln suchte. Im Tabak
schwelt ein freundlicher Geist.

An dieser Stelle könnte nun manchem von uns richtig erscheinen, sogleich und des näheren von der Pfeife
selbst zu handeln. Trotzdem verschieben wir das, denn
noch stehen wir an der Schwelle, die der Tabak zu
überschreiten hatte, um bei uns seine planetarisch-en-
demische Epidemie zu erleben. Schwelle versteht sich
hier zeitlich wie örtlich, zeitlich mit dem 16. Jahrhundert, lokal mit dem Atlantischen Ozean. Schwelle von

Imp. d'Aubert & Cⁱᵉ

LA PIPE MATINALE

Le Tabac de caporal fait maintenant partie intégrale de ce que les poetes appellent les suaves parfums du matin; et grace aux bouffées que lui envoyent de toutes parts les fumeurs, l'aurore, jadis au temt de rose, doit être bien près d'être culottée.

Se vend; chez Bauger & Cⁱᵉ Éditeurs des Dessins de la CARICATURE, du FIGARO et du CHARIVARI, Rue du Croissant 16.

mehrfacher Dimension also, wie nicht anders zu erwarten im Zeitalter der Entdeckungen — zu denen auf jeden Fall auch die des Tabaks gehört —, im Zeitalter der Renaissance und des Humanismus, im Zeitalter der Reformation und im Zeitalter des Frühkapitalismus. Es wäre doch erstaunlich, wenn der Tabak an diesen neuen Konzepten nicht teilhätte, teilnähme und nutznießte. Mit den anderen Daseinsformen entwikkelten sich andere Verhaltensweisen, sowohl dadurch, daß die Fugger wie die Hanse den Austausch aller Waren intensivierten, als auch dadurch, daß die Märsche der Söldnerheere vom einen Ende der christlichen Welt bis zum andern der heidnischen sämtliche eingesessenen Bräuche und Überzeugungen durcheinanderbrachten. So wundert niemanden mehr zu erfahren, daß es Augsburg war, eben die Stadt der Fugger, wo gegen 1565 zum erstenmal in Deutschland der Tabak auftauchte, tatsächlich, wie wir vermuteten, via Basel oder Straßburg; und demgemäß sollte, um 1620, hierzulande der erste Tabak im Elsaß angebaut werden.

Er schlich sich ein, und zwar als Heilkraut. Wir dürfen das ohne weiteres intrigant nennen, denn derlei scheint ihm tatsächlich gemäß zu sein und wird ihm immer anstehen, konspirativ also doch. Biedersinn eines Gifts wäre nunmehr eine vertracktere Sache. Mithin tauchte er über die Jahrmärkte auf, im Zeichen oder wenigstens im Gefolge von Zauberei und Aberglauben, gemeinsam mit Liebestränken, Goldmacherrezepten, Schönheitselixieren und Wassern vom Jungbrunnen. Dagegen mußte er anderseits andringen, geschenkt wurde auch ihm nichts. »Herrschaften!«, hö-

ren wir im Trubel einen Vorläufer unserer Werbechefs für die beste Zigarette loslegen: »Fallt nicht auf
all den Schwindel herein; ich rate euch besser. Den
Burschen da drüben, der den Jungbrunnen verhökert,
habe ich vorhin ertappt, wie er seine Buddeln heimlich am Stadtgraben aufgefüllt und zwecks Geschmacksverbesserung mit einer Handvoll Taubenmist aufgepäppelt hat. Den Rotfuchs nebenan mit seinen Schönheitselixieren fragt doch, warum er sie noch nicht an
sich selber ausprobiert hat; dem Windbeutel mit den
Liebestränken ist vor drei Wochen die eigene Metze
mit einem Dragonerwaibel auf und davon gegangen;
und wenn einer wirklich Rezepte fürs Goldmachen
ausgeknobelt hat, wieso bietet er sie dann feil für euer
armseliges Kupfer? Was hingegen ich hier habe, nichts
als eine Handvoll braunen Staubs, wie's scheint; doch
es ist Toback, echter indianischer Toback von Guanahani, wo der berühmte Kolumbumbus mit seinen drei
Karavellen zum erstenmal Amerika entdeckt hat; me-

xikanischer Toback erster Qualität und von Senor
Gonzalo Fernandez de Oviedo y Valdes, Vizekönig auf
Haiti, in seinem hochgelahrten Buche Generalhistoria
der Indianer anno domini 1526 zum erstenmal beschrieben, begutachtet und der gesamten Christenheit
anempfohlen. Keine Zauberformel ist dabei auswen-
dig zu lernen und kein Hokuspokus fidibus herzubeten
für den Gottseibeiuns; kein vierzehntägiges Fasten
braucht ihr einzuhalten, um seiner Wunderkräfte innezuwerden; nicht Mitternacht bei Neumond auf dem
frischen Grab einer amtlich beglaubigten Jungfrau zu
bibbern, wenn ihr's einnehmt; Jungfrauen soll's in dieser Gegend ohnehin nicht mehr geben seit dem letzten
Durchzug der Kaiserlichen. Ja, du Dicker dort hinten,
schüttele nur den ehrbaren Nischel, geh nach Hause
und hüte deine Dreizehnjährige; sie ist längst neugierig nach den echten Liebesträuken. Da, nimm eine
Prise, das Säckchen drei Kreuzer; du kannst das Zeug
auf der Stelle ausprobieren; kein Schwindel, kein fau-
ler Zauber, sondern ein Seelentröster, den der liebe
Herrgott für uns hat wachsen lassen, drüben im reichen Amerika, das es besser hat als wir, und den die
christlichen Seeleute des Kolumbumbus mit Gefahr ihres
einzigen Lebens zu uns über den Ozean geschmuggelt
haben. Ein Stäubchen genügt, so viel, wie in die Kuhle
geht, die zwischen ausgestrecktem Daumen und Handrücken entsteht; da, sieh her, damit dein Brummschädel
auf seine alten Tage noch etwas Rechtes lernt — und
dann hältst du's ans Nasenloch, links einmal, rechts einmal, jedem sein redlich Teil, und ziehst's kräftig ein,
noch kräftiger als du sonst deinen Schnief einziehst; na,

und dann wirst du's erleben. Es kitzelt schon dahinten. Ist doch ein Genuß, zu niesen, was? Aber wenn euch das Niesen keinen Spaß machen sollte, so folgt der Hauptspaß erst nach, und da gibt's ein Kribbeln in der Magengrube; euch wird ganz kannibalisch wohl als wie fünfhundert Säuen. Probier's, du alter Saufaus dahinten, anstatt über die ganze Larve zu feixen. Ich garantiere dir, von heute an wird's dir schnuppe sein, ob deine Alte von früh morgens bis Mitternacht mit dir keift. Es ist eine Medizin gegen alles, was uns in diesem Jammertal kränkt; Schnupfen gegen Schnupfen, gegen das Zipperlein, gegen die Würmer; drei Kreuzer das Beutelchen, prosit, und reicht für ein Vierteljahr. Zur Kirchweih bin ich wieder hier, und wenn ihr mir dann nicht die Bude stürmt, dürft ihr mich erschlagen. So wahr ich Meyer heiße! Euer ganz ergebener Majoratus magnus, Bakkalaureus der hochweisen Universität zu Paris, wo ich selbst den edlen König Franz II. — Gott sei seiner Seele gnädig! — zu bedienen die Ehre hatte.«

Mit dieser Bemerkung schnitt der Gauner vielleicht nicht einmal auf. Dieser Franz II. hat tatsächlich ein sicheres Verdienst um die Verbreitung des Tabaks in Europa. Kennen Sie ihn überhaupt? Franz II. kennt niemand, und so tritt der seltene Fall ein, daß ein Souverän nur um des Tabaks willen erwähnenswert ist. Es handelt sich dabei keineswegs um jenen Franz II., der nachher, kurios genug, Franz I. war; es handelt sich vielmehr um jenen Franz II., der König Franz nur ein knappes Jahr lang war; es handelt sich um den Franzosenkönig Franz II. Mit diesem Welschen hat jener

Franz II., der so als deutscher Kaiser hieß, nichts zu tun oder nur insofern, als er seine Tochter Marie Louise an einen anderen französischen Souverän verheiratete. Mit Tabak hat das wiederum nur so viel zu tun, als es vielleicht ein starker Toback war, wiewohl dieser Schwiegersohn namens Napoleon Bonaparte in der Geschichte des Tabaks deshalb eine gewisse Rolle spielt, als er zu den gekrönten Schnupfern gehört hat, gleich seinem Amtsvorgänger Franz II.

Wie gesagt, handelt es sich um einen Mann, um den es sich eigentlich nicht handeln kann, weil er so gut wie gar nicht zum Handeln kam außer zum Tabakshandel. Solche Verzwicktheiten zu formulieren, macht Rauchern, Pfeife oder Zigarre in der Hand, einen verflixten Spaß; das Nikotin beginnt zu wirken, und auf dies Nikotin werden wir gleich zu sprechen kommen. Franz II. hätte nun als vom Schicksal ausersehen gelten können, wenn nicht den Handel mit Tabak zu vermeiden, sondern Händel. In diesem Falle wäre Schiller —

einer unserer berühmtesten Tabakskonsumenten innerhalb der Weltliteratur und vorzüglich ein Schnupfer,
obwohl mit Goethe befreundet, der als einer der berühmtesten Tabakgegner im Reiche der Literatur gilt —,
Schiller also wäre beinahe von Franz ii. um eines seiner
bekanntesten Theaterstücke gebracht worden, nämlich
um ›Maria Stuart‹. All das hat mit unserm Thema natürlich nur tangential zu tun, wenn auch alles mit ihm
— tangential — zu tun bekommt, sobald wir uns nur
die Pfeife oder die Corona gemächlich in Brand gesteckt haben; denn dann fangen unsere Gedanken an,
spazieren zu gehen und laufen vom Hundertsten ins
Tausendste — der Tabak nun selbst auf Entdeckungen
ausgehend. Er spinnt sein unendliches Garn, den See-
leuten gleich, die mit drei Segelschiffen auf dem Ozean
herumkreuzen und unterwegs, wenn's gut geht, Amerika entdecken. Dabei malmen sie die Pfeife zwischen
den Zähnen oder befördern genüßlich den Priem mit
der Zunge von einer Backentasche in die andere. Nur
ab und zu unterbrechen sie sich, um wohlgezielt über
die Reling zu spucken, in schwingend gezeichnetem
Bogen nach Lee. Und ähnlich sind wir an Franz ii. geraten, der von 1559 bis 1560 regiert hat, nur kurze
Zeit, in dieser Zeit aber mit Maria Stuart verheiratet
war. Selbstredend ist frivol, nun zu fragen, ob er so
früh etwa an ihr gestorben sei. Das tat dieser Ehe-
mann Marias nicht, sondern er starb an Kopfweh; und
fragen nun einige von uns weiter, was das in unserm
Zusammenhang zu tun habe und ob dies Kopfweh
ihm nicht doch seine Maria veranstaltet hätte, so rufen wir: Gemach! Historisch ist's doch so zu definie-

ren: Hätte Maria ihn nicht ins Grab gebracht, hätte sie sich später kaum selbst und zwar aufs intriganteste um ihren schönen Kopf gebracht, dafür aber Schillern um sein Trauerspiel. Kurz: sofern Maria Stuart ihren königlichen Gemahl nicht hätte frühzeitig sterben lassen müssen — sie war damals erst achtzehn Jahre alt und, wie im Lexikon steht, geistig hochbegabt —, dann wäre vermutlich nicht nur die politische Geschichte und die der Literatur anders verlaufen, sondern auch die Geschichte des Tabaks. In einem der Nachschlagebücher, das uns zur Verfügung steht, lesen wir unter ›Franz II.‹ lapidar: »Seine kurze Regierung war ausgefüllt mit Verwirrung und Bürgerkrieg«. Verwirrung und Bürgerkrieg, dazu eine Frau, schön und geistig hochbegabt, die noch dazu siebenundzwanzig Jahre später hingerichtet werden sollte, nachdem sie vielleicht auch ihren zweiten Mann hatte umbringen helfen — das, dürften wir wie mit Volksmund sagen, muß ihm heftige Kopfschmerzen bereitet haben. Freilich waren im Zeitalter der Renaissance und der Reformation politische Kopfschmerzen geradezu Schicksal, und von dieser Tatsache profitierte denn auch der Tabak. Sie waren sogar seine Chance. Immerhin, in anderen Kurven wäre seine Geschichte gewißlich verlaufen, wenn der französische Gesandte in Lissabon, treuer Gefolgsmann des Königs Franz II., wenn Jean Nicot nicht den Tabak samt zugehörigem Samen aus der portugalesischen Stadt in die Stadt an der Seine geschickt hätte, um seines Souveräns Kopfschmerzen durch das Schnupfen zu heilen. Ist das nicht einigermaßen bemerkenswert? Aber weiter: mit sensationellen Berichten über an's Wunderbare grenzende Heilerfolge begleitete er das Kollo; und wie sollte er das denn nicht tun, diplomatisch der eigenen Karriere gedenkend, aber auch seiner Muttersprache auf besondere Weise mächtig; denn er, der Gesandte Nicot, war gleichzeitig der Verfasser eines der ersten französischen Wörterbücher. Und das ist doch höchster Bewunderung wert!

Fraglos kennen wir solche Tüfteleien um den bedingten Verlauf der Geschichte gut; oft sind sie ein wenig platt; hier aber werden sie durch zwei Fakten balanciert: hätte Franz nämlich nicht Kopfschmerzen gehabt, hieße das Gift, das ihm dagegen helfen sollte, das wirklich schwere Gift, das die Tabakspflanze entwickelt, nicht Nikotin, nennten wir die Familie der Tabakspflanzen nicht Nicotiana, und Herr Nicot hätte seine weitere diplomatische Laufbahn nicht unter der Patenschaft eines Giftes beendet — was manchem Kulturkritiker allerdings exemplarisch als die eines Diplomaten würdige erscheinen darf. Keinesfalls aber hätte sich außerdem die gesamte Pariser Gesellschaft dieser Giftpflanze und ihres Genusses angenommen und sie gesellschaftsfähig gemacht. Mit Herrn Nicots weiterer diplomatischer Karriere mochte es hingegen insofern schlecht bestellt gewesen sein, als er ungeschickter-, doch bei Franzens allzu kurzer Regierungszeit auch unvermeidlicherweise Tabak plus Samen erst 1560 nach Paris spedierte, das heißt im Todesjahre des Herrschers und somit zu spät. Anderseits schied er damit aus dem diplomatischen Dienst aus und widmete seine Muße der Abfassung eines Wörterbuchs, gleichsam ein Vorläufer der Académie Française, ohne ihr doch als Unsterblicher angehören zu können, und wurde so auf andere Weise in eine bedeutende Unsterblichkeit berufen; denn welch höheren Triumph gäbe es für einen Lexigraphen, als Vater eines neuen Wortes und Begriffes zu sein? Nikotin. Solche Karriere ist einzigartig, dank Tabaks.

Schnupfen epidemisch

Nun hat noch niemand gehört, daß Königin Maria Stuart je geschnupft hat. Viel haben die Historiker ihr zuzuschieben versucht, dies aber nicht, und auch bei Schiller, dem passionierten Schnupfer, schnupft sie nicht. Freilich möchte es gelegentlich einem Regisseur, der Hamlet im Frack auftreten läßt, auch erlaubt erscheinen, Maria mit einer kostbaren Schnupftabaksdose auszustatten; ihre Herkunft aus Schnupferkreisen wäre legitim. Die Szene spielte sodann auf Schloß Fotheringhay. Elisabeth i., aus deren Zügen kein Herz spricht, ließe Maria allein durch ihren Anblick in Ohnmacht fallen; es dauerte einige Zeit, bis die Schottin sich erholte. Endlich jedoch raffte sie sich aus den Armen ihrer Amme auf, und während sie spräche: »Sei's; ich will mich auch noch diesem unterwerfen«, nestelte sie aus ihrer Tasche die Dose. Die Schauspielerin, der dies aufgetragen, dürfte froh über die Neufassung des Vorgangs sein; stets gibt es bei Schiller viele Verse zu sprechen, und jeder Komödiant ist eifrig bestrebt, sie in Gebärdenspiel umzumünzen. Damit braucht nicht gesagt zu sein, daß Maria nunmehr, statt vor der Königin

PIROUSTE. SC

LE BOURGEOIS CAMPAGNARD.

Elisabeth in die Knie zu fallen, ihr eine Prise anböte, wenn psychologisch auch durchaus plausibel zu machen wäre, daß die bisweilen als Mannweib vorgestellte jungfräuliche Königin dem Tabakschnupfen gefrönt hätte. Hingegen, während der Worte: »Fahr' hin, ohnmächtger Stolz der edlen Seele!« könnte Maria sich das Tabakspulver auf den Handrücken schütten, um zwischen den Passagen »Ich will vergessen, wer ich bin« und »Und was ich litt« beziehungsweise »Ich will mich vor ihr niederwerfen« den Tabak einzuziehen. Wir wollen den kleinen parodistischen Spaß nicht weitertreiben. Wir bitten seinetwegen sogar um Verzeihung, meinen aber trotzig, bei aller Ungebühr nicht allzu weit vom Thema abgekommen zu sein, nämlich von der Pariser Gesellschaft nach König Franz' Tode. Geistreich wäre nun, mit der Bemerkung fortzufahren, daß dieser Gesellschaft der plötzliche Tod ihres Fürsten äußerste Kopfschmerzen bereitet hätte, so daß sie sich dagegen ebenfalls des Tabaks bediente. Allerdings bediente sie sich hierfür auch der Bluthochzeit, und eigentlich ist uns noch nie eingefallen, daß an diesem hektischen Ereignis auch Freunde des Tabaks beteiligt gewesen sind. Es war die Zeit der Hugenottenkämpfe, und wir müssen uns hüten, weil uns deren Fanatismus heutzutage unbegreiflich vorkommt, leichtfertig damit zu argumentieren. Aber wäre wirklich leichtfertig, wenn wir, in solcher hochbrisanten Zeit, dem Tabak seine historische Stunde zugeständen? Die Kräfte des Nikotins, das wissen wir alle, wirken in zweierlei Richtung: belebend und beruhigend. Hierzu wäre jetzt zu fragen, ob, was die Beruhigung anlangt, dabei nicht wesentlich unsere Manipulationen mitspielen. Die Bühne provoziert derlei und enthüllt damit eine Systematik — weswegen wir auch noch an anderer Stelle darauf zurückkommen werden. Ist's darum so undenkbar, daß seinerzeit in Paris — denn das Faktum steht fest — die Mode des Schnupfens nerventlich begünstigt, wenn nicht gar begründet war durch eine mit ihr gar nicht zusammenhängende Entscheidungssituation; und das gälte uns gleich im Hinblick auf die Anhänger des Admirals Coligny wie auf die des Herzogs von Guise, wofür uns dann die historische Ironie gestattete, beide Parteien auf einer indisputanten Ebene nachträglich zu versöhnen, gewiß ohne geschichtlichen Effekt, aber auch ohne moralischen Rang; denn paradoxerweise müßte der Glaubenskonflikt weiterschwelen, damit unser Tabak, wenn auch nicht zum eigenen Schwelen — so weit war's noch nicht — jedoch gewissermaßen zum Niesen kam. Fazit: die Mode griff um sich und wurde epidemisch. —

Immer haftet dem Tabaksgenuß eine Prise Amoralität an. Umso eifriger sind wir Sünder seit je bemüht gewesen, seine moralpositiven Seiten hervorzukehren. Nebenbei vermerkt: Entsinnen Sie sich der Stelle bei Gottfried Benn, wo er verwegenerweise unseren Abiturienten Pervitin verordnen möchte, um sie höherer Eingebungen ihrer Gehirnrinde würdigen zu lassen — offenbar seitens eines durch Pervitin sich offenbarenden Weltgeistes? Benn: »Potente Gehirne stärken sich nicht durch Milch, sondern durch Alkaloide!« Weiter: Dem Gesandten und Wörterbuchverfasser Nicot muß seinerzeit das Buch des Spaniers Oviedo y Valdes in die Hände geraten sein, der bereits 1526 den Tabak genau beschrieben hat, in seiner ›Sumario de la Natural Historia de las Indias‹. Oviedo war Gouverneur zu Santo Domingo gewesen, vermutlich ein theologisch hochgebildeter Mann; ob er aber des Rauchens gepflogen hat, steht nicht fest. Deshalb mögen ihn, was die Wirkungen des Tabaks anlangt, seine indianischen Gewährsmänner gehörig beschwindelt haben. Geglaubt hat er sie, als Intellektueller für solche Pointen höchst anfällig, zumal wenn ihm, wie uns allen, beim ersten Versuch gehörig schlecht geworden ist und er das Rauchen daraufhin gelassen hat. Die eigene Nervenruhe, tröstete er sich gleich anderen Amerikaentdeckern, vermochte er sich unbotmäßigen Indios gegenüber noch mit Berthold Schwartzens Schwarzpulver zu verschaffen, sohin Tabakpulvers vorerst enthoben. Jedoch die Zeiten und unsere ›Geworfenheit‹ verschärften sich rapide, und Oviedos Landsmann, ein spanischer Arzt namens Menardes, beschrieb bald darauf, 1571, den Tabak aus Überzeugung, gar vielleicht aus Erfahrung als das so wunderbare Heilkraut, als das es unser Nicot vorher

schon gepriesen hatte. War das Teufelszeug nunmehr nicht fällig, fragen wir, und wieso sollten wir das nicht schlechthin behaupten? Zugegeben, ein Phänomen wie die Pariser Tabaks-›Epidemie‹ zählt kulturgeschichtlich lediglich zu den Randsymptomen der Zeit. Aber gab es auch erscheinungsmäßig typischere und folglich an Aussagekraft trächtigere? Jedenfalls müssen wir uns des Peripherischen vergewissern; und bestreitet jemand, daß der Tabak ein Stimulans ist? Dabei wollen wir keineswegs blasphemisch werden; dennoch, andere Zeiten vorher bedurften ebenfalls der Stimulantien. Es gibt intelligentere, und einige von uns hören Bachsche Musik so oder Brucknersche; aber Bachsche Musik ist nicht jederzeit zur Stelle; ein Gedicht Goethes gewiß eher, sobald wir es im Kopf haben. Doch nicht jede Situation, in der wir eines Stimulans bedürfen, eignet sich zu Rezitation oder Gebet. Das Mittelalter aber war in seiner Frömmigkeit so aufgehoben, vermuten oder behaupten Nichtraucher, daß es des Tabaks niemals bedurft hätte? Darauf nun wollen auch wir hinaus. Das Mittelalter freilich trank, wenn es nicht — um Vergebung — soff. Selbstverständlich können wir in der hinteren linken Hosentasche überallhin jene bekannte flache Flasche mit Korn transportieren. Immerhin muß eine gewisse Praktikabilität (Verzeihung wegen des Wortes!) gleichfalls zum Erfolg des Tabaks beigetragen haben, und schließlich, das ist fast noch wichtiger, eine unleugbare, ja, dürfen wir jetzt auch noch sagen: Individuation des Aktes? Das zeichnete sich nur langsam ab, aber unwiderstehlich und, was wichtiger ist, bestechend und dem Selbstgefühl schmeichelnd. Wir werden später die gemalten Bilder daraufhin ansehen: Jeder von uns pafft betont auf seine Weise. Mit dem Schnupfen kann das auch nicht anders gewesen sein. Jeder wird bekanntlich mit der Sensation seiner Stunde auf eigene Art fertig. Oder überziehen wir damit unser Thema? Nochmals zugegeben: derjenige, der ohne Schnaps (plus Rausch plus Kater), der ohne Zigarette mit seinen Mißlichkeiten fertig wird, der ist der unbezweifelbar Stärkere unter uns. Aber wer ist's? Einen kennen wir, der dreht in der Not Däumchen und behauptet, es helfe. Sollen wir ihm glauben? Fast müßten wir's, denn Pfeifestopfen ist nicht weit davon entfernt . . .

Übrigens, weil wir vorhin auch den Frühkapitalismus als eine Bedingnis des tabakösen Sukzeß aufzählten: während dieser Periode, im zweiten Halbjahrhundert nach der Reformation, scheidet zumindest ein Animato noch aus, nämlich die Industriereklame; sie folgt erst sehr viel später; und sofern wir uns nicht als absolute Fatalisten denunzieren wollen, unironisch nur von Seuche reden und damit allen Tabakverbrauch ernsthaft als en- oder epidemisch abtun, dann haben wir umso unausweichlicher auf einer gewissen Fälligkeit des Phänomens zu bestehen. Vom Schnaps abgesehen, so religieren uns Musik und Gebet an Kräfte von solcher Unabdingbarkeit, die wir uns im Alltag mit voller Intensität kaum noch zumuten können; das Schisma ist nicht nur konfessionell, sondern existentiell. Und haben wir nicht längst gelernt und eingesehen, daß wir seit jenem schicksalhaften Jahrhundert immer unerbittlicher auf uns, auf unsere persönlichen

HET AMSTERDAMSE STADHUYS.

Puyk puyk Krull Tabak is te koop
by Bruno Heylmann in de drie Morianen
tot Amsterdam

Entscheidungen angewiesen worden sind, und auf Entscheidungen, zu denen gezwungen zu werden wir jederzeit gewärtigen müssen? Und da fragt sich's eben, ob wir ebenso jederzeit dazu parat sind, um nicht konstelliert zu sagen. Hier haben wir das Argument des Tabaks, nicht etwa gegen den Schnaps, bewahre!, sondern re- und absolut. Bereits manipulativ, meinten wir, verhülfe uns das Rauchen, das Schnupfen, das Priemen zu solcher nerventlichen Gegenwärtigkeit; und dem gesellt sich ein von Giften bewirkter physiologischer Effekt. In Lessings ›Emilia Galotti‹ nimmt Camillo Rota dem Prinzen, der mit den Worten »Recht gern!« ein Todesurteil unterschreiben will, das verhängnisvolle Dokument rasch wieder aus der Hand. Heutzutage böten wir dem nervösen Herrn vermutlich eine Zigarette an oder forderten ihn auf, sich eine Pfeife zu stopfen, um ihn dabei zur Besinnung kommen zu lassen. Etwa so meinen wir das mit unserm Effekt. Irgendetwas und jedenfalls etwas ganz anderes als Schnaps, der benebelt, braucht die Heikligkeit des modernen, des nachmittelalterlichen Menschen, was ihn schärft, was ihn klar und präsent macht; und das bietet sich ihm im Tabak an. Geradezu apodiktisch beleuchtet das die Tatsache, daß der Vatikan heilig dagegen eiferte, als Geistliche um 1636 den Schnupftabak nach Rom brachten. Solcher Reizmittel sollten Priester notwendig entbehren, und was uns beim ersten Hören an die Grenze des Sperrigen, fast Querulantischen zu geraten schien, nämlich daß der Papst eine Bulle gegen den Tabak erließ (die bis 1724 Geltung bewahrte), erhält umgehend seinen gegenreformatorischen Sinn. Mußte nicht ein Teufeskraut sein, was sich anheischig machte, uns anstelle höherer Mächte zu stimulieren? Das mag reaktionär klingen, war vermutlich auch reaktionär, freilich aus der völlig integren Moral des Glaubens . . . während das Paris, das dem Tabak huldigte, als ausschweifend und sittenlos angeprangert wird. Schöne Gesellschaft, in der wir uns da befinden! Nur wenig hilft uns, wenn wir jetzt beherzt zustimmen, daß demjenigen Exkommunikation zu drohen hatte, der in der Kirche schnupfte . . . solange zumindest, bis auch die Kirche einsehen mochte, eben 1724, daß selbst ihre Diener des Tabaks bedurften, um in der säkularisierten Welt noch missionieren zu können.

Stabilisierung einer Herrschaft

Wenn wir also erklären, der Tabak erfülle die Aufgabe, dem modernen Menschen zu einer gesteigerten Gegenwärtigkeit zu verhelfen, leugnen wir das Angestrengte dabei nicht; nur daß uns, je länger wir darüber grübeln, die Lust vergeht, die bisher zugestandene Amoralität ernstlich weiter gelten zu lassen. Statt dessen behaupten wir gar eine strikte Moralität, weil wir von unsern sogenannten Kräften wissen oder spüren, daß sie möglicherweise nicht mehr hinreichen, der sich dauernd steigernden Beanspruchung unseres Kopfes und der Strapazierung unseres Nervensystems nachzukommen. In dem Augenblick, in dem wir mit dem Mikroskop Erscheinungen an unser Auge heranholen,

die zu sehen ihm von seiner Natur her verwehrt ist, überbeanspruchen wir uns, und ein Vergleich zwischen Galileis Fernrohr und dem Tabak braucht nun nicht ohne tiefere Beziehung zu sein. Für unsere animalische, fast animistische Wahrnehmung geht die Sonne unverrückt im Osten über der Erde auf, und die Bibel behält recht. Der Sprung aus diesem Anthropozentrum nötigt uns jedenfalls Mittel auf gegen die Seekrankheit, durch die wir auf den Weltraum- beziehungsweise Höhenflug des Kopernikus reagieren, eine Krankheit, deren Symptome Blässe, Schweißausbruch und Übelkeit sind benebst Gleichgewichtsstörungen, Symptome, mit denen wir auf unsere erste Zigarre reagierten — dank welcher Anmerkung wir das Nikotin also unter diejenigen Medizinen einreihen, die uns homöopathisch gegen Taumelkrankheit immunisieren.

Unter solchem Zeichen ist nun höchst amüsant, uns ab und an eines weiteren Königs zu entsinnen, Jakobs I. von England (1566/1625 beziehungsweise 1603/1625), Sohnes jener Maria Stuart, die wir gegen besseres Wissen und parodistisch des Schnupfens geziehen haben, nur weil sie die Frau und Witwe des ersten königlichen

Schnupfers gewesen. Dieser Jakob nun, Nachfolger Elisabeths I., die seine Mutter hatte umbringen lassen, ist, soviel wir erfahren, einer der wenigen grundgelehrten Monarchen gewesen, die es je gegeben hat. Den Beweis seiner Gelehrtheit versuchte er auf doppelte Weise zu erbringen, nämlich indem er den hoffnungslos weltfremden Versuch machte, in seinem Lande das konfessionale Schisma zu heilen — was folgerichtig mit einer Pulververschwörung endete; außerdem aber befehdete er, und das war nach unserm vorhin Gesagten ganz konsequent, den Tabak und alle Tabakfreunde. Eine solche Figur ist in ihrer Gebrochenheit natürlich höchst modern, weil sie, seltsamerweise, glaubte, nach vorn zu zielen, und sich dabei nach rückwärts ausrichtete. 1619 erschien sein Traktat gegen das ›körpervernichtende Tabakskraut‹. Dabei haben wir ohne weiteres zu unterstellen, daß der Mann in echter Sorge um seine Untertanen traktierte — Untertanen, die oder deren Nachkommen wir uns ohne Shagpfeife im Mundwinkel gar nicht mehr vorstellen können. König Jakob hätte mithin Rede zu stehen, ob wir nun während der letzten dreihundertfünfzig Jahre in der Tat hinfälliger und damit, in staatspolitischer Hinsicht, leistungsunfähiger geworden sind. Da gibt es eine einzige Antwort: Nein, Sire! Oho natürlich, in jedem rechten Tabaksgespräch ziemt es sich, hin und wieder umwölkter Stirn vor sich hinzubrüten und in das Stillschweigen darüber einzustimmen, daß die Welt immer elender wird, die Menschen weniger taugen als früher und die Jugend von Tag zu Tag mehr verdirbt, selbstverständlich. Aber allein im letzten Saekulum ist unsere Lebenser-

wartung um durchschnittlich fünfundzwanzig Jahre ge-
stiegen, dank Hygiene und Medizin natürlich und trotz
enormer Verbrauchssteigerung an Nikotin. Angesichts
dessen gleicht Jakobs Pamphlet eben jener berühmten
Prophezeiung, daß Menschen den Verstand verlieren
würden, falls sie sich einfallen ließen, ständig mit der
Eisenbahn zu fahren; und rasch erlauben wir uns, weil
die Gelegenheit günstig, eine sacht hinterlistige Frage:
Vielleicht ist, dem Tabak zu frönen, ex ovo doch nicht
so ketzerisch, deshalb nämlich, weil es dem christlichen Abendland geholfen hat, up to date zu sein dort,
wo es so lange unumstößlich gegolten hat: in der Herrschaft über diese Erde? In welcher Gesellschaft befand
sich dann dieser Jakob 1. eigentlich? 1605 wurde das
Rauchen bekanntlich in der Türkei untersagt; wer das
Verbot übertrat, hatte damit zu rechnen, daß ihm seine
Nase mit dem Pfeifenstiel durchbohrt und daß er in
diesem Zustand öffentlich herumgeführt wurde. Eine
zweifellos unangenehme und reichlich unchristliche Sache. Verantwortlich aber für ein regelrechtes Blutbad
unter uns Rauchern war sodann ein Sultan namens
Murad IV. Wollte Jakob bei derlei mittun? Am ersten
aller Raucher seiner Zeit vergriff er sich so! Anderseits
war er kein orientalischer Gewaltherrscher, ganz im
Gegenteil, ein disputierender Intellektueller und wußte
von vornherein: ad infinitum lassen sich solche drako-
nischen Maßnahmen ja doch nicht durchhalten, auch
in sultanischen Despotien nicht; die Türken rauchen
längst wieder, und von Murads Nachfolger Moham-
med IV. wissen wir, daß er selbst gern geraucht hat,
was freilich nicht zu heißen braucht, daß er auch seinen

Untertanen den Tabak gegönnt habe. Quod licet Jovi, non licet bovi. Wie nun, wenn dann dieser ungetaufte Türkenkaiser nach der Niederlage von Wien und dem Verlust Ungarns deshalb vom Thron fiel, weil seine Janitscharen und andere Kriegsvölker zwar Kaffee trinken, doch nicht mehr rauchen durften? Wiens Belagerung dauerte ihre Zeit und erforderte Geduld. Kaffee macht nicht geduldig; er dient als Stimulans bei Angriffen gegen die Festung, auch, um mit wildem Geschrei Ausfällen zu begegnen. Täglich jedoch finden weder Bestürmungen noch Ausfälle statt. Somit wird Kaffee funktionslos, und in dieser Zwischenzeit müssen wir rauchen. Was nun?

Um aber, weil wir gerade hier sind, noch ein Weilchen in Wien zu bleiben, so ist es nicht nur eine christliche, sondern eine gut katholische Stadt, und des Pap-

stes Bulle gegen den Unfug des Rauchens dürfte ihr bekannt gewesen sein. Allerdings war sie nun bereits viele Jahrzehnte alt, und auch kämpften wir christlichen Wiener, von Polen und Brandenburgern und wem sonst noch kräftig unterstützt, mit verzweifelter Kraft gegen muselmanische Heiden. Auf den Ringwällen hielt eventuell der Posten mit glimmender Pfeife wachsamer durch; war das nicht entscheidend? Munter war der Mann vielleicht durch einen Becher Kaffee, wie? Denn bei dem einen und dem andern Ausfall hatten wir bekanntlich schon dies und jenes Kaffeelager erobert, und das Wiener Caféhaus dankt ebenso bekanntlich seine berühmte Existenz der Sympathie für diesen heidnischen Trunk!, und das hieße: aller Christenheit Feind Nr. 1 einerseits durch Kaffeeverlust geschwächt, anderseits durch Rauchverbot gehandicapt, nun, da dürfte ein hoher Zweck das verpönte Mittel, wenn nicht gerade heiligen, so doch billigen. Oder? Eine österreichische Tabakregie gab's eh noch nicht ..., doch wollen wir uns nicht im vollen Ernst weismachen, die Wiener hätten die Türken vertrieben, weil sie schon dazumal geraucht oder geschnupft oder gepriemt hätten. Aber möglich wär's schon, gelt? Und an den Brandenburgern möchte es jedenfalls nicht gerade gelegen haben; derlei widerstrebt habsburgischem Nationalstolz, nicht wahr, Herr Baron? Und bitt' schön, gnä Frau, etwa an den Polen? Daß ich net lach'! Da sagens nur gleich: die Russen. Ja, die waren zwar auch immer gegen die Türken; aber mitentsetzt habens uns doch nicht; und was den Tabak angeht, um beim Thema zu bleiben, so haben sie sich gar noch scheußlicher als die Türken benommen, türkischer als die Türken; denn wie alle Welt weiß, schnitten sie uns Rauchern damals die Nase gänzlich ab. Verbrieftes Recht seit 1634. War das noch christlich? Dagegen war Jakob 1. geradezu ein Waisenknabe, wenn er nur wetterte. Freilich, die Zeit war uns noch nicht überall günstig gesinnt, und schauns nur an, Frau Baronin, in Bern zum Beispiel, in der Schweiz, war um 1661 eine Verordnung herausgekommen — also stellen Sie sich das vor, eine geradezu gotteslästerliche Verordnung! Aber dort hat der Heilige Vater eh' nichts mehr zu sagen; das san ja Ketzer, reformierte; und diese Verordnung, einfach schauderhaft, meine teuerste Komtesse, war in Form der heiligen zehn Gebote abgefaßt! Schlechthin ein Sakrileg war das, meinens nicht auch? Und was soll ich Ihnen sagen, meine verehrte Frau Kommerzialrätin? Als sechstes Gebot stand da: Du sollst nicht rauchen. Was sagens nun? Wie bitte? Wie sonst das sechste Gebot lautet? Aber meine liebe Freundin, das habens vergessen? Das ist ja interessant, das ist sogar hochinteressant; das müßte man ja geradezu dem Herrn Professor Freud hinterbringen. . . . mit welcher Anmerkung wir, es ist nicht zu leugnen, um einiges von der Belagerung Wiens und noch viel mehr vom König Jakob 1. abgekommen sind. Einzufügen in unsre Explikationen wäre höchstens noch eine mehr philologische Anmerkung, und zwar die, daß, mangels Sprachübung, die Tätigkeit des Rauchens ursprünglich mit Tabaktrinken umschrieben worden ist; denn das Verbum Rauchen war seiner Herkunft nach intransitiv; es sagte: eine Zigarre raucht, so wie es sagt: ein

72

Schornstein raucht; es aber zu transitivisieren: eine Zigarre zu rauchen, das gelang sprachlich nicht sogleich, verständlicherweise. Der Vorgang war jedoch mit Trinken nur schwach umschrieben, selbst wenn wir uns entsinnen, daß die Indios den Rauch verschluckt haben sollen. Was aber tun wir beim Rauchen tatsächlich? Schnüffeln wir etwa? Oder schnuppern wir Tabak? Ja, beides tun wir mitunter, beim Priemen kauen wir sogar. Wenn wir aber rauchen, dann saugen wir.

Über das Schnuppern

Denn keinesfalls schnuppern wir. Richtig geschnuppert hat nur unsere Mutter, sobald sie ins Jungenzimmer trat, unangemeldet; und Mutter erschnupperte unfehlbar, was hier los war. »Du hast geraucht!« das klang zornmütig; Quartaner haben noch nicht zu rauchen. Onkel Stefan hat zwar gesagt, er gäbe Erich und Rudolf, seinen Söhnen, ab und an selbst eine Zigarette, damit nähme er dem Rauchen den Genuß des Verbotenen; Mutter jedoch mochte das nicht billigen — Vater wäre schon eher dazu geneigt gewesen. Mutter brauchte meist nicht einmal zu schnuppern. Rauch umwölkte die frischgewaschene Gardine des Zimmers, und prompt umwölkte sich ihre Stirn. So findig wir sonst waren oder uns vorkamen und so geschickt mit Ausreden — ja du lieber Himmel, wohin denn sollten wir bei diesem irregulären Überfall unsere verräterische Zigarette verschwinden lassen, um das Aroma schlechthin abzustreiten? Bei verbotener Lektüre war das einfacher gewesen; die ›Abenteuer aus dem Exzentrikclub‹ rutschten leicht zwischen die Seiten des ›Tartarin de Tarascon‹; schließlich waren wir Burschen, die das Realgymnasium mit allem denkbaren Erfolg besuchten, und selbst die Geschichten des Sherlock Holmes ließen sich hinter dem Debesatlas gut verstecken. In letzter Zeit interessierten wir uns ausschließlich für Erdkunde, meinte die getäuschte Mutter zu Vater, und das Familienhaupt mit Handelsbeziehungen bis weit ins Ausland nickte zufrieden; Sprachen und Erdkunde, die Realien auf dem Gymnasium, stünden seinen Firmenerben wohl an. Aber die brennende Zigarette? »Der Bengel ist ein Nagel zu meinem Sarg! Steckt das glosende Zeug zwischen die Schreibhefte. Was soll morgen Professor Hingst sagen, abgesehen davon, daß davon das ganze Haus in Flammen aufgehen kann.« Auch die Hosentasche war nicht der rechte Ort. Daß er sich gleichzeitig die Haut versengte, geschah ihm recht; viel schlimmer war der Kummer, den er der Mutter bereitet hatte, ganz abgesehen von der heiklen Frage: »Wo hast du eigentlich das Geld für das Zeug her?« Das Zeug war von der billigsten Sorte: Jasmatzi Söhne, Zigarette mit Pappmundstück, das Stück zu einem Pfennig.

Mit einem gewissen Schnuppern hat also das Rauchen zwar zu tun, doch nur peripher. Vater allerdings kannte eine bedeutende Erzählung vom Schnuppern, nämlich die, daß er in London mit seinem Geschäftsfreund Mr. Richards — ». . . hat zwei Söhne, wie ich; sind aber sehr tüchtige Menschen geworden! . . .« — daß er dort mit ihm eine Versammlung besuchte. Kino

gab es damals noch nicht, vielleicht war es ein Theater
— bekanntlich rauchen die Briten auch in ihren Musen-
tempeln —, jedenfalls blieb Mr. Richards gebannt in
der Eingangstür des Saales stehen und raunte unserm
Vater zu — auf englisch, versteht sich, und unser Vater
wiederholte zu unserer Fortbildung den Satz ebenfalls
in dieser Sprache —, raunte unserm Vater zu: »In diesem Raume raucht jemand meine Tabaksmischung!«

Wir waren damals, einschließlich Mutter und Schwester, sozusagen aus patriarchalischen Gründen genötigt,
den Wahrheitsgehalt dieser Erzählung für bare Münze
gelten zu lassen. Aber bei allem posthumen Respekt
können wir unserm Vater die Moral der Geschichte
nicht länger abnehmen: daß ein wirklich auserwählter
Raucher seinen Tabak aus Hunderten von Quälmen
herauszuschnuppern verstünde. Und müssen wir Mr.
Richards daher nicht für einen Angeber halten?

Mein Vater hat mich früher oft in Berlin besucht; stets
sind wir dann in den ›Klausner‹ gegangen. Das war
ein zweistöckiges Bierlokal in der alten Friedrichstadt.
Es saßen nur Männer dort, Männer zwischen dreißig
und fünfundachtzig, Männer mittleren Einkommens,
kleine Fabrikanten, Prokuristen, Amtsgerichtsräte, Pa-
storen, Reichsbahnoberräte, ehrenfeste Leute also und
darum nicht sonderlich avanciert. »Du wirst zugeben«,
rempelte ich meinen Vater an, »daß diese Herren sich
alle etwa dieselben Zigarren und denselben Tabak in
derselben Preislage leisten wie wir, kaum billiger, kaum
teurer. Du wirst auch zugeben, daß der Tabak, den zu
rauchen du erst dir und dann mir angewöhnt hast,
zwar nicht der ganz gewöhnliche Knaster, doch wie-

derum auch nicht so ungewöhnlich ist, daß in Plauen nur du und in Berlin nur ich ihn rauchen. Nun bitte, stelle deinen honourable Mr. Richards auf die Probe — schnuppere!«

Hier war nichts zu erschnuppern. Jedermann darf das Experiment machen: den Raucher einer Lieblingssorte, sei's Tabak, gar selbst gemischter, oder Zigarette und Zigarre im Zimmer von sechs qualmenden Leuten bestimmen zu lassen, ob einer von ihnen sein Kraut vertilgt; und seine Eigenmixture dürfte ja dabei sein. Er hat nur eine Chance von fünfzig zu fünfzig, das heißt Glück, wenn er trifft. Wir Menschen zählen, das bestätigen uns die Physiologen, zu den Wesen mit weniger entwickeltem Riechvermögen und verwechseln zudem oft Geruch mit Geschmack. Freilich haben wir gleich anfangs davon gesprochen, daß wir uns den Duft unserer Corona unter die Nase streichen lassen; sie hat ihre Blume wie ein Wein; aber das zählt zu den Präliminarien, und eine Zigarre ist kein Parfum. Altphilologen behaupten, die Griechen und Römer hätten doch etwas Ähnliches betrieben wie wir; Plutarch und Plinius der Ältere berichteten davon; um bestimmte Krankheiten zu heilen, hätten sie die Patienten den Rauch von Bilsenkraut und Stechäpfeln ›schnuppern‹ lassen. Da ist nun recht bemerkenswert, daß es sich bei beiden Pflanzen um Verwandte des Tabaks handelt, nämlich um Nachtschattengewächse. Zu denen zählt ja auch die Tollkirsche mit ihrem Atropin, gar die Alraunwurzel, die, und hier stockt uns fast der Atem, laut Lexikon als Tabak geschnitten und geraucht nicht nur betäuben soll, sondern auch Liebe erregen. Hei!

Auch soll sie — aber das wohl nur noch im Waldviertel oder in der Lüneburger Heide — derart konsumiert unsichtbar machen und als Zaubermittel dienen gegen Hexerei, Krankheit, Unfruchtbarkeit, unglückliche Prozesse. So steht es geschrieben, in einem Lexikon aus dem Anfang unseres Jahrhunderts. Ein Altphilologe hat es uns vererbt, doch wird er vermutlich den Kopf darüber geschüttelt und dann hinzugefügt haben, Herodot berichte, die Skythen hätten Hanfsamen auf glühende Seine geworfen, um sich durch Einatmen an dem entwickelten Rauch zu berauschen. Das sind wir so bereit zu glauben, wie wir an die narkotisierende Kraft des verräucherten Bilsenkrauts glauben; aber Heilkraft trauen Schulmediziner dem kaum zu . . . selbst wenn sie das Atropin der Tollkirsche durchaus verwenden.

So aufregend diese Nachtschattenverwandtschaften aber auch sein mögen, mit unserem Rauchen hat ihre Erörterung nur am Rande zu tun. Denn Tabak reizt zwar auch unseren Geruchssinn, doch wirkt er einzig über das ins Blut gelangende Nikotin, sehr verschieden, gewiß, nämlich nach der individuellen Konstitution, und bestimmbar ist hierbei nur, daß es zweierlei Tabake gibt, die der sogenannten alkalischen Gruppe und die der sauren. Wir lassen uns hier bestimmt nicht auf chemische Einzelheiten ein; dennoch so viel heute, daß Zigarren Tabake der ersten, Zigaretten solche der zweiten Gruppe enthalten. Die anregende Wirkung der sauren Tabake ist, selbst wenn sie feingeschnitten sind und langsamer geraucht werden, geringer als die der alkalischen, und nur durch Inhalation läßt sie sich steigern. Wenn wir dem hinzufügen, daß sie auch die Bronchien weniger reizen, sind wir via Schnupperns bei einer für das Rauchen wesentlichen Gebärde angelangt. Solche mimisch wirkenden Akte, die die Reaktionen des Nikotins begleiten, gibt es viele, und ihre Bedeutsamkeit zu erläutern, ist verzwickt. Wohlgemerkt lassen wir hierbei das Priemen völlig beiseite, weil es in den Zeitläuften nicht hat durchhalten können, zumal es desertativ dem Kaugummi Platz gemacht hat, dem Kaugummi, der auf Mitwirkung des Nikotins ganz verzichtet, durch seinen Erfolg andererseits viel von dem bestätigt, was wir über das Gestikulative vorbringen. Um es kurz zu machen: alle drei Sieger, Pfeife, Zigarre und Zigarette, sind, horribile dictu, Schnuller. Womit wir, nach langer Umreise wieder in Österreich angelangt sein dürften, nämlich in der Nähe seines berühmten Professor Freud. —

Exkurs über das Nuckeln

Sobald wir nun darüber grübeln, wieso sich der Tabak dermaßen ausbreiten konnte, zahlreichen Widerständen, oft höchsten Orts, zum Trotz, und wenn wir bereits glaubten ausmachen zu dürfen, in einem bestimmten geschichtlichen Zusammenhang sei er fällig gewesen, so fordern wir seine unentwegten Feinde auf, doch zuzugeben, daß er noch immer das geringere Übel ist gegenüber anderen Möglichkeiten. Wie denn, wenn sie ihn recht ausgerottet hätten: dann wäre an seine eben zu besetzende Stelle etwa das Opium getreten oder das Haschisch? So schlecht sähe sich das nicht an, wenn jedes Jahr im Lande über weite Strecken hin die roten Mohnfelder blühten. Oder sollten wir uns mit Meskalin berauschen oder mit Kokain? Die Welt wäre noch um einige Grade elender, als sie es jetzt schon ist. Wenn wir also derart genau über die Chance des Tabaks nachgrübeln, haben wir da nicht auch zu fragen, wieso eigentlich des Kolumbus Reisebegleiter Oviedo uns nicht von vornherein empfohlen hat, zu des Tabaks Verbrauch und Genuß das Ypsilonrohr der Indios zu benutzen? Im Ursprungslande rauchten die Freunde tatsächlich damit, nämlich aus einem Pfeifenkopf, der nicht in ein Mundstück auslief, sondern in zwei Nasenlochstücke. Graust uns nicht in der Nase, sobald wir uns das vorstellen? Fest steht jedenfalls, daß die vorkolumbianischen Amerikaner das Ypsilonrohr so häufig benutzt haben, daß es den Berichterstattern aufgefallen ist. Nach Europa ist es trotzdem nicht gelangt; und überhaupt haben wir noch zu konstatieren, daß wir uns zwar den Tabak von den Indianern haben schenken lassen, nur zum Teil aber seine Vertilgungsmittel — was unbedingt als Akt der Zuordnung und nicht nur der Hinnahme zu deuten ist. Trichterförmig und unhandlich groß wie eine Muskete sollen beispielsweise die indianischen Tabagos gewesen sein, barbarisch in der Unform, von beiden Armen zu halten. Der Frühkapitalismus der Fugger und Welser dürfte hier bereits genauer kalkuliert und rationiert, das heißt solch sinnlosem Verschleiß gesteuert haben. Jedoch, unsere handlicheren Pfeifen, späteren Zigarren und Zigaretten erfüllten ihren therapeutischen Zweck auch besser als indianische Rauchrohre; und wenn der Schnuller, darüber besteht Einigkeit, ein Ammenersatz ist, dann leben unsere Pfeifen, Zigarren und Zigaretten von der Übernahme dieses Behelfs. Aber sei, dürften an dieser Stelle die entschiedenen Tabaksgegner einfallen, es nicht zum Geradehinauslachen? Wie hatten wir, Ehegesponst und Ehegemahl, uns empört, wenn die jeweilige Schwiegermutter zu Besuch kam und unserm Säugling beim ersten Geschrei den gütigst mitgebrachten Nuckel in den Mund zu stopfen versuchte. Ehegesponst und Ehegemahl hatten der würdigen Dame ohne jeden Anflug von Höflichkeit das Dings entrissen und es mir nichts dir nichts in den Müllschlucker expediert. Unser Kind hatte sich selbst zu beruhigen, und Schreien war außerdem gesund. Nachdem wir der Schwiegermutter dies in gebührend moderner Offenheit klargemacht hatten, begaben wir uns ins Nebenzimmer und steckten, um der inneren Erregung Herr zu werden, unsere Zigarre und unsere Zigarette an. Es wahr doch wahr: Dem Kleinen einen Schnuller liefern, das hieß vielleicht noch

Dese en meer andere zoorte van
Puyks Puyks Tabak, is te koop
by, WILLEM STEYN, op de
lydseftraat 't vyfde Huys van 't lyd
fe Plyn, in de Poſt. to: Amſterdam.

*etwas Schlimmeres als nur Ammenersatz? Heimlich freilich
mochte die so Apostrophierte räsonnieren, wir hätten
schließlich einen Partner geheiratet, der selbst einst mit dem
Schnuller aufgewachsen, und momentan sei uns recht lieb,
wenn er bei uns saß und ebenfalls eine Zigarette ›nuckelte‹.*

*Die Situation war freilich fatal. Wir sogen heftig, viel zu
heftig bei so gutem Tabak; ein altgedienter Meisterraucher
pafft nicht wie ein Schlot. Sanft saugt er und gibt zarte
blaue Wölkchen von sich, die in der Luft verspielen wie
seine heiteren Gedanken. Unsere Augen müssen ihnen folgen können, und alle Welt weiß ja, daß es um dieses Ver-
spielens willen niemandem Spaß macht, im Dunkeln zu
rauchen. Höchstens mit halb geschlossenen Augen in unsern
Sessel gelehnt, so wie sich ein Säugling an der Mutter Brust
in den haltenden Arm schmiegt. Womit wir veritabel in der
Falle sitzen: die Zigarre in der Hand das Rauchen als Er-
satzhandlung betreibend. Natürlich, da wir rigoros und un-
sentimental zu denken gewohnt sind, stellen wir schleunigst
fest, daß wir längst schon auf die Neurosen hingewiesen
haben, die der Kuren bedürfen; und natürlich entbehrt es
nicht der Komik, uns zu sagen, daß wir uns rauchend auf
den Weg zu den Müttern machten, die wir verloren haben.*

*Dennoch konnte gar nichts anderes gemeint sein, als wir
behaupteten, wir seien aus früheren Sicherungen herausge-
gebrochen und hätten uns deshalb mit Hilfe des Tabaks
angebotener Medizinen vergewissert. Da unterwand sich
denn dies Ding, diese Tabakspfeife, in Verbindung mit dem
hochgiftigen Nikotin uns zu Traumgebärden zu verführen,
zu entführen. Bei Lichtenberg steht der Satz, alles Leben
geschähe durch Röhren; so sind wir gezeugt, so sind wir
gesäugt worden. Freilich, das Gift Nikotin ist es in erster
Linie, was uns am Laster des Rauchens festbannt. Sicherlich
geraten wir mit solchen Überlegungen dorthin, wo das
Absurde durchscheint. Nur, wenn wir etwas Derartiges
wie das Rauchen und zwar mit Hingabe nun schon jahr-
hundertelang tun, was denn tun wir anderes als nachgerade
etwas höchst Lebendiges?*

Kehren wir also schleunigst zum Tabak zurück. Da hatten wir, trotz aller Abschweifungen, noch immer beim gelehrten König Jakob I. von England gehalten. Freilich waren wir schon bis zur Belagerung Wiens vorgeprellt, bis ins türkische Lager, bis zum Jahre 1683. Das Jahr 1683 erschien uns da, vom Tabaksgesichtspunkt aus — Pardon wegen dieses Wortes — als Markstein der Geschichte nicht nur wegen der Errettung der Christenheit vor den Heiden, sondern weil damit auch die eigentlich kämpferische Periode des Tabaks abschloß. Zudem konnte damals, nach einem ergiebigen Beutezug der Belagerten ins muselmanische Zentraldepot, eine Institution gegründet werden, die aus all unseren geselligen Beziehungen kaum wieder wegzudenken ist: wir meinen das Wiener Caféhaus.

Es ist aus allen geselligen, gar zwischenmenschlichen Beziehungen, das heißt selbstverständlich auch: aus unseren tabaklichen nicht wegdenkbar. Diese höchst sympathische Gründung kontrastiert außerdem unübersehbar mit jenen zwei anderen hier zu bedenkenden Erscheinungen des Jahrhunderts, deren andere, neben König Jakob, eben der türkische Sultan Murad ist. Übrigens haben wir eines Skandalons in betreff des Caféhauses bereits gedacht, eines brandenburgisch-preußischen, und meinen die Tatsache, daß in einem Potsdamer Café alles Pfeifenrauchen laut Aushang strikt verboten war. Starker Toback wiedereinmal! Zwar kennen wir überall Konditoreien, die bitten, in jenem Raum nicht zu rauchen, in dem sie ihre Torten ausstellen; stets schließt sich dem aber ein weitläufigeres Gemach an, auf dessen Tischen zum Zeichen, daß hier geraucht werden darf und soll, die Aschenbecher warten; denn wer raucht, und sei's die Pfeife, der verweilt, und wer verweilt, der verzehrt; die Rechnung ist einfach. »Noch eine Tasse Kaffee bitte!« Bierstuben sind natürlich auch Raucherstätten, und des ›Klausners‹ in Berlin-Mitte haben wir in diesem Sinne unmißverständlich gedacht: Männerhölle — Raucherparadies.

Sie feuern sich an !

Dennoch gibt es da Unterschiede. Etwa so: ein einsamer Raucher vor seinem Bierglas mauert; ein einsamer Raucher vor der Kaffeetasse sinniert. Oder? Streitet einer von uns, die wir hier in der Korona sitzen zu Corona oder Pfeife, streitet einer ab, daß Bierlokale Orte für großes, mitunter auch lautes Gespräch sind? Die Themen gerieren sich (sport)politisch oder wirtschaftlich, sind von außen her bezogen, und seltener philosophisch oder pädagogisch und eigentlich nie literarisch oder künstlerisch. Im Café gedeiht das politische Gespräch ebensogut, freilich dann am besten, wenn es (pseudo)konspirativen Charakters ist, also vom Substrat her leise und vom Monologischen inspiriert. Jetzt könnten wir eine natürlich völlig ungerechte Behauptung aufstellen: in den Bierhäusern sitzen die Qualmer, in den Caféhäusern die Raucher. Dennoch gilt, daß ein Wirtschaftsexperte am Stammtisch über Betrieb und über Betriebsamkeit des Betriebs nicht reden kann, ohne mit Nachdruck die große Gebärde einzusetzen — und sollte dabei seiner Zigarre nur winzige Wölkchen entlocken? Wie die Schlote des Ruhrgebiets muß er qualmen, um glaubhaft zu sein. Sein Kollege allerdings, der soeben mit einem Kontrahenten einen Vertrag ausheckt, wird den Rauch nur in feinen Fäden aus Nase oder Mund fächeln lassen, wie er ja auch jedes Wort seines Kontrakts auf die Waagschale legt; und wäre hierfür der Biertisch ein Ort? Wenn schon im öffentlichen Lokal, dann in der kleinen Konditorei nebenan; alle Verträge sind konspirativen Wesens. Biertischpolitiker, sagen wir spöttisch, die jeden verlorenen Krieg noch nachträglich gewinnen. Kurz und gut: sobald wir dem Tabakrauchen einen spezifisch meditativen Charakter anmuten beziehungsweise unterstellen, dann ist auf ebenso spezifische Weise das Kaffeehaus sein Ort, einer seiner gemäßeren Orte! Rasch nämlich fügen wir hinzu, daß wir alten Rotspongenießer die Weinstube als mindestens ebenbürtig nicht ausschließen können.

Die Wiener gründeten uns Tabateuren jedenfalls eine unserer Stätten, das bleibt ihnen unvergessen. Der Kaffeehauswitz ist dabei, daß sie gleichzeitig nicht nur die Türken aus ihrem Land verjagten, sondern daß sie eben das übernahmen und stabilisierten, was den Sultan, wie wir vermuteten, schließlich sein Sultanat kostete. Denn was hatten wir angemerkt? Daß die türkischen Kaiser ihren Untertanen das Rauchen verboten hatten? Und warum? Da ist eben ganz schlicht und verschmitzt zu antworten: lediglich weil die Muslims in den Cafés zu Stambul herumgesessen und Nargileh, ihre Wasserpfeife, geraucht hatten. Ging's gegen den Müßiggang? O nein, denn die Historiker berichten so: Schnuppernd und wie Harun al Raschid unerkannt sei obbenannter Sultan durch die Gassen seiner Residenz geschlichen und habe aufzuspüren versucht, wer sich nicht nur dem Laster des Kaffee-, sondern zuzüglich dem des Tabaktrinkens — so hieß es seinerzeit wohl noch — hingab.

Notabene, und wir können das anläßlich des Potsdamer Skandalons unmöglich zu notieren unterlassen: Soweit die Havel vom Bosporus entfernt und so auch der dortige Kurfürst vor Wien um die Vertreibung der Muselmänner verdient sein mag, so würde es dort oben im Norden, nicht all-

85

zuviel später, ebenfalls Schnüffler geben und zwar nicht Tabak-, so doch Kaffeeriecher; und doch, auch bald darauf Polizeimänner, deren amtlicher Lebenszweck sein sollte, auf uns öffentliche Raucher Jagd zu machen, bis in den Berliner Tiergarten hinein. Will angesichts dessen ein Naiver noch behaupten, wie treu unsre Oberen uns doch immer und überall und gleichermaßen umhegten? Denn gemach, gemach! Wir werden uns derlei Sorglichkeit noch genau anzuschauen haben. Viel Sultanat überall, daß es nur so raucht . . .

Aber raunzen wir nicht (auf wienerisch).

Überlegen wir nur, was auch uns mitunter schon zugestoßen ist, und fällt uns denn nicht, unbemerkt, bisweilen ein glühendes Tabakkörnchen aufs Hosenbein? Wer kennt nicht das Gezeter darüber, obzwar der Schaden durchaus zu beheben ist. Im Jahre 1633 aber brannte dabei halb Konstantinopel ab, und da ist ein gewisser Größenunterschied zwischen Byzanz und unserm Beinkleid nicht zu übersehen. Wir Raucher waren schuld. Gewiß, wären wir Raucher nicht Raucher, will sagen: aus dem leicht getrübten Gewissen unseres Lasters heraus konziliante Leute, wir möchten wie aufrechte Männer hochfahren und laut hinausfragen: wer denn hat bewiesen, daß wirklich wir Konstantinopel zur Hälfte in Schutt und Asche gelegt haben? Dennoch kann dem Sultan sein Verdacht nicht ganz verdacht werden und auch, daß er seine Hauptstadt nicht öfter zu Asche brennen lassen wollte wie eine Zigarre; denn, und hier wird der Aktus eben staatsobjektiv, er hatte nicht nur ein paar hölzerne Residenzviertel drangeben müssen; wer weiß denn, welches aufrührerische Pack ihm da gleichzeitig ausgeräuchert worden war. Sein

86

Amtsvorgänger Nero hatte Rom schließlich vorsätz-lich niederbrennen lassen! Nein, nein, es waren zu-gleich, kostbarer als Hausbesitz und Untertanen, Kriegs-schiffe in Flammen aufgegangen, und das war mehr, als jeder Sultan dulden konnte.

So weit festzustellen, ist dies aber der einzige Fall in der Geschichte, da wir Raucher uns einer ganzen Hauptstadt als Fidibus bedient haben. Andernorts nun, und hier durchaus ohne abgebrannte Hauptstadt, hatte es die Obrigkeit gleichfalls gegen das Rauchen, wenn wir diese Animosität einmal so salopp ausdrücken dür-fen. Aber hier nun triumphieren wir Raucher ganz un-verhohlen, fast unverschämt, hier kam — fast riefen wir aus: tu felix Austria nuckele! — die Moral, die be-hördliche, mit dem Geschäft, dem fiskalischen, in Kon-flikt. O heiliger Nestroy, inklusive Karl Kraus! Zuvor eine feierliche Ehrenerklärung: Wir halten die Öster-reicher mit Einschluß der Wiener für einen höchst sympathischen Menschenschlag, manchmal ›a bisserl grantig‹, sonst aber umgänglich. Jo mei, möchtens da sagen, natürlich ist das Rauchen ein Laster, und Zigar-ren sind Stinkatores, wohingegen Kaffee nie stinkt, sondern stets duftet; aber, Majestät, schaun's, diesö Raucher san friedliche Leit, und mit der Pfeife stopfen sie sich alleweil selbst den raunzenden Mund; außer-dem aber, wer hielte sich schon an das kaiserliche Ver-bot; Laster ist Laster, und vielleicht hat während der Belagerung Wiens doch manch ein Wachmann besser aufgepaßt, ob die Türken einen Angriff planten, wenn er seine Pfeife paffte. Dazu kam, daß Kaiser Leopold kaum gesonnen war, in seinen ausgreifenden Ländern ebenfalls Harun al Raschid zu spielen — wohingegen die Grafen zu Khevenhiller für das Tabaksmonopol mit klingender Münze zahlen wollten. Und um ganz hochpolitisch zu kommen: die Türken waren noch längst nicht endgültig besiegt; aus sowohl vaterländischem wie auch christlich-abendländischem Interesse war Geld immer nötig. Allerdings, um unserer kaiserlichen Reputation willen verboten wir auch in den Erzlanden den Tabak weiterhin ein wenig; die Edikte blieben bestehen, die den Tabaksgenuß untersagten; Moral ist halt Moral, gelt? Zudem, wenn auch nicht in halb Wien, so war — verflixtes Pech! — 1668 in der Hofburg auch einmal ein Brand ausgebrochen, und ebenfalls hatte da ein Tabaksgegner die Raucher der Fahrlässigkeit beschuldigt. Was war zu tun? Tabaccus olet, pecunia non? Natürlich war dem tabaccophoben Kaiser nicht ohne weiteres zuzumuten, auf eines seiner herrscherlichen Vorrechte zu verzichten; anderseits war er soeben im Begriff, wie's im Geschichtsbuch heißt, »das Haus Habsburg zur europäischen Großmacht emporzuheben«. Geld contra Moral — welch ein Dilemma immer und überall und welch echtes dazu, so wenig die Moralpauker uns das zugeben wollen, und auch nicht nur in Österreich, das unter Umständen preußischer sein kann als die Märker selbst. Hier aber reagierte es aufs typischste österreichisch, denn es gebar die Tabakregie. Tu felix Austria nube: es löste das Dilemma Geld und Moral nicht kurzerhand auf, sondern löste es ein und zwar in einem Ehekontrakt. Mit andern Worten: wer schon sündigt, der sündige zum höheren Wohle des Hauses Habsburg. Oder sollten wir noch dreister sagen, im schönen Österreich, im Land der Operette, wird sogar noch die freie Liebe standesamtlich getraut?

A little shaggy: Shag

Wer unter uns Freunden des Tabaks England sagt, der sagt zugleich und unbedenklich Shag und Shagpfeife. Und wer wollte ferner bezweifeln, daß er damit einen der Titel der Insel, fast einen ihrer Ehrentitel meint, jedenfalls unter uns Rauchern? Natürlich macht sich nicht jeder zugleich klar, daß dies elementare Kennzeichen eines Briten sich erst im Kampf gegen höchst widrige Mächte hat durchsetzen müssen. Nun sind wir Kontinentalen bekanntlich voller Vorbehalte gegenüber unseren insularen Vettern, und das verdeutlicht sich zum Beispiel darin, daß wir einige von ihnen, deren Namen die britische Zunge mit entschiedenem Respekt ausspricht, einen ziemlich zweifelhaften Ruf genießen lassen; von einigen fabeln wir sogar, und in deutlichem Ressentiment, als von einer Art Amateurpiraten. Damit kein Irrtum aufkomme: da wir hier an keinem Biertisch sitzen, meinen wir durchaus keinen der noch lebenden Briten; wir denken — aber das ist wohl klar — an Drake und an Raleigh. Im ›Kleinen Brockhaus‹ zum Beispiel wird Drake in einem Atem englischer Seeheld plus Freibeuter genannt; doch da wir unter Rauchern sind, genüßlich bereits die dritte Corona schmauchen, versichern wir uns aller Konzilianz und fragen ganz unschuldig: Was wissen Sie eigentlich von Drake, Herr Nachbar? Aha, daß er die Kartoffel nach Europa ge-

in de drie Jonge Jtaliaaders
by Cornelis Kuyperte Amsterdam

bracht hat. Freilich, wer weiß das nicht, und wenn wir
bei unserem Tabak bleiben wollen, so hätten wir uns
zu erinnern, daß er auch mit ihr die Nachtschattenhaf-
tigkeit gemein hat, so wie mit der Alraunwurzel. Leider hat er mit ihr auch die Mosaikkrankheit gemein,

die schlimmer ist als die Alraunenverwandtschaft und bei der, vermutlich durch einen Virus hervorgerufen, das Blattgut, dunkelgrün und gelb marmoriert, sich zusammenrollt und deformiert. Aber außerdem hat der Tabak mit der Kartoffel gemein, von Sir Francis Drake in Europa eingeführt worden zu sein, und sofern nicht in ganz Europa, weil ihm eben Portugal und Spanien zuvorgekommen waren und wofür er sich durch Vernichtung der Armada schon gehörig rächen würde, so doch in einem für Tabakkonsum recht erheblichen Teil Europas, nämlich in England. Nun mögen die Tabakgegner jammern: das mache sein Kartoffelverdienst nahezu null und nichtig. Aber was erwarten diese Leute eigentlich von einem Seeräuber und Doppelnachtschattenimporteur? Folglich hören wir duldsameren Raucher einfach weg und erklären das Geschrei für animose Übertreibung. Dennoch sind auch wir Partei, eine allerdings, die sich nur mühsam ihr Daseinsrecht erstritten hat, auch immer noch erstreitet; denn zum welthistorischen Kampf des Tabaks um sein Lebensrecht gibt es immer wieder privathistorische Parallelen. Das ist nicht ohne Ironie, sobald wir uns erinnern, gegen wie viel Gewalt, mütterlich-väterlich-schulmeisterliche, wir uns in nahezu jedem individualen Fall haben durchsetzen müssen.

Kleine Parenthese: *Heiligste Güter der Nation verteidigten wir dabei natürlich nicht, und das war unsere Ohnmacht. Ohnmächtig haben wir in Sekunda, als huldigten wir der Lektüre von Schund- und Schmutzliteratur, dulden müssen, daß der Turnlehrer die Schachtel Zigaretten beschlagnahmte, die im Umkleideraum aus unserer Tasche rutschte. Der* drahtige kleine Mann, Klopfermax nannten wir ihn in unserm Falle, rauchte vermutlich nicht selbst; sein Gehalt erlaubte ihm das nicht, behaupteten wir; und somit brachte er im zwanzigsten Jahrhundert noch immer all die Argumente gegen das Rauchen vor, deren sich das 16. und 17. Jahrhundert eigentlich bis zum Überdruß bedient haben sollte. Da er uns diesmal nicht in flagranti ertappt hatte, also beim Rauchen selbst, konnte er uns nicht anders bestrafen als moralisch, das heißt mit Redensarten. Einige der Unsren umstanden ihn dabei mit schamlos zustimmender Miene; ihr Häuptling hieß Meschke, tatsächlich, so hieß er, klingt das nicht unlauter nach Streberei? Neulich aber hatten sie uns auch wirklich verraten, als wir im Klassenzimmer vor dem Abzugsschacht des mit Heißluft geheizten Schulhauses gequalmt hatten. Da hatte Klopfersmax rigoros unsern Kopf gefordert! Heiliger Raleigh! So weit konnte es natürlich nicht kommen, das wußten wir; dennoch war uns nicht recht geheuer, als uns der Hausmeister, der ›Knochen‹ genannt, vor den ›Alten‹ zitierte. Theodor Matthias hieß er und Ehre seinem Andenken, nicht ohne tabaklichen Hintersinn: ein konzilianter Mann nämlich und sogar von einigen Meriten als Editor von Schulklassikern, aber mehr noch als Sprachvereinsgewaltiger und sonach auf den Spuren Jean Nicots: Herausgeber des Duden. Von unserer Gilde denn, was wir damals allerdings nicht ahnten, rauchender Grammatiker in hoher Schulmeistertradition mit weißem Bart und mächtiger Glatze. Hatte uns dann in unserer Verlegenheit eine Weile vor sich stehen lassen, eifrig in seinen Papieren blätternd. Schließlich war er hinter dem Schreibtisch hervorgekommen, blitzend uns musternd. Natürlich hielt er ebenfalls eine Strafpredigt, von Amts wegen streng; er hielt sie in reinem Deutsch und ohne jedes Fremdwort, wenn auch die Sätze so lang waren wie Güterzüge, an die immer noch ein Glied angehängt werden kann, und deren Ende grammatikalisch niemals mit ihrem Anfang übereinstimmte. Syntaktischer Kettenraucher, aber gewaltig bei Horaz beginnend, vorsätzlich noch alte Schule. Leidenschaftlich, und

das respektierten wir in sichtbarer Aufmerksamkeit, schau-
spielerte er den großen Pädagogen; und damit ist eigentlich
alles gesagt: er war uns schlechthin dankbar für die Gele-
genheit zu solcher Demonstration, fuchtelte uns, passionier-
ter Raucher der er war, mit seiner Zigarre unter die Nase,
fragte grollend, was das sei, und als wir stramm geantwor-
tet hatten: »Eine Zigarre, Herr Rektor!«, donnerte er:
»Gift ist das, reines Gift!!« Da nickten wir Sünder, als hät-
ten wir das Stück auf der Bühne geprobt (derlei begreifen
Pennäler blitzschnell) und gaben ihm vorbehaltlos zu, daß
für unseren jugendlichen Organismus abträglich sei, was
für den seinen, den eines uralten Mannes am Ende seiner
Erdenbahn, einen der letzten Lebensgenüsse bildete; und
wir wußten, daß er de facto nur wenig dagegen habe,
wenn wir uns rechtzeitig zu Männern ausbildeten; allein die
Vorschrift ... Von ›Kopf ab‹ zumindest kein Wort, nicht
einmal das Große Ehrenwort, fürderhin abstinent zu sein;
das wäre unpädagogisch gewesen; und mithin großer Triumph
über Klopfersmax und Meschke.

O ja: ›Kopf ab‹ hatte es tatsächlich einmal gegeben,
was Übertretung des Rauchverbots anging; als äußerste Bedrohung unserer raucherischen Existenz muß
dessen jedenfalls kurz gedacht sein. Nicht fern in der
Türkei spielte das, sondern noch ferner, nämlich in
China, wo 1635 allein der Tabakverkauf mit Enthaup-
tung bedroht war. Die Unsitte ist uns bereits aus ›Tu-
randot‹ bekannt; wir lehnen sie aufs schärfste ab, natürlich, aber auch, weil nun dortzulande um so leich-
teres Spiel mit dem Opium war. Wir lehnen auch die
persische Barbarei Schahs Abbas des Großen ab, Rauchern die Lippen abzuschneiden. Wär's also angesichts
solcher Grausamkeiten ein Wunder, belastete uns Raucher ein untilgbares Trauma? Und so ist es ein Zeichen

besten raucherischen Humors, wenn wir guten Gewissens trotz allem rufen: »Peccate fortiter!« Und hierbei denken wir vergnügt, der Alte von Wittenberg, der bekanntlich gern den Humpen Einbeker Biers hob, hätte gar, wäre es möglich gewesen, ebensogut die Pfeife dazu schmauchen dürfen. Sechsundvierzig ist er aber bereits gestorben, zu früh, als daß wir ihn zum Patron unserer Gilde erheben könnten.

Anekdotisches Zwischenspiel

An Einbeker Bier hat es einmal, vor noch nicht langer Zeit, geheißen, sei Luther gestorben, und die Juden und die Freimaurer, im Bunde natürlich mit Rom — wie denn sonst? — hätten es ihm tückischerweise zugeschanzt. Nicht auszudenken, wenn er auch noch geraucht hätte! Das Teufelskraut in seinem Namen! Hierzu ist nun das Exempel des Rodrigo de Jerez fällig, eines Begleiters des Kolumbus, in dessen Auftrag er die Insel Kuba zu erforschen hatte, wobei er sich das Rauchen angewöhnte. Er dürfte somit der erste Raucher in Europa überhaupt gewesen sein, eines Denkmals in Bronze würdig. Doch weit gefehlt; das gibt es nicht, und so müssen wir es hier in Worten abfassen, aere perennius, o Horaz! Denn als Rodrigo heimkehrte nach Spanien, nach Ayamonte, da konnte er gleich uns allen das Rauchen nicht mehr lassen; ja gar, es machte ihm Spaß. Das ist der Fluch der bösen Tat. Ayamonte, auf dem Schulatlas unserer Tochter nicht verzeichnet, dürfte seinerzeit, wenn überhaupt vorhanden, ein Dorf gewesen sein, ein Weiler, ein Nest. Dort nun erschien eines Tages, nach Entdeckung Amerikas, der große Sohn der Stadt, und alles, was Beine hatte, lief herbei und versammelte sich um das Maultier, auf dem Don Rodrigo Einzug gehalten. Gold, dachten die ehrsamen Bür-

ger, würde er von seinen Raub-, Verzeihung, Streifzügen durch Kuba mitbringen, einiges von dem, worüber die Fama zu berichten wußte. Schon sein Vater, flüsterten die ehrsamen Bürger, soll geldgierig gewesen sein; also würde der wohlgeratene Sohn genügend beisammen haben, um jedem seiner dankbaren Mitbürger einen blanken Dukaten in die offene Hand zu drücken. Lachte er denn nicht schon so verschmitzt? Sein Vater hatte es ebenfalls faustdick hinter den Ohren gehabt, und einen Schüchterling hatte der berühmte Kolumbus kaum auf Kundschaft ausgeschickt, auf Kundschaft nach Gold. Und tatsächlich, noch auf dem Marktplatz und im Angesicht des Stadtschulzen und des Stadtpfarrers, griff der weitgereiste Mann in seinen Schnappsack. Wie reckten sich Hälse und Hände da! Ach, um es kurz zu machen: kein Geld verteilte er — sein Vater war bekanntlich schon geizig gewesen, und einen Trottel hätte Kolumbus kaum zum Gefährten genommen —, sondern er holte ein kurioses Ding hervor, einen Stecken oder Stab, ein Zauberdings, he? Ein durchbohrtes Rohr, vorn mit einem plumpen Füßchen dran. Das stopfte er voll mit einem Kraut, das nicht einmal der Herr Apotheker kannte, Tobacco nannte er das Zeug; und gleich darauf, Himmel und Hölle und zwar weniger Himmel und mehr Hölle, denn Feuer wurde an das Rohr gehalten, da schlug dem elenden Burschen aus allen Öffnungen des Leibes, zumindest aus Mund und Nasenlöchern, der Teufelsqualm. Apage Satanas! Und alles stob davon, der Herr Schulze als Erster, als Zweiter der Herr Pfarrer, dann der Apotheker, und schließlich blieben nur noch die Gassenjungen um Don Rodrigo geschart, der sich an sein Maultier lehnte und infernalisch über die Sensation lachte.

Das Lachen sollte ihm freilich vergehen. Kein Christenmensch stellte sich hellichten Tages auf unsern Marktplatz und paffte Höllenrauch in unsere Hütten. Don Rodrigo kam, es ist belegt, vor die Inquisition und mußte den Ärger, den er erregt, mit vielen Jahren Kerker büßen. Das Ironische an der Sache jedoch war, daß, als er endlich wieder

herauskam aus dem Kittchen, längst der Großteil seiner
Mitbürger, darunter vermutlich der nach allen Giften süch-
tige Herr Apotheker und mit ihm der Stadtschulze selbst,
leidenschaftlich rauchte. Merke: Uns jagen, wenn es das
Unglück so will, die Angeber wegen verbotenen Rauchens
von der Schule, und treffen wir sie nach Jahren wieder,
dann hängt ihnen lässig die dicke Zigarre von den Lippen.
Wehe den Wegbereitern!

Fortsetzung des Hauptkapitels

Um aber endgültig nach England zu kommen, so re-
gierte dort nicht die Inquisition, sondern unser schon
mehrfach zitierter König Jakob I., Sohn Maria Stuarts,
Nachfolger der jungfräulichen Königin Elisabeth, die
seine Mutter hatte umbringen lassen, seine Mutter,
der, als sie noch Königin von Frankreich war, der Gesandte Nicot aus Portugal Tabakpulver geschickt hatte,
damit das Kopfweh des Gatten zu heilen. Jetzt fehlte
freilich noch, um die Verfitzungen vollständig zu machen, daß Elisabeth, entgegen unserer obigen Vermu-
tung, doch geraucht hätte. Das ist aber historisch nicht
belegt, selbst wenn der oder jener unter den Tabak-
historikern aus Pointenübermut durchblicken lassen
will, sie möchte einmal einen Zug aus der Pfeife ihres
Günstlings Sir Walter Raleigh versucht haben. Raucherische Folgen hatte das jedenfalls bei ihr nicht, obwohl sie diesen Raleigh sehr geliebt haben muß. Nehmen wir nun an, daß anderseits Jakob seine Mutter
ebenfalls sehr geliebt hätte — was nicht mehr nach-
weisbar ist —, so entbehrt nicht sarkastischen Witzes,

ah, qu'il est bon !

19.

daran zu erinnern, daß er Elisabeths Liebling später umschichtig hat umbringen lassen. Hier wäre nun probat, anmerken zu können, Jakob, der strikteste Tabaksfeind unter allen gekrönten Christen, habe Sir Walter köpfen lassen, weil Raleigh der strikteste Tabaksfreund gewesen; doch hat es sich vermutlich um rein politische Motive gehandelt, die den König zu seiner grausamen Tat veranlaßt haben. Immerhin, Raleigh war der Günstling Elisabeths 1. gewesen, der Vorgängerin Jakobs auf dem Thron, was notwendig verdächtigt, und der Mörderin von dessen Mutter, was zumindest Mißtrauensvorwände liefert, und sodann hing der solchermaßen hochgefährdete Mann unheilbar dem königlich verpönten Laster des Rauchens an. Aber, aber, werden der und jener sagen, das ist jetzt doch sehr weit hergeholt; das mit dem Günstling wollen wir zugeben, und so viel wir uns entsinnen, soll er ein ausgesprochen intriganter Mann gewesen sein; aber weil er rauchte, ihn des Hochverrats zu verdächtigen, das geht zu weit. Ja natürlich, räumen wir ein, beweisen können wir dergleichen auch nicht; aber konnte der König, dessen Philippiken gegen das Rauchen Sir Walter kannte, in diesem Punkte nicht eine gewisse Loyalität seitens aller seiner Hofleute erwarten? Zweifellos, antworten wir; nur ist es vom König auch nicht sehr loyal, einen der Mehrer des Reiches zum Tode verurteilen zu lassen; und selbst wenn dies erste Todesurteil nicht vollstreckt, sondern in Kerkerstrafe umgewandelt wurde, der nach mehreren Jahren die Amnestie folgte, so gilt das wenig gegenüber dem kecken Witz eines aufrechten Mannes, kaum der Einkerkerung ent-

ronnen, sich sozusagen noch unter dem Torbogen des
Tower erneut die Pfeife anzustecken und dem König
seinen Protest ins Gesicht zu rauchen. Oder war das
eine sehr dezidierte Herausforderung? An bloße Frech-
heit vermögen wir bei einem so durchtriebenen Manne
eigentlich nicht zu glauben. Strikteste Tabakstreue war
es aber bestimmt. Und sie ward noch gekrönt; denn als
Raleigh, wiederum hochverdient ums Vaterland — er
hatte inzwischen die spanische Stadt St. Thomas auf
Guayana in Brand gesteckt — dennoch das Schafott be-
steigen mußte, soll er sich, nun wahrlich dem königlichen Scharfrichter zum Trotz, auf seinem letzten Gang
dorthin ostentativ die Pfeife angesteckt haben.

Österreichisch ist derlei nicht, können wir da nur re-
sümieren. Österreichisch ist hier in England auch nicht,
daß sich der König Jakob I. dann trotzdem das Han-
delsmonopol für Tabak sicherte; denn da wird das Dilemma Geld-Moral um mehrere Grade mißlicher und

um ebensoviele Grade weniger pikant. Wenn Leopold seine Abneigung gegen den Tabak hintanstellte, so handelte er im Staatsinteresse konziliant, fast jovial; dagegen wenn Jakob, der sich ideologisch gegen den Tabak gekehrt hatte, ihn dennoch gegen Steuern zuließ, machte er das fiskalische Interesse zur morallosen Strafaktion und gleichzeitig, mit diesem staatstheoretischen Verrat, verriet er seine Ideologie. Starker Toback derlei, oder? Denn mit großem Pathos trat der Monarch gegen den Tabak auf. Um so ironischer ist die Tatsache, daß seine Wirkung gleich null blieb; die Briten rauchten dennoch. Jakob verhöhnte seine Untertanen: Eine Medizin soll dieser tobacco sein und macht krank, he? Gar als Universalmedizin gibt er sich aus, obzwar euch jeder Medicus versichern kann, es gäbe wohl Medizinen gegen dies und jenes, Allheilmittel aber gäbe es nicht. Mit dieser Bemerkung muß dem König nolens volens auch von uns ein Verdienst zugeschrieben werden: daß er dem Tabak den falschen Glanz, die Entschuldigung einer Arznei verweigerte. Weiter: Ihr äfft die Sitten der heidnischen Wilden nach; nun, warum lauft ihr dann nicht ebenso nackt herum wie sie? Medizin, sagt ihr: seit wann nehmen auch Gesunde Medizin? Vor eurem Gestank freilich müßte sogar der Teufel davonrennen, und zweifellos sind alle Krankheiten des Teufels! Aber gut – und hier nun folgt ein rabulistischer Trick, den wir dem königlichen Pamphletisten nicht mehr abzunehmen gesonnen sind; hier sah sein eigener Pferdefuß heraus – gut denn, wenn ihr nicht hören wollt, und wer wollte jenen Argumenten sine ira et studio nicht einiges Recht zugestehen, gut, dann zahlt zumindest Buße für eure Unvernunft. Es fehlte nur noch, daß der König argumentierte: Wenn ihr, meine Herren Untertanen, euch vorsätzlich krank macht, selbstverstümmelt, dann habt ihr mir die Söldner, die ich mir an eurer Statt anderswo anwerben muß, zu bezahlen. Wer wagt zu bestreiten, daß alle Tabakssteuern eigentlich so gemeint sind? Natürlich traf uns Raucher der scharfsinnige, allzu scharfsinnige König hier am wundesten Punkt; und wer will uns verdenken, daß wir deshalb aufs ärgerlichste reagierten wie räsonnierten? Eklat und Tableau: Das Parlament in London bewilligte daraufhin dem König diese Tabaksteuer nicht! — In tyrannos! — Nur der Tabakanbau mußte den Zehnten hergeben!

In tyrannos! ... Wären wir so etwas wie historische Dramaturgen, hätten wir jetzt vielleicht zu untersuchen, wie weit dieser höchst britische, hochhumane Protest durch despotische Pression geradezu ernötigt sein wollte, so wie alle Zivilisierung immer nur in Auflehnung erfolgt, während anderswo, sagen wir etwa in Österreich, die Tabakregie gelassen hingenommen ward, gar als kindlicher Tribut an das väterliche Erzhaus — bis in die Tage der Republik hinein. Doch wir haben noch anderes zu berichten. Die Universität Oxford beraumte des aktuellen Themas wegen eine gelehrte Kontroverse an; freimütig sollte hierzulande gesprochen werden. Der König erschien höchstselbst und natürlich bekundeten dabei die Herren Dozenten all ihre Loyalität und verdammten vor den königlichen Ohren die Unsitte des Rauchens in Grund und Boden. Bis auf einen; sein Name muß uns teuer sein: Dr. Cheynell, der ebenfalls das Katheder bestieg, angesichts des Königs und als freier Mann zum Lobpreis des Tabaks und zwar mit brennender Pfeife in der Hand. In tyrannos! Es ist dies 1605 geschehen, und wirklich ist solches Verhalten, falls wir kontinentalen Untertanen es nicht schlechtweg für unbotmäßig erklären, noch tapferer als Raleighs letzte Pfeife vor dem Schafott; denn das gründlich Zivilistische daran erheitert uns Raucher, das, was uns an den Briten immer erneut gefällt, selbst wenn wir ihnen gegenüber einige Vorbehalte sollten überwinden müssen. Sie zerren Sir Walter Raleigh unnachsichtig wegen Hochverrats vor Gericht, würden ihn aber am liebsten begnadigen wegen Rauchs aus Nase und Mund ins Antlitz des Despoten; und genau umgekehrt zu Don Rodrigo de Jerez verhält es sich auch laut Anekdote; denn als sein Gärtner den Sir Raleigh zum erstenmal eingehüllt in Rauchschwaden antrifft, läuft der Mann bestürzt davon, und zwar nicht zum Inquisitionsgericht, sondern um einen Kübel Wasser zu holen und den brennenden Herrn zu löschen. Weiter auch: Als die jungen Männer, die nach Virginia, Raleighs Gründung, ausgewandert waren, an ihre Freunde zu Hause schrieben, alles dort sei gut und schön, aber ihnen fehle es sehr an dem, was das Leben erst reizvoll mache — nein, nicht an Tabak, den hätten sie die Fülle, sondern an Frauen — da sandte die Stadt London ihnen eine Ladung Jungfrauen, neunzig an der Zahl, kostenlos, wie sich versteht; denn Christen betreiben keinen Mädchenhandel. Einzig die Transportkosten, bestimmten die Herren der City, seien zu bezahlen. Aber sie forderten nun keineswegs Geld für die leckere Fracht; das wäre krämerhaft gewesen. Liebhaberei gegen Liebhaberei, und das war ein würdiger Tausch: je Jungfer verlangten sie 120 bis 150 Pfund Tabak. Geschehen 1620, zur Regierungszeit Jakobs I.; und jetzt bedauern wir eigentlich, daß wir das nicht aus Österreich berichten können.

Ein ziviles Volk diese Briten; sagen Gott und meinen Kattun, behauptet Fontane; sagen Jungfrau und meinen Tabak? Wir sind anders gesonnen und werten das Fakt als Pakt mit der Gelegenheit, höchst redlich. Ebenso lassen sie den Tabakanbau dem König vorbehalten, handeln aber um so eifriger damit, soll doch schon Raleigh, so gerieben wie fashionable, das große Geschäft mit Tabak gewittert haben, als 1586 Drakes erste Kolonisten pfeiferauchend aus Virginia heimkehrten. Grimmige Vorstellung: Raleigh auf dem Schafott als Lobbyist der Tabaksinteressen, für die er sein Leben hergibt. Schneller als Drakes Kartoffel bürgerte sich der Tabak ein — also daß in diesem Falle doch nicht erst das Fressen kam und dann die Moral! — und während in Oxford die loyalen Professoren ihrem raucherfeindlichen König zum Munde redeten, gab es in der Hauptstadt bereits Professoren der Rauchkunst. Was diese ihre Studenten gelehrt haben, ist uns heutzutage unerfindlich. Immerhin möchte solch ein Rauchpädagoge jungen Dandys zierliche Ringe vorgeblasen haben, ihnen die Qualitäten der einzelnen Tabake erläutert, sie beim Einkauf schön geschnitzter Pfeifen beraten haben. Und während die Stadtväter bei uns auf dem Kontinent, nämlich in Lüneburg, das erst später britisch werden sollte, Gefängnisstrafe und Auspeitschung gegen das Tabaktrinken verordneten, dürften auf der Insel sie es gewesen sein, die nachwiesen — den guten Argumenten ihres Königs zu weiterem Trotz —, daß während der Pest 1614 weniger Raucher als Abstinenzler von der elenden Seuche dahingerafft worden waren. Seuche schlägt Seuche? Das buchen wir eilig zu unseren Gunsten, obwohl wir, noch im Lande des erblühenden Welthandels und dessen oft dubiosen Konjunkturparolen, bereits ahnen, daß hierbei bestimmt die Lobbyisten dreingeredet haben dürften. Gab es nicht etwa auch schon die Zunft die Tabakpfeifenerzeuger? Mit wieviel Prozent waren die Herren Rauchpädagogen am Umsatz beteiligt? Kurz, wer sollte jetzt noch bangen um das Schicksal der Tabakpflanze, Objekt des Fiskus wie zugleich der Volkswirtschaft! Denn freilich, auch nachdem König Jakob I. das Zeitliche gesegnet — mit achtundfünfzig Jahren bereits, als Nichtraucher — und Karl I. den Thron bestiegen hatte: das königliche, das steuerträchtige Monopol auf Tabakanbau lebte weiter. Karl verabscheute den Tabak ebenfalls, verfaßte jedoch keine Bücher gegen ihn, liebte hingegen die Literatur und die schönen Künste, siehe van Dyck. Nun hungern — trotz van Dycks — die Dichter und Maler zwar immer und überall, dennoch kosten die Künste stets und allerorten viel Geld. Aha! dürften wir Raucher jetzt rufen, wir Staatsverbrecher als Mäzene! Wir haben sogar nicht ganz unrecht, falls uns der Bund der Tabakgegner nicht doch nachweist, daß wir mit unserem Spargroschen nicht van Dyck, sondern nur die königlichen Schauspielerinnen und Sängerinnen ausgehalten haben, was nichts anderes hieße, als mit der Unmoral des Rauchens die Unmoral der freien Liebe finanzieren.

Der König mußte freilich bitter bezahlen für sein von uns bezahltes Mäzenatentum; wie Raleigh starb er auf dem Schafott. Nur daß er auf seinem letzten Gang nicht wie jener die Pfeife rauchte. Aber die Pfeife spielte auch diesmal eine Rolle beim Staatsakt; denn wir erfahren, die Soldaten, die den König zum Richtplatz schleppten, hätten ihm Rauch ins Gesicht geblasen und ihm zerbrochene Pfeifen vor die Füße geworfen. Es waren Cromwells Soldaten, und war nicht Cromwell in diesem einzigen Punkte mit dem König einig, nämlich in der Feindschaft gegen den Tabak? Das ja. Doch darum scherten sich seine Gefolgsleute offenbar nicht, und hiermit ist eigentlich der Vormarsch des Tabaks beendet. Er obsiegt über alle ideologischen Vorurteile. Von nun an baut er seine Positionen nur noch aus; er ist durchgesetzt. Cromwell jedenfalls wurde des Rauchens nicht Herr; die Shagpfeife triumphierte über ihn. In unsern Tagen triumphiert sie bereits drei Jahrhunderte lang. Nun wollen wir uns natürlich zurückhalten und jenes heikle Kapitel vom Schnuller nicht noch einmal anrühren. Verwunderlich ist's trotzdem, wie jener harte Mann sein ganzes Volk und durchaus nicht nur vorübergehend in karges Puritanertum verscheuchen, wie er alle Heiterkeiten irdischen Daseins unter ausdrücklichem Einschluß unserer leiblichen Genüsse verdächtigen, nicht ihm aber den Spaß am Tabak vergällen konnte.

Flegeljahre des Tabaks

Unser Ehrgeiz kann es nicht sein, eine lückenlose Geschichte des Tabaks zu erzählen. Uns liegt nur daran,
anekdotisch zu belegen, wie sich der Tabak eingebürgert hat, gegen welche Widerstände und mit welchen
Listen. Zu den Listen hatte insonderheit seine Tarnung
als Medizin gezählt, und dies seit der Zeit, da Ramon
Pane, ein Begleiter des Kolumbus auf seiner zweiten
Reise, 1497 in seinem Buch ›De insularum ritibus‹ vom
Tabak als einem Purgativ berichtet. Gold kam aus
Amerika und dazu die Arznei, die unser Leben instand-
setzte, die Vergünstigungen, die das Gold gewährte,
zu genießen. Wenn wir uns vergegenwärtigen, mit
welcher Leidenschaft die um Aufklärung bemühten
Jahrhunderte nach dem Mittelalter den Teufel Krankheit aus dem menschlichen Körper nicht mehr mit
Gebet und Beschwörung vertreiben wollten, sondern
mit Blutegeln, Brechmitteln und mit der Klistierspritze,

so bedeutet das Rauchrohr wirklich einen weiteren Schritt aus den Verfinsterungen ins Hellere. Es zapft nicht lediglich ab, sondern versucht vielmehr zu lösen; es will uns innerlich aktivieren. Und verhielte es sich so, wäre das nicht therapeutisch höher und moralischer, und sei es nur um einen halben Grad? Eines Tages bedurfte es deshalb der medizinischen Verbrämung nicht mehr; eines Tages durfte, was wir zum Rauchen benutzten, jenes gesellige und gesellende Requisit sein, als das wir es heutzutage schätzen, eingedenk seiner fördernden Kräfte . . ., wobei vorderhand nebensächlich bleibt, ob es Zigarre, Pfeife oder Zigarette heißt. Einzig schwankt in den folgenden Zeiten deren gesellschaftlicher Rang; und während auf der Amsterdamer Schiffswerft Zar Peter mit den Arbeitern gemeinsam und hemdsärmelig die Pipe schmaucht und später in Moskau zum Zeichen seiner abendländischen Aufgeschlossenheit ausländische Gesandte mit ihr im Munde empfängt, schwenkt unter Wilhelm von Oranien das fashionable England, seinem Raleigh vorübergehend untreu, von der Shagpfeife fort dem aus Frankreich importierten Schnupftabak zu.

Vorübergehend raucht also nur noch the commoner; ja, als geselliges Requisit taucht die Pfeife jetzt ausschließlich in den untersten Gesellschaftsschichten auf. Das ist existentiell legitimiert, künstlerisch nämlich: als niederländische Malerei. Bezeichnende Bilder für diese Grenze liefert der jüngere Teniers (1610—1690) mit seinen Bauern, die ihre Pfeife qualmen, ungerührt davon, daß sich rund um sie herum höchst deftige Dinge zutragen. Gesellig? Nun, nicht immer geht es bei Te-

niers so ungeniert zu, wiewohl Tafeln dieser Art sein
Tribut an den Schwiegervater Adriaen Brouwer gewesen sein mögen, von dem zumindest die Legende berichtet, daß er sich, und nicht nur studienhalber, in
solchen Milieus oft und gern herumgetrieben habe. Auf
eines seiner Kaschemmenbilder kommen wir noch an
anderer Stelle zu sprechen. Mit Teniers verband Brouwer außerdem enge Freundschaft zu Rubens, der als
Vormund dem Teniers die Tochter Brouwers zur Frau
gab. Jedoch findet sich bei diesem Grandseigneur der
Malerei nirgends eine Pfeife auf den Tafeln. Schlechte
Zeiten für uns Raucher. Freilich braucht das nicht zu
heißen, daß Teniers, der ein Hofmaler war, uns Sünder
nun nur in den Gassen und Gossen aufstöberte. Gleich
neben dem ebenbezeichneten Bild, und in der unabseh-
baren Fülle niederländischer Malerei lassen sich überall
die gleichen Entdeckungen machen, neben den ›Drei
Bauern am Kamin‹ hängt ein gleichfalls nur kleines
Bild, die ›Neuigkeit‹, auf dem einer der Anwesenden
aus einem Brief vorliest, während drei seiner Zuhörer
die Pfeife sittsam in der Hand halten. Das ist wie eine
ungeschmeichelte Bildreportage, und wir können davon überzeugt sein, etwas von der nun durchaus ge-
sitteten Gesittung der Zeitläufte zu spüren. Gewiß
keine Selektivität aus dem Geiste der Antike, die allerdings, wenn sie nicht aus Rubens'scher Vitalität ge-
speist wird, bereits bei van Dyck und dann gar bei den
Briten, von Hogarth abgesehen, zu vornehmer, aber
blutarmer Blässe umschlagen kann. Ein Raucher auf
einer der Tafeln Romneys? Kaum vorstellbar, wiewohl
zu dessen Zeit old England längst wieder und allge-

mein rauchte, so wie bei diesem Teniers, wo die Pfeife der alltägliche Begleiter ist, der sie seitdem trotz aller Rückschläge geblieben. Tasten wir nicht nach unserer Tasche, ehe wir auf einen Sprung zum Nachbarn huschen: daß wir sie nicht mitzunehmen vergessen? Kein rechtes Gespräch könnte sich entfalten; und vor einem solchen Bild hat sich das Rauchen reputiert, künstlerisch ohnehin, aber auch so: Wo wir kleinen, aber redlichen Leute uns einer Sache annehmen, ist sie ehrlich gemacht — was ebenfalls etwas Selektives meint. Trifft das, jedenfalls in den kalvinistischen oder katholischen Niederlanden für diese Zeit zu, dann wirkt es, zumindest im Rückblick, bereits anachronistisch, wenn anderswo noch Rauchverbote ausgesprochen werden: 1649 vom Erzbischof zu Köln, 1652 vom Kurfürsten von Bayern, 1653 in Kursachsen, 1656 in Württemberg . . . wobei wir Braven am Biertisch, wehrlos wie wir sind, allerdings argwöhnen, mit solcher systematischen Abfolge möchten unsere Oberen nur darauf gesonnen haben, uns in die Zange einer Tabaksteuer zu nehmen, Gau um Gau. Daß in Zürich 1667 die Raucher gar als ›unehrbare Leute‹ desavouiert werden sollen, kann uns dann nur noch als geschichtswidriger Witz gelten; und so besteht alle biedermännische Gegenwehr einfach darin, daß diese Verbote zwar ausgesprochen, sodann umgehend wieder vergessen werden — womit jedermanns Vergeßlichkeit zum Regulativ historischer Besinnung aufrückt.

Ausgelöst worden war die ganze, uns etwas sinnlos erscheinende Kampagne möglicherweise, und ironischerweise auch in den protestantischen Ländern, von jener

Bulle, die 1642 Papst Urban VIII. erlassen hatte und in
der er für den Bereich von St. Peter alles Schnupfen und
Rauchen strikt untersagte. Hierzu bleibt uns standesbe-
wußten Rauchhabitués mit einer gewissen Entrüstung
nur zu sagen übrig: daß das überhaupt nötig war!
Denn wie große Heiden einige von uns auch sein mögen, allesamt nehmen wir noch in der kleinsten Kapelle
die Mütze vom Kopf und die Zigarre aus dem Mund,
falls wir überhaupt rauchend dahin spazieren; sie dort
aber erst anzuzünden, das fällt uns im Leben nicht ein;
und weil wir in diesem Zusammenhang lesen, die Kir-
chen seien in jener Zeit von uns Tabaksfreunden oftmals und gröblich verschmutzt worden, haben wir uns
schleunigst alle Bilder von Kircheninneren angesehen,
die uns vor Augen kamen, etwa solche von Emmanuel
Witte. Aber obzwar dort Frauen ihre Säuglinge her-
umtrugen, Männer in geschäftiger und wohl auch ge-
schäftlicher Unterhaltung herumstanden, gar Hunde
herumstreunten — nirgends ein Raucher.

Im Anschluß an den Gottesdienst geraten wir zu
Pieter de Hooch, und bekanntlich ist in keiner Gegend
wie bei ihm die Welt so aufgeräumt. Obwohl wir ganz
privatim zu Gast sind, benehmen selbst wir Männer
uns einigermaßen adrett, manierlich im Gespräch mit
den Frauen und manierlich die Pfeife zwischen mitunter zierlich sich spreizenden Fingern. Schmutz? Verzeihung, wenn wir uns so ereifern; es geht ja gerade in
dieser Zeitspanne um unser Ansehen als Raucher. Da
es noch arg schwankt, wollen wir uns auf keinen Fall
Schmutz nachsagen lassen, wenigstens öffentlich nicht.
Als allzu oft Verleumdete, die sich von der Tücke des

Objekts geäfft wähnen, suchen wir eifrig nach Kron-
zeugen, solchen wie de Hooch, bei dem wir recht günstig abschneiden, blättern und sehen nach, wie es etwa
mit Frans Halsens Verhältnis zum Tabak steht. War
er nicht ein Maler, der uns kritisch zu beobachten verstand? Aber nunmehr ist es doch erstaunlich und beinahe ein Votum gegen uns, daß wir auf seinen Doelen-
stücken, wo wir gelassen oder ausgelassen paradieren,
in Spitzen und in Seide, nirgends auf eine Pfeife stoßen. Wie wenig wir doch noch akkreditiert sind, sobald wir uns repräsentieren. Unversehens treffen wir
dabei auf Fransens ältesten Sohn, der auch ein Maler
gewesen, Harmen mit Vornamen. Kennt ihn einer von
uns? Kaum, wenn nicht von jenem Bild ›Altes Paar
am Fenster‹. Hier nun erscheint eine Pfeife im Bild.
Und wer raucht sie? Nun, das ist es eben, nicht der
Alte, sondern die Alte tut's. Ei sieh' da, denken wir,
wie zwielichtig, zwieträchtig steht es noch um unsere
Sache.

Das Bild ist natürlich ein Kuriosum. Zwar schreibt
1671, und das ist etwa um dieselbe Zeit, Liselotte von
der Pfalz aus Paris: »Die Weiber sind gar zu veracht-
liche Kreaturen itzunder mit ihrer Tracht, mit ihrem
Saufen und mit ihrem Tabak, welcher sie gräßlich stinken macht.« Es handelt sich hierbei jedoch nicht um
Rauch-, sondern um Schnupftabak, von Pfeife keine
Rede. Und die Damen schnupften unverdrossen mit.
Ob sie, hätten wir geraucht, dabei ebenso allgemein
mitgehalten hätten, ist zumindest fraglich; jedenfalls
blieb wie in England auch hier die Pfeife vorerst uns,
dem gemeinen Mann überlassen. Einzig in Deutsch-

land — doch was galten wir dazumal in der großen und feinen Welt! — rauchten wir offenbar allesamt. Denn hier entsetzte sich der Schulze, Romancier, zeitweise auch Gastwirt Samuel Greifensohn alias Grimmelshausen darüber, daß — und damit allerdings war lediglich das männliche Geschlecht apostrophiert — daß also Fürsten und Bischöfe bis herunter zum Tagelöhner den Tabak schnupften, »fraßen und soffen«. Ein schöner Gastwirt, denken wir da und wenden uns lieber an seinen französischen Zeit- und Dichtergenossen Molière, der (1665) in seinem ›Don Juan‹ erklären läßt, daß es nichts gäbe, was dem Tabak gleiche, nämlich: er sei die Leidenschaft der anständigen Leute. Na, Gott sei Dank, denken wir und nehmen hochbefriedigt zur Kenntnis, daß, wer ohne Tabak lebe, nicht wert sei, daß er lebe, so wie es wahr sei, daß der Tabak ehren- und tugendhafte Gefühle bei denen auslöse, die ihn nehmen. Hei! können wir da nur rufen. Oder war, so zu reden, Ironie des großen Komödianten? Wie mißtrauisch wir sind! Tatsache ist, daß er gewiß nicht uns Raucher meinte, weil eben tout le monde nur schnupfte ... wobei noch zu bedenken wäre, daß der Herr Prinzipal mit solcher Apostrophe sein Publikum ins Theater zu locken versuchte. Und sobald Georges Dandin sich auf der Bühne vor Eifersucht wand, erhöhte unter Umständen den Effekt der Lächerlichkeit noch, wenn im Parkett der oder jener nieste, während es natürlich dem tragischen Kollegen Racine unmöglich passen konnte, Phädra während einer Hatschi-Salve sterben zu lassen.

Übrigens lassen sich Bilder der Zeit, auf denen

Goede Schwizents

N̄o 3

Deese en meer andere Zoorten
van Roock Tabak Zyn te koop in de
Fabrieq van Franz Mayer tot
Amsterdam

Franz Mayer tot Amsterdam

Schnupftabak vorkommt, nur schwer finden. Offensichtlich widerstrebt er bildlichem Zeugnis, vom bräunlich vollgeniesten Sacktuch als anschaulichem corpus delicti abgesehen. Der Schnupfakt ist sozusagen eine gleitende Gebärde, und ein dezentes Motiv ist kaum, wie wir Handrücken beziehungsweise Fingerspitzen ans Nasenloch halten. Hat sonach das eitelste aller saeculorum diesen Zwiespalt gespürt? Halsens Honoratioren in Samt, Seide und Spitzen hatten sich der Ewigkeit nicht als Raucher überliefern wollen, weil das als unfein galt; geraucht werden sie schon haben. Eines späten Tages würde sich freilich ergeben, daß wir gerade mit der Zigarre, der Zigarette, vorzüglich aber mit der Pfeife eine spezifische Haltung einnehmen, vom dauernden Glimmen dazu genötigt, auch von der gewissen Gefahr, uns Kleid oder gar die Finger zu versengen, eine Haltung in Ordnung denn. Wir vergreifen uns nicht, wenn wir derlei behaupten; es ist dies ein Verhalten zwischen Bereitschaft zum Saugen und intermittierender Geduldung; und bleiben wir damit auch weiterhin des Schnullerakts eingedenk, so ist das weniger blamabel, als wenn wir nach ähnlichen Parallelen fürs Schnupfen suchten. —

Hommage à Molière

Einer unter uns Rauchern könnte sich jetzt den Spaß machen, die zwei Dutzend Grundgesten zu notieren, in die Pfeife und Zigarre uns während ihres Genusses gleichsam bannen. Gewiß läßt sich ebenso darstellen,

wie ein Herr jovial seinem Kaplan die Schnupftabaksdose reicht; ähnlich halten wir ja dem Freunde unser
Zigarettenetui hin. Den Schnupfakt aber so wie den
Rauchakt, gesellig und gesellend, den gibt es nicht, weil
er den Schnupfer auf eine ganz besondere Weise isoliert. Wir haben höchstens noch hinzuzufügen — unser
Phèdre-Zitat bringt uns darauf —, daß das nicht zuletzt
deswegen so ist, weil das Schnupfen im Endeffekt des
Hatschi dem unangenehmen Erkältungsakt ähnelt. Zu
solcher bildlichen Darstellung hätten wir einzig Wilhelm
Busch zu bemühen. Eher, wie bereits geschehen, könnten wir dem Schnupfakt seine Szene auf der Bühne
selbst einräumen. Dort wird freilich ebensogut geraucht; dennoch, wie gleich zu zeigen, ist das Rauchen
hier mitunter deplazierter als das Schnupfen, und nicht
nur der Feuersgefahr wegen. Verstehen wir das Büh-
nenspiel richtig, so vollzieht es sich wie das Rauchen
zwar in der Zeit, doch, und das gibt den Ausschlag, in
einer gerafften Zeit. Geraffte Zeit ist auch das Bildnis,
so weit aber, daß die Zeit darauf stillsteht. Erscheint
auf der Tafel etwa auch eine Uhr, so wird ihr niemand
abverlangen, daß sie weitertickt; der Moment hat hier
absolute Dauer erlangt. Nie jedoch wird ein sorgsamer
Regisseur auf seiner Szene eine intakte Uhr aufhängen.
Beim Eintritt des Helden sinkt soeben die Sonne, tra-
gische Konstellation, und eine Viertelstunde verhandelt
er heftig mit seiner Dame oder seinem Widersacher.
Angenommen, der Auftritt spielt im Hochsommer, so
sind doch noch zwei Stunden bis Mitternacht; aber bereits jetzt sollen wir glauben, es sei inzwischen so spät
geworden, daß der Dolch endlich gezückt werden kann.

Dürfte ein sich für gewitzt haltender Inspizient darauf verfallen, die Uhr im Hintergrund zu beschleunigen? Wir warteten höcht amüsiert auf die zwölf dumpfen, ebenfalls beschleunigten Mitternachtsglockenschläge, damit die Heldin endlich ausrufen dürfte: »Töte mich, Geliebter!« Nun ist aber auch die Zigarre, die Pfeife eine Uhr. Bei der Zigarette verhält es sich in gewissem Umfang anders, und wir geben zu, daß sogar eine dramatische Steigerung von unerhörter Dichte zu erzielen wäre durch die Art und Weise, wie wir sie im Aschbecher hastig ausdrücken, um schleunigst den Colt in die Hand zu nehmen, mit dem wir den Schurken kaltmachen. Da kann es sein, als ob wir mit dem Glimmstengel erst die erwähnte Uhr zertrümmern, etwa mit dem Stichwort: »Nun ist Mitternacht.« Aber stellen Sie sich vor, ein Pfeifenraucher sollte, bevor er den Revolver spannt, erst seinen — wie sagte ein Freund einmal zu meiner Pfeife? — seinen Asphaltkocher ausklopfen! Einfach weglegen könnte er ihn nicht; das wäre zu aufgeräumt in dieser gespannten Situation. Natürlich könnte er ihn nehmen, den Kopf in der Faust, das Mundstück auf den Feind gerichtet und, der verwandelnden Kraft seines Spieles vertrauend, die Pfeife als Tesching benutzen; knallte dann rechtzeitig hinter der Kulisse der Bühnenarbeiter seine Latte auf die Bretter und sänke der betreffende zu treffende Tropf auch getroffen zu Boden, dann wäre unter Umständen eine treffliche Wirkung zu erhoffen. Doch sofern das Stück, das wir uns ansehen, nicht von Ionesco oder Audiberti stammte oder natürlich von Nestroy, sondern etwa von Schnitzler oder Maeterlinck, jedenfalls von einem Dramatiker der dezenteren Effekte, dann hinge die Wirkung allzu sehr ab von einmaligen schauspielerischen Qualitäten, und Hans Müller vom Stadttheater zu Plauen scheiterte mit Sicherheit daran. Von solcher Bedingtheit ein kleines Beispiel, das übrigens auch an unsern Themenkreis streift: Es fällt uns Mitterwurzer ein, von dem die Sage geht, einmal, in einem Stück von Anzengruber, sei ihm, als er eine Pfeife anzünden sollte, ungeschickterweise die Streichholzschachtel aus der Hand gefallen; alle Zündhölzchen verstreut auf dem Teppich — was anläßlich eines Teppichs vermuten läßt, daß es sich kaum um ein Stück von Anzengruber gehandelt haben dürfte; nehmen wir also lieber Ibsen an, zumal Anzengruber Nichtraucher war. Und, so heißt es weiter, da habe der Meister nicht etwa hastig nach zumindest einem Hölzchen gefischt; nein, eins nach dem andern habe er aufgesammelt, und erst als sämtliche wieder im Schächtelchen vereint waren, habe er die Zigarre — also, da Ibsen, nicht mehr die Pfeife! — angezündet.

Der Erfolg dieses Extempores soll übrigens derart groß gewesen sein, daß Max Burckhard, damals Direktor des Burgtheaters, trotz Abneigung gegen Stegreifspäße darauf bestanden habe, daß die Streichholzszene wiederholt würde, solange die ›Stützen der Gesellschaft‹ auf dem Spielplan standen; aber natürlich immer nur mit Friedrich Mitterwurzer. Von dieser Anekdote aber kehren wir schleunigst wieder zum Schnupfakt zurück. Durchaus vorstellbar, etwa auf der schmalen Bühne der Comédie Française, daß der Spieler gelegentlich eines Monologs des Misanthropen sich der Schnupftabaksdose bediente und seine Rede abspielte, indem er mit entsprechendem Hantieren erst gedankenlos, dann gedankenvoll sie auf-, sie dann zu-, daraufhin sie wieder aufklappte, daß er mit abwesendem Blick eine Prise zwischen die Finger nahm, automatisch erst, dann bewußt sie in die Kuhle seines Handrückens praktizierte, sie dort, durch seine Worte abgelenkt, eine Weile liegen ließ, was einen starken Eindruck auf uns machen könnte; denn risse ihn jetzt ein zweiflerischer Gedanke etwa in hohe Erregung, müßten wir bangen, daß er dabei Handkuhle samt Schnupftabak vergäße und das kostbare Pulver verschüttete — was ausgesprochen symbolisch zu deuten wäre! Doch dann besänne er sich, und besonnen, ja besinnlich führte er nun das sinnig-sinnliche Reizmittel per Handrücken erst an das eine, dann an das andere Nasenloch. Mehr als dreihundertundsoundsoviele Variationen wären da möglich. Wir wollen sie uns ersparen. Dennoch hoffen wir etwas von dem eingefangen zu haben, was wir vorhin die gleitende Gebärde des Schnupfens nannten, ja gar, was der alte Komödiant Molière mit seiner Hymne an den Tabak auch gemeint haben könnte. Und damit hat der Schnupftabak seine künsterische Chance wahrgenommen und hat sie jedenfalls mehr wahrnehmen können, als etwa dem Kautabak je gewährt werden konnte. Denn zu ihm müßten wir jetzt sehr tief herabsteigen, selbst von Anzengruber weg ins bare Volksstück, ins niederdeutsche zumal, wenn wir ihm auf der Bühne begegnen wollten.

Von Friedrich II. vermöchten noch heutzutage die Spiegel in Sanssouci zu erzählen, wie braungesprenkelt von verschüttetem Schnupftabak stets sein Uniformrock gewesen ist. Aller Tabaksgenuß hat seine bedenklichen Seiten. Das braungenieste Sacktuch erwähnten wir bereits; das Loch in der Weste kommt hinzu, und angesichts einstimmigen hausfraulichen Widerspruchs behaupten rauchende Eheherren vergebens, sie düngten Topfpflanzen, wenn sie ihre Pfeifen-, Zigarren- oder Zigarettenasche in den Blumenkästen der Gattin ablegten; und der Geck, der uns an der langen Asche die Sonderqualität seiner Zigarre dartun will, muß in den Boden versinken, wenn der weißlichgraue Zapfen unversehens und tückisch auf die Perserbrücke fällt. Brünierte Finger der Zigarettenvertilger, die noch stolz auf diese Ablagerung sind; schwärzliche Zähne der Zigarrenliebhaber; der Nikotinsaft schlecht gepflegter Pfeifen, der auf Zeitung oder Buchseite schmiert, und eben überall Asche: im Wäscheschrank, wo wir unbefugt nach Taschentüchern fahnden; in der Speisekammer, aus der wir die versteckte Weinbrandflasche angeln. Sicherlich haben unsere Frauen recht, darauf hinzuwirken, daß wir ein wenig sorglicher verfahren, denn die versengte Stelle in der handgewebten Tischdecke läßt sich einfach nicht wegzaubern, und ›so dicke‹ haben wir es doch nicht. O, wie wir in uns gehen, wenn uns das in sanftem Tonfall vorgehalten wird!

Es scheint das alles anläßlich Friedrichs Tabakbesprenkelung wie ein Exkurs über Aschenregen auszusehen, ist es aber nicht. Aufrichtig: es ist uns daran gelegen, zu zeigen, daß unsere Tabaksleidenschaft auch ihre schwierigen Seiten hat. Der Schnupftabak hat sie gehabt, ob braungeniester Taschentücher, und unsere Frauen haben recht; wir müssen nur lernen, uns zusammenzunehmen — womit unser Vergnügen schließlich noch eine erzieherische Funktion ausübt, erwarteterweise. Diese ist dann nach der bevorzugten Tabaksart je eine verschiedene; ein Spreeschiffer, Wulkow aus dem ›Biberpelz‹, verhält sich an Bord anders denn in Wehrhans Kanzlei; er darf eben kauen, sobald er in die Spree spucken kann, während hier nur der Herr Amtsvorsteher die Zigarrenasche großspurig auf den Boden schnipsen darf. Anderseits gibt es auch Periodizitäten in unserer Leidenschaft, historische wie auch individuelle und kollektive. Und wenn wir jetzt doch erst einmal abschweifen, dann wäre zu sagen, daß es sich bei uns Heutigen so zu verhalten scheint, daß wir determinierten Raucher mit der Zigarette anfangen, möglichst schon in Sexta oder Quinta. Was für Verhaltensregeln fordert uns das bereits ab! Erst in späteren Jahren mutieren wir. Manche freilich bleiben ihr Lebtag bei der Zigarette; kein Wort gegen sie; wir wollen uns nicht den Zorn einer gewaltigen Industrie zuziehen. Andere von uns aber weichen, etwa als Primaner oder als Studenten beziehungsweise nach der Lehrzeit als Gesellen oder Gehilfen, auf die Pfeife aus, wozu oft nicht die Leidenschaft, sondern der Geldbeutel zwingt, und ein Päckchen Tabak reicht eben dreimal so lange wie ein Bündel Zigaretten fürs gleiche Geld. Hierauf folgen die Ämter, die uns das Schicksal verleiht, oder die Stellungen und Posten, die wir uns verdienen; und mit ihnen schlagen sich einige von uns endgültig auf die Seite der Zigarre. Einige tun das, weil sie finden, Pfeifenrauch stinkt; einige legen die Pfeife weg, weil sie ihnen, die dazu zu ungeschickt sind, handwerkliche Betreuung abfordert; einige gar greifen zur Zigarre der geglaubten Würde ihres Amtes oder Alters wegen, denn sie gilt als vornehmer als die Pfeife. Wir werden noch ausführlicher darauf zurückkommen wieso, obwohl alle Pfeifenraucher der Welt seinerzeit mit Genugtuung vernahmen, daß der neue Premierminister Baldwin 1935 bei Antritt seines Amtes in Whitehall mit einem Arbeitsjackett über dem linken Arm erschien und in der Rechten mit vier Pfeifen. Gewiß rauchen auch die getreuesten Pfeifenmänner Zigarren mitunter sehr gern; aber kaum haben sie sie zu Ende geraucht, greifen sie schleunigst zur Pfeife. Solchen ausgepichten Mäulern ist die Zigarre nur Tändelei, und waghalsige Spekulierer könnten sogar vermuten, sie fühlten sich von der Zigarre nicht genügend in Zucht genommen.

Daneben gibt es noch andere Umstimmungen. Töchter berichten uns, die jungen Leute von heute rauchten wieder grundsätzlicher Pfeife als früher. Lange beherrschte für diese Altersstufe die Zigarette das Feld, und Erinnerungen wissen, daß vor einer Generation die Studenten, ob Juristen oder Kunsthistoriker, ausnahmslos dem Glimmstengel zuschworen. Ein noch älteres Semester als wir versichert hingegen, vor dem ersten Weltkrieg hätten Studiker durchweg den Zigarrenrauch bevorzugt. Und nun sehen Sie: Hatten wir

Holländischer Gesellschafts
CANASTER

in England wie in Holland den klaren Sieg der Pfeife
gefeiert, da brach, jedenfalls auf der Insel, der Schnupftabak in die Gehege des Pfeifentabaks ein, von Frankreich aus, und natürlich wäre es reizvoll nachzuprü-
fen, inwieweit sich dies nicht nur als Mode, sondern
tiefer, nämlich soziologisch begründete. Ein schwieri-
ges Unterfangen das. Wie uns Liselotte von der Pfalz
bestätigt, blieb Mittelpunkt aller Schnupferei weiter-

hin der königliche Hof; nur war diesmal der König selbst, Ludwig XIV., keineswegs ein Freund des Tabaks; er verabscheute ihn sogar, hierin kräftig unterstützt von seiner morganatischen Frau de Maintenon. Und eigentlich hätte diese, aus Gründen moralischer Integrität, sehr bedacht sein müssen darauf, daß der Unsitte gesteuert würde. Doch steuere hier einer oder eine gegen die Steuern! Denn Colbert, des Königs sorgenvoller Finanzminister, mußte ihm klarmachen, daß ein Tabaksverbot des Steuerausfalls wegen den ohnehin strapazierten Staatsfinanzen schlecht bekommen würde. Wieder solch ein Fall, da das Geld über die Moral siegte, wenn es nicht außerdem bedeutete, daß der Tabak und sein Genuß nunmehr so eingewurzelt waren ins Getriebe der Gesellschaft, daß kein noch so absolutistischer Herrscher gegen ihn aufkam. Die ärgerniserregende Schnupftabaksdose in Fronde gegen das Szepter? Fast scheint sich eine hochgemute und hochmütige Gesellschaft hier gegen die abgegoltenen Privilegien von der Krone ein anderes abzutrotzen, eines, das den König vielleicht Würde kostete, aber keine Macht — womit sich dann ereignete, daß sich in einer scheinbaren Mode und Laune ein Protest ausdrückte.

Wir bestehen nicht unbedingt auf dieser Hypothese. Immerhin hielten wir sie für erwägenswert. Übrigens fällt uns bei dieser Gelegenheit, denn wir befinden uns soeben in Paris, die amüsante Bemerkung eines Nachfolgers des Sonnenkönigs ein, Napoleons III., der allerdings selbst ein enragierter oder besser engagierter Zigarettenraucher gewesen sein soll. Sie illustriert vielleicht jenes beschädigte Verhältnis von Würde und

Macht, das wir soeben gestreift haben. Auf den Hinweis, das Rauchen sei ein Laster, soll der Bonaparte geantwortet haben: gut, er sei bereit, auf diese Untugend zu verzichten und diese Untugend zu verbieten, wenn ihm dagegen eine Tugend genannt würde, die dem Staat ebensoviel Geld einbrächte. Das ist natürlich die blanke Unmoral. Im Hinblick aber auf den Sonnenkönig, der den Tabak nicht riechen konnte, seinen Verbrauch aber zwecks Finanzierung verschiedenster Unternehmungen dulden mußte, dürfte entgegen obiger Hypothese nun auch gesagt werden, loyalen Untertanen habe es geradezu als ein patriotisches Opfer gelten müssen, entgegen den Neigungen des höchsten Herrn dem Tabaksvergnügen zu frönen... zumal seine Hofleute, Kavaliere wie Damen gleicherweise, dem qualmenden Pfeifentabak entsagten zugunsten des zwar ruch- und rauch-, doch nicht geruchlosen Schnupftabaks. Oder bezweifelt jemand, daß Hofleute sich so verhalten? Dem wüßten wir umgehend noch eine andere Anekdote zu erzählen: Königin Victoria von England verabscheute den Tabak ebenso wie Louis XIV., und zu ihrer Zeit durfte in keinem Zimmer des Buckinghampalastes geraucht werden. Das hielten die Begleiter Kaiser Wilhelms II., als er dort zu Besuch weilte, nicht aus. Zu Schnupftabak nahmen sie jedoch nicht ihre Zuflucht; dessen Zeit war unwiederbringlich vorüber, sogar für Höflinge. Also legten sie sich in ihren Zimmern auf den Teppich — wir bitten unsere Freunde, sich das genau vorzustellen: es handelte sich um Flügeladjutanten, Hofmarschälle, vielleicht auch Feldmarschälle, Generalquartiermeister, Minister, Botschafter und so weiter — sie alle legten sich auf den Fußboden den in allen Palastgemächern vorhandenen Kaminen zu; rauchten sie nämlich in dieser Stellung, so schluckte der Rauchfang ihren Tabaksqualm umgehend auf und pustete ihn, unbemerkt von der Queen, durch den Schornstein in den Londoner Nebel. Was für ein Bild, was für ein Beispiel! Allerdings sieht jedermann ein, daß diese Methode nicht nur barbarisch war, sondern Mode nicht begründen konnte.

Um aber nochmals ins achtzehnte Jahrhundert an den französischen Hof zurückzukehren, so müssen wir erneut auf das theatralische Zeremoniell des Schnupfens hinweisen, das wir vorhin auf der Bühne demonstriert haben. Warum sollten bei den Etikettespielereien der Zeit dergleichen Vorstellungen nicht täglich auf unserer Hofbühne, das heißt dem königlichen Parkett zu Versailles wie im Louvre stattfinden, sehr zierlich, ganz rokokohaft und wie erzieherisch für alle mögliche Grobschlächtigkeit? Und so erklärt sich, daß dank solcher pantomimischen Reize die Londoner High Society flugs der Pfeife entsagte. »In Frankreich verstehn sie das Ding besser«, wird Yorick bald notieren. Totale Kapitulation! Welche Kraft zur Faszination muß seinerzeit sowohl der französische Hof, aber mit ihm eben auch die Schnupftabaksdose ausgeübt haben. Für uns heutzutage kaum faßbar, weil uns der Wille zu dieser kapriziösen Solidarität Selektierter gänzlich abgeht. Und wäre, denken wir spöttisch, das Schnupfen von den derberen Umgangsformen des neunzehnten Jahrhunderts nicht wieder verdrängt worden, vielleicht hätte ihm dann sogar die Queen gehuldigt?

Nicht unerwähnt darf jedoch bleiben, daß unser so preziös vorgeführtes Schnupfen, Niesen und Naseputzen mit der allmählich und gerade in England aufkommenden Hygiene kollidierte. Kenner des Jahrhunderts behaupten zwar, in allerhöchsten Kreisen habe jedermann den ihm anhaftenden Schmutz nur ungern abgeduscht; einzig Pferde wurden gestriegelt, doch waren wir Rösser? Weit lieber, so hören wir, hätten wir ihn überpudert, was dann, im Gemisch mit echt französischem Parfum und Schnupftabaksdünsten, kaum sonderlich liebreich gewesen sein kann. Und Kulturoptimisten dürften an dieser Stelle unserer Darlegungen prophezeien, daß sich hier bereits ankündigte, wieso eines baldigen Tages die Mode des Schnupfens erlosch. Revanchierte sich dann die Insel jenseits des Kanals für den Schnupftabak, indem sie uns die Seife empfahl?

Anderseits, hiermit rehabilitieren wir unverzüglich Jahrhundert und Gesellschaft, sind wir weniger Nasen- als Augenmenschen, was angesichts des Schnupftabaks freilich eine recht verquere Feststellung ist; und mögen jene Herrschaften auch in schlechtem Geruch gestanden haben, physikalisch wie außerdem moralisch, als Gegenleistung bieten sie uns heiter ihre Tabatière zu einer Prise an, und zwar bis in unsere Tage hinein. Als etwa der Prinz Louis Ferdinand von Bourbon Conti stirbt, 1774, auf dem Höhepunkt des ancien régime, hinterläßt er achthundert Schnupftabaksdosen. Da bleibt uns nur zu rufen: Donnerwetter! Kennt jemand von uns diesen Prinzen? Dem Manne geht es so wie Franz II.; zu seiner Zeit wird er ein großer Herr gewesen sein; und aus seiner Zeit kennen wir Diderot oder Chardin; sein

Name hingegen gilt uns nichts mehr,es sei denn als der eines Erblassers von Tabatièren? Und er ist nicht der einzige Sammler solcher Dinge gewesen! Über die Dosen Friedrichs II. gibt es ein ganzes Buch, von Martin Klar, und das, obwohl ihm nicht nur die Sprenkelei auf dem Rock nachgesagt wird, sondern auch, er habe das Zeug, den Schnupftabak nämlich, lose in der Tasche getragen. Dabei möchten gewiß viele seiner Verehrer aufstehen und glaubhaft zu machen versuchen, de facto sei dies ein kategorial schnupferischeres Verfahren gewesen, als aus Dosen zu nippen — wiewohl uns dabei jener gefangene Russe wieder einfällt, der gleichfalls seine Papyrossa in der Jackentasche zusammendrehte. Aber vielmehr demonstriert doch diese Tatsache, daß für Dosensammler endlich das Schnupfen nur ein Vorwand geworden, und wenn sie noch schnupften, dann schonten sie ihre Dosen vor Abnutzung. Denkbar wäre mithin, daß die Sammler selbst gar nicht geschnupft hätten. Anderseits, eben: schnupften sie noch, stanken sie also (laut Liselotte), dann salvierten sie sich mit schön geformten Behältern des Tabakpulvers. Ähnlich soll es vor nicht ganz langer Zeit Hausfrauen gegeben haben, die sammelten kunstreich verzierte Kaffeetassen. Wir dürfen in unserm Zusammenhang diesen Seitensprung an den Kaffeetisch wagen; als der Schnupftabak en vogue war, eroberte sich auch der Kaffee seine Stellung in der Gesellschaft. Wie aber, wenn unsere Tassensammlerinnen, falls sie überhaupt riskierten, uns das köstliche Getränk in den ›kostbaren‹ Gefäßen vorzusetzen, wie nun, wenn sie darin lediglich den sogenannten ›Bliemchenkaffee‹ kredenzten, und dies nicht etwa aus Geiz, sondern weil sie uns beim Trunk das verschnörkelte Muster weisen wollten, das den Boden der Tasse schmückte? Von Kaffeequalität verstehen wir allenfalls ein wenig, als begeisterte Konsumenten, doch um so weniger vom Schnupftabak, offengestanden, und zwar mangels Gebrauchs und Übung. Trotzdem oder infolgedessen, je nachdem, nehmen wir zugunsten des roi des Prusse und des Prinzen Bourbon — sofern er überhaupt geschnupft hat — an, daß sie sich schon aus Qualitätssinn edlerer Sorten bedient haben als etwa ihre Stallknechte. Dabei sehen wir einmal davon ab, daß diese als niederes Volk weiterhin die Tabakspfeife vorzogen. An sich aber brauchte, wie der Kaffee der Sammeltassensammlerinnen, eine kostbare, selbst diamantene Tabatière noch längst keine Gewähr für die schnupftabakliche Güte zu sein — so wie uns gutgesinnte Nichtraucher bisweilen Zigarren anbieten, schön blank gepuderte, vor denen uns bangt, auch wenn wir keine prinzipielle Ranküne dahinter vermuten. Und so mochte es sich in des Königs Rocktasche wie in mancher abgeschabten Buchsbaumbüchse genüßlicher verhalten als im güldenen Döschen mit demantenem Besatz. Spaßeshalber sollten wir einmal mit der Lupe ins Museum schleichen, wo, schön aufgereiht und sorglich katalogisiert, die niedlichen Dinger unserer sinnierenden Bewunderung harren, sollten behutsam die Behältnisse öffnen und prüfen, ob sich jemals in ihnen Schnupftabak befunden hat. Oho, wird uns der empörte Kustos bedeuten, der uns dabei ertappt, das Haus besäße auch edelgeformte Krüge, darin niemals Wasser oder Wein gefüllt worden sei, Kreuze an Halsketten, die niemals beim Gebet gebraucht, und Bücher, so kostbar, daß in ihnen niemals gelesen worden ist. Gut, wir resignieren. Es war eben ›ein Klacks‹, eine Lappalie für die damaligen Herrschaften, in der Hosentasche oder später in dem Pompadour nicht nur goldene, sondern auch brillantenbesetzte Schatullchen herumzuführen. Dennoch verlockt uns die Tatsache, ein wenig zu moralisieren und zu rufen: Das tat diese Zeit dem Tabak nunmehr schon an, seine Lasterhaftigkeit als reinen Dekor zu gebrauchen; welch ein spöttischer Triumph! Freilich wissen wir, daß solche Extratouren nur für diejenige gesellschaftliche Schicht zutrafen, die auf dem bekannten Vulkan tanzte, aber nicht zutrafen für jedermann in der damaligen Zeit. Jedermann schwamm niemals in Edelsteinen; jedermann äffte höchstens die Mode der großen Herrschaften nach und schnupfte. Jedermanns Dose findet sich auch in keinem Museum, so sehr wir suchen; jedermanns Dose ist längst in der Mülltonne, weil aus dem Leim gegangen. Aber jedermanns Schnupftabaksdose kennzeichnet auch nicht die kulturelle Situation, wenigstens noch nicht in dieser Zeit kurz vor der Revolution; und so könnte der argwöhnische Kustos auch darauf bestehen, daß seine museumswürdigen Schnupftabaksdosen kein bedenklicher Täuschungsversuch sind. Liselottes übel beleumundete und riechende Gesellschaft salvierte sich sogar. In Miniaturmalerei ließ sich der König auf Email konterfeien und überreichte das Kunstwerk, schön zum Deckel einer Dose gefügt, seinem Feldmarschall für gewonnene Schlacht beziehungsweise für vermiedene Niederlage.

Das ist der Rechte

Glaubt etwa einer von uns, das geschah, damit der Herr sie im Feldlager ge- ,ver- und sonach mißbrauchte? Sie kam daheim in die Vitrine, neben Orden und andere Ehrenzeichen. Also ließ sich der Kavalier seinerzeit gleichfalls auf einem Deckel porträtieren, nicht mehr, damit die Angebetete, der er das Kunstwerk dedizierte, bei seinem Anblick schnupfte. Es war fürs Museum — der Liebe — gedacht, und gerechterweise ist festzuhalten, daß diese Dosen eine durchaus heitere Tändelei, graziöse Spielerei waren, auch wenn der Tabak nur ein Anlaß war und selten noch Zweck. Das liebliche Bildnis vor Augen, wollten wir genießen und nicht niesen, und unser anfängliches Mißtrauen nährte sich vielleicht nur von Erfahrungen, die wir in einem weniger verspielten Jahrhundert mit gewissen Pfeifenrauchern gemacht haben. Einen kennen wir, der besitzt einen großen Karton voller Rauchrohre. Stolz räumt er ihn, kaum befragt, vor seinen Besuchern aus. Da finden sich Pfeifenköpfe in Form von Hundeschädeln, solche in Form von Menschenköpfen, auch von Masken; und mitunter begegnet uns auch, im Raucherabteil der Untergrundbahn, ein Reisender, der dies Fahrzeug offensichtlich nur deshalb benutzt, um uns seinen Hirschkopf fürs Staunen zu präsentieren. Staunen wir dann nicht, ist er gehörig gekränkt. Obiger Gewährsmann versichert, um unser mokantes Lächeln zu neutralisieren, er rauche seine Pfeifen alle und ständig. Tatsächlich fuchtelt er seinen Gegenübern mit einem Pfeifenkopf in Bierseidelgestalt ins Gesicht; aber wir argwöhnen, das tut er nur öffentlich, eben bei Besuch, und vielleicht raucht er überhaupt nicht, sobald er allein ist. Wüßte der Mann Bescheid, so könnte er sich herausreden mit dem Hinweis auf die Museumsdosen. Dennoch ist da ein Unterschied, der nicht übersehen werden darf. Ja, gewiß, auch die Schnupftabaksdose ist, wie die Pfeife, ursprünglich ein Gebrauchsgegenstand; aber weit mehr als sie ist die Pfeife ein Verbrauchsgegenstand; aus dieser Bestimmung und aus keiner anderen kann sie ihren Sinn beziehen.

Und nun möchten wir gern schließen und sagen: in dem Augenblick, in dem die Schnupftabaksdose zum Geschenkartikel absank, verfiel die Mode des Schnupfens, weil sie nur noch zum Vorwand taugte. So rasch vollzog sich das aber nicht, wenn ihre große Zeit auch vorüber war. Heutzutage wird nur noch wenig geschnupft. Unsere Großväter schnupften, Anfang des Jahrhunderts, noch häufiger. Freilich rauchten sie doch mehr, meist die Pfeife, bei gehobenen Gelegenheiten die Zigarre, niemals die Zigarette – die in unseren Tagen schon längst in großväterliche Bereiche eingedrungen ist. Die Verschiebungen gehen mählich vonstatten. An die Schnupftabaksdose des Altvorderen entsinnen einige von uns sich noch genau, sie war handtellergroß und schwarz lackiert. Natürlich stammte sie von keinem König, auch wenn der Ahn noch unter Philalethes Dienst getan hatte; keinesfalls stammte sie aus China oder Japan. Immer durften wir Enkel den goldenen Kranich bewundern, der auf den Lack gezeichnet war, und so haben wir lange den Kranich für das Schutztier der Schnupfer gehalten. Zu den üblichen Späßen des Großvaters zählte, seiner Frau und den zahlreichen Töchtern die Schnupftabaksdose anzubieten, und stets wurde sie unter allgemeinem Gekicher zurückgewiesen. In dieser Zeit war die Sitte, daß Damen schnupften, längst hinfällig; sie hätte als Unsitte gegolten. Und nunmehr ist es so weit gekommen, daß der, der dem Schnupftabak noch ausschließlich huldigen wollte, als ein verschrobener Kauz gälte. Oder versuche einer doch einmal, auf einer Konferenz oder im Theaterfoyer zu schnupfen. Sic transit gloria mundi.

Auf eine Pfeifenlänge

Jeder von uns weiß, daß der preußische König Friedrich Wilhelm I. täglich um fünf Uhr nachmittags sein Tabakskollegium abhielt, aber auch, daß sein Sohn diese Einrichtung wieder abschaffte, zugunsten des Schnupfens. Friedrich Wilhelm rauchte natürlich nicht nur während dieses sehr männlichen Beisammenseins, wo es äußerst derb zugegangen sein soll; er rauchte auch im Kreise seiner Damen, und es ist bekannt, daß ihm Königin und Prinzessinnen die Pfeife stopfen mußten. Mit dieser exakt historischen Feststellung lösen wir uns sachte vom Thema Schnupftabak und seiner Mode. Schnupftabaksdosen in Schildpatt mit Miniaturporträt auf Elfenbein, Porzellandose mit Blumendekor, goldgefaßte Horndose mit allegorischer Darstellung, silbergetriebene Deckeldose mit Goldfiligran und Emailmedaillon, Glasdose gar mit Zwischengoldeinlagen, Emaildose mit Reliefgoldfiguren, Dose aus gelackter Papiermasse mit Perlmutterintarsie, Dose mit silbernen Chinoiserien — alles das allein aus dem achtzehnten Jahrhundert, das daneben noch Puderdosen und Salbendosen und Riechdosen und wer weiß was für Dosen herstellte: ein Dosenjahrhundert wie nie zuvor und nie danach! Ob sich seinerzeit überhaupt noch jemand entsann, daß dem Tabakkonsum einmal mit pseudomedizinischen Argumenten hatte aufgeholfen werden müssen, um ihn zu rechtfertigen, und daß in diesem Trick sich heimliche Revolte versteckt hatte, die Revolte selbstverantwortlicher Aktion? Nichts mehr davon außer dem Kitzel in der Nase, wenn überhaupt noch, da Tand tändeln will, nicht mehr erzieht, sondern verzieht. Und dafür wollte sodann der ›Alte Fritz‹ nochmals einstehen, ein andermal seinem wahrlich nicht großen Vater trotzend, indem er sich gegen die Pfeife entschied? Natürlich widerspricht es dem Wesen der Pfeife und ist ein Mißgriff, rokokesker Mißgriff, sie von Prinzessinnen stopfen zu lassen. Das Patriarchalische, das sich außerdem darin kundtut, weist auf bestimmte Bindungen und Bedingungen, wir meinen: auf eigentlich bürgerliche. Denen, die stets eng um ein Zentrum gruppiert sein wollen, nämlich um den pater familias, scheint die Pfeife angemessener zu sein als die Tabatière und dies aus Gründen, die schwierig zu bestimmen sind — wenn es nicht einfach daran liegt, daß sie, wie aber später die Zigarre auch, ein Herdfeuer ist und damit Familie gründet. Dürfen wir das so sehen? Wenn ja, dann läge darin eine Kraft, die vieles von dem, was wir ihr gegenüber an Bedenken werden anmelden müssen, aufhebt, und die sie außerdem befähigt, wieder wie in ihren Anfängen zwar nicht gleich ein feuriges Fanal, aber doch ein Protestzeichen

D: Chodowiecki del & f. 1790

zu werden. Soziale Rücksicherung, dem commoner seit je conditio sine qua non, verspricht sie, nämlich durch Kommunikation; und so kündigte ihr come back den Verfall der privilegierten Gesellschaft vor der Zeit an. Womit dann, eigentlich recht fatal, der Hüter des Herdfeuers, der Vater in seinem Kreise sich wiederum privilegierte, vom alten Miller über Meister Anton bis gar zu Maske, also oft aufs dubioseste. Aber war das, angesichts der Anfälligkeit der neuen Schicht, anders zu erwarten? Die herrschsüchtigen Familienoberhäupter des nunmehrigen Zeitalters müssen allesamt Raucher gewesen sein: durch Rauchentwicklung mit Ausbruch drohende Vulkane; bis zu Sudermanns ›Heimat‹ hin, wo natürlich, trotz tragischen Aufputzes, die Situation überschnappt, die Anmaßung dem Schlaganfall erliegt. Was übrigens nicht heißt, daß wir uns solcher Deutung, Bedeutung bewußt gewesen wären. Aber heutzutage reagieren wir aus ganz anderen Gewöhnungen sehr ironisch gegen derlei Unnatur.

Entsinnen wir uns nochmals unseres Großvaters, der die Töchter ebenfalls anhielt, seine Pfeifen zu bedienen. Da es sich um Großvater handelt, attestieren wir ihm ungern Unnatur; und gewiß handelt es sich auch um eine Manipulation, die einfach aus der Gelegenheit enger, sehr aufeinander angewiesener Behausung herrührte, gesellig eben, vertraut und familiensimpelig. Zudem erleben wir, wenn auch auf anderer Ebene, bekanntlich immer wieder, wie wir uns beim Rauchen zusammenscharen — ums Herdfeuer. Die Pfeife, hätten wir also zu folgern, und das wäre der gültige Sinn all dieser Umschreibungen, die um ihre

Achse Konventikel schart, sucht sich hierfür rechtens Kreise aus, die der Anlehnung bedürfen, sozial schwächere, von den Mitteln nunmehr zu geschweigen. Und so angesehen, war jener Friedrich Wilhelm, der mitten im Rokoko demonstrativ und sicher auch im Protest statt Tabak zu schnupfen die Pfeife paffen ließ, ein patriarchalischer Kleinbürger. Retrospektiv scheint ja sein ganzer Lebenssinn darin bestanden zu haben, eine ererbte und ziemlich schwanke Firma – Titularkönigreich – emsig und treu und auch ein wenig eigensinnig wie Meister Anton für den Sohn auf solidere Basen zu stellen. Machte der Sohn, als guter Erbe, daraus nicht ein renommiertes Unternehmen, das freilich daran krankte, daß er es ganz allein auf sich zuschnitt, so daß es notwendig bald nach seinem Tode fallierte? Solcher Einzelgänger mußte wieder schnupfen; Präventivkriege beschließt keiner im Familienkreis und bei Tabaksqualm. Dürfen wir Tabakdeuter all das so sehen und darstellen, von unserem selbst ein wenig schwankenden Tabaksbeet aus, an dessen nur leicht im Boden haftenden Pflanzen sehr geringer Halt ist? Sehen Sie, es ist uns nicht einmal die Anekdote überliefert, daß einer der Liebhaber der Prise auf dem Gerüst der Guillotine, ehe er den Kopf unter das Beil beugte, sich als letzte Gunst ausbat, noch eine Nase voll zu schnupfen. Kein Raleigh der Tabatière fand sich, obwohl die Gelegenheit zur absurden Pointe kaum besser sein konnte. Und war nicht nur dieser Entfremdung wegen der Tabak und mit ihm die Pfeife hundert Jahre lang als Motiv wieder aus unsern Bildern verschwunden? Suche doch einer nach ihnen bei Fragonard, Boucher, Watteau, Greuze. Selbstredend läßt sich ebensogut behaupten, das merkwürdig plötzliche Ende der niederländischen Malerei habe signalisiert, daß des Kleinbürgers Zeitalter noch gar nicht begonnen hatte. Wie dem aber auch sei: da dieser Kleinbürger das entscheidende Kontingent der Pfeifenraucher stellt, so taucht die Pfeife als Bestandteil unserer zivilistischen Welt, unseres Weltinventars kurz vor der großen französischen Revolution wieder auf. Schüchtern erscheint sie bei Chardin als ein zerbrechliches Ding, nur einmal übrigens, soweit uns bekannt ist, und vielleicht noch an dem Verruf leidend, in den sie gebracht worden war: als Vergnügung des Plebejers, wozu auch etwa Teniers sein Teil beigetragen hat, wenn er die Pfeife auf jenem kleinen Bild im Museum zu Chartres von Affen rauchen läßt.

Selten zudem hatten die holländischen Maler sich selbst mit der Pfeife identifiziert. Zu wetten ist, daß sie geraucht haben, so wie Jean Cocteau meint, daß zu allen unsern bedeutenden Werken Haus, Suppe, Lampe und Feuer, aber eben auch die Pfeife gehörten. Im Tabakmuseum zu Bünde hängt ein Stich nach Jan Steen: Pictor beim Pfeifestopfen, und mit dem Pictor kann nur er selbst gemeint sein. Jan van Mieris, ein Maler, den niemand weiter kennt, und der nicht mit Vater Frans verwechselt werden darf, ist dann eigentlich der einzige, der sich noch gutgelaunt mit der Pipe dargestellt hat, ein junger Fant freilich, der bereits dreißigjährig starb, unvernünftigerweise, da gerade, wer die Pfeife raucht, auf längere Lebensdauer spekuliert, seine und ihre. Was ist es denn, was grundsätzlich das Pfei-

fenrauchen vom Zigarren- wie Zigarettenrauchen scheidet?: der Akt von Treue und Beständigkeit, der großen Tugenden des kleines Mannes.

Großer Traktat über die Treue

Zwischen linkem Zeige- und Mittelfinger halten wir
das kurze, schwarzbraune Ding. Soeben haben wir es,
etwa nach dem mittäglichen Nickerchen oder nach der
Jause, bedächtig gestopft; der Arbeitstisch hat uns wieder. Wir blasen, den Federhalter bereits in der Rechten, den frischen Rauch vor uns hin; fensterwärts
kriecht er über die Tischplatte. Die Wolke schlingt sich
in kleinen Schwaden durcheinander, und wenn nachher
die Tochter zu uns hereinwischt, ungebührlich zu stören, wird sie Puh! sagen, so schwelt es um uns. Aus
irgendeinem Winkel der Wohnung dringt Musik, Beethoven, Sonate in E-dur, op. 7, aus der Zeit also, in der
wir bei unserm Rückblick soeben gehalten haben – und
nachher wird es Chopin sein, um uns in eine andere
Zeit und in wieder andere Umstände zu versetzen.
Derart schnell können wir freilich nicht mithalten; die
Feder, ob sie schreibt, ob sie zeichnet, braucht für ihre
Reihen Muße, und die Pfeife gleichfalls; ihr Treueakt
bedingt das. Natürlich ist es eine besondere Art von
Treue, die darin besteht, sich geduldig von uns verbrauchen zu lassen – und wieviele mögen wir seit unserer ersten verbraucht haben. So war es pure Sentimentalität gewesen, diese erste aufzuheben, ohne daß
wir sie zuschanden geraucht hatten, durch unablässige

Feuerprobe verschlissen — weswegen denn auch Pfeifenmuseen leicht lächerlich wirken, in sich widerspruchsvoll. Solcher Gefühlsduselei hat die Geschichte, die bekanntlich wenig von Treue hält, auch gebührend Einhalt geboten, damals im August 1943 oder März 1944, als wir frühmorgens aus den Luftschutzkellern auftauchten und, wo unser Arbeitsplatz gewesen, nur noch Rauch stand. Kein Tabaksrauch diesmal, sondern echter Vulkanrauch. Unsre kleine Pfeifensammlung dahin. Ein einziger Knösel — kennen Sie diesen Ausdruck der Studenten? — war uns verblieben, der, den wir gestern abend in die Tasche gesteckt hatten, um mit einem einzigen in solcher Nacht auszukommen. Der Tabak, rar wie er war, mußte warten, bis diese eine Pfeife erkaltete. Das hielt uns zu Sparsamkeit an. Ein wenig lachten wir damals vor den verkohlten Balken: Omnia mea mecum porto, dachte jeder und schwur sich zu, fürderhin, wie es alle Weisen gelehrt, immer nur mit so geringem Gepäck durchs restliche Dasein zu stolpern. Der Eid ist längst gebrochen. Immerhin hatte sich einmal dargestellt, was, da alles Schall und Rauch geworden, von unserm Ballast entbehrlich war: Erinnerungsstücke eben voran, darunter auch alte Pfeifen. Der Verlust der Bücher drückte härter, und mit einer einzigen Pfeife in der Tasche ließ sich leichter auskommen als mit einem einzigen Buch, und sei es der Tristram Shandy. Natürlich buchstabierten wir eines Tages den Verlust doch; das war aber mehr ein statistischer Akt: Margots, der Studikerbraut Weichselkirschholzpfeife fehlte, das ein wenig unhandliche Ding; die Viertellange, die so leicht verstopfte, war dahin; die Halb-

lange fiel uns ein, in der wir aussehen sollten wie Forst-
gehilfen, obwohl Werner Scholz dringlich geraten, bei
der Arbeit nur halblang zu rauchen, es schone die Augen.
Dann ein Augenblick stillen Gedenkens an die kost-
barste aller Pfeifen, die wir je besessen und die wir
vom Honorar für unser erstes Buch erstanden, eine
Parker, nun selbst in Rauch aufgegangen; vanitas vani-
tatum vanitas, zumal wir nunmehr von jenem Buch
auch kein Handexemplar mehr vorweisen konnten.
Aber wie denn — ironischer Einwurf — hatten sie nicht
alle das Schicksal, das ihnen bestimmt war, im Bilde oft
genug vorgeübt: Einäscherung? Sie, die bedacht waren
auf Dauer sogar über die eigene Brauchbarkeit hinaus,
praktizierten, so paradox ist das, täglich ungezählte
Male das Spiel der Vernichtung: Vernichtung kostbaren
Stoffes, nämlich des Tabaks. Wir lachten mit Recht.
Und unsere erste Pfeife, an der sich immerhin ein Stückchen persönlichen Raucherschicksals entschieden, war
ebenfalls zerstaubt? Einige von uns hatten bereits als
Primaner darnach gegriffen; jeder entsinnt sich dessen
noch, besser mitunter als seines ersten Schultags. In
diesem Augenblick saugen wir in der Korona heftiger
an unserer Pfeife; jeder meint, es habe bei ihm eine
besondere Bewandtnis gehabt; unser Nachbar zur Rechten nickt denn auch eifrig, und ebenso berichtet er
einem durchaus geneigten Auditorium: »Sehr genau
weiß ich noch, wie es dazu gekommen war, und das
begab sich im Oktober 1923. Mir ist dies Datum deshalb so geläufig, weil ich damals, als sogenannter Werk-
student, Geld verdienen mußte. Die Depositenkasse, in
der ich Memoriale auszufüllen hatte — es war die Zeit

der Milliardenbeträge — befand sich Friedrich- Ecke Kochstraße in Berlin. Ich entsinne mich, während der Mittagspause mit einem Schicksalsgenossen auf der Friedrichstraße flaniert und dabei Pfeife geraucht zu haben; und auf der Straße hatte das zu geschehen; denn, Verzeihung, ich mußte dauernd spucken. Mein Kommilitone riet mir dringend abzustehen, ich lernte das Pfeiferauchen doch nicht; nie nämlich habe er einen Pfeiferaucher so viel spucken sehen; und er war ein erfahrener Mann, so alt wie ich. Trotzdem blieb mir nichts anderes übrig als das Rauchen zu lernen — bis Sonnabend, das war eine kurze Frist. Montagabend hatte ich mir den kurzen Stummel nebst Tabak besorgt; ich fände den kleinen Laden noch heute, wäre nicht auch diese Gegend in Rauch aufgegangen. Ja, und letzten Sonnabend hatte mich einer meiner Gönner zum Abendessen eingeladen, ein Herr von Stenglin; nein, nicht der Dichter des ›Wartburgliedes‹, Felix, sondern sein Vetter Herrmann, der Exgeneral. Wie? das ›Wartburglied‹ kennen Sie nicht? Ich zwar auch nicht; aber ich kenne wenigstens den Verfasser und seinen Verwandten, der übrigens Bilder malte, Bilder mit Schafsherden und Selbstporträts. Schließlich, als Studenten der Kunstgeschichte geschieht einem ganz recht, zu solch kunstsinnigem General eingeladen zu werden, in der Inflations- und Hungerzeit zum Abendessen und zum Bilderbewundern. Ich bewunderte vor und nach dem opulenten Mahl die Bilder rückhaltlos, ja offenbar so gut, daß der hohe Herr — ein sehr freundlicher Mann, uralt, nahezu taub, was mir die Bewunderung erleichterte, da ich mich nur mimisch auszudrücken brauchte — daß er mich eben aufforderte, noch einige Zeit zu verweilen und mit ihm eine Pfeife zu rauchen. Und nun muß ich gestehen, daß ich lügenhaft zu einem Pfeifenraucher geworden bin, gar durch Lüge zur Treue gekommen. Absurd? Alles Rauchen gewöhnen wir uns, als Quintaner mit Jasmatzi Söhne zu einem Pfennig, heimlich an, verlogen denn. ›Ein Studiosus raucht doch Pfeife!‹ stellte der General mit kommandogewohnter Stimme fest, und ich, so zivilistisch wie nur möglich und niemals militärischer Zucht unterworfen, ich nickte und beteuerte, mehr mimisch als wörtlich, ich hätte die Pfeife natürlich nur nicht mitgebracht; hier in Gegenwart der Damen Pfeife zu rauchen, sei mir nie in den Sinn gekommen; aber jawohl und gewissermaßen ›Zu Befehl, Herr General!‹ — kurz und gut, ich wurde für nächsten Sonnabend wieder zum Abendessen beordert: ›Samt Pfeife!‹

Daher, abgesehen von der Aussicht auf ein nahrhaftes Nachtmahl, die unbedingte Pflicht und nunmehr auch Treuepflicht, bis zum nächsten Sonnabend rauchen zu können. Wie viele Abendessen hingen davon ab! Ich sehe mich noch einmal, Erdgeschoß der Universität, linker Flügel, in die Vorlesung wanken: Herrmann Reich über den ›jauchzenden Mimus‹. Und dann war Sonnabend, dann kam die Katastrophe. Noch heute gellen mir die Ohren von dem Gelächter des Generals, als ich, nach wiederum opulentem Mahl, meinen ›Knösel‹ aus der Tasche zog. Bitte, es handelte sich um eine vorzüglich geformte Pfeife, zweckschön, wie wir damals sagten, in Tropfenform. Mitunter lassen sich auch noch in unseren Tagen bei Studenten dergleichen Gebilde finden, haben dann aber dummerweise rechts und links am Kopf zwei Glasperlen, wie Puppenaugen. Solchen Unfug machte mein Knösel nicht mit. Die Generalin mußte ihren Gatten geduldig besänftigen. Natürlich hatte ich mir die Tiraden von der heutigen Jugend und ihrer Verkümmerung anzuhören, und zweifellos war auch das unglückliche Vaterland mit jungen Männern, die derartige Stummel rauchten, aus tiefster Not nicht mehr zu retten. Endlich aber beruhigte der Patriot sich doch und hieß mich meine Pfeife stopfen, nicht mit meinem Tabak, o nein; preußische Generale lassen sich nicht lumpen; von seinem Tabak mußte ich nehmen; ja und nun: Herr General von Stenglin rauchten in diesen Notzeiten die lange Pfeife. In solche Pfeifen, das wissen Sie, meine Herren, gehört Grobschnitt, Tabak gewaltiger Stärke, die ihre Explosivkraft auf dem weiten Weg durchs Pfeifenrohr mildert und mindert. Hat einer von uns einmal Grobschnitt in der kurzen, in der kürzesten Pfeife geraucht und noch dazu als Anfänger? Gnade ihm! Und so entsinne ich mich nur noch — o über das unglückliche Vaterland, das auf solche Jugend baut! — Hals über Kopf, ohne jede geziemliche Form, von Generals fortgestürzt zu sein, leichenblaß und mit hart zusammengebissenem Gesicht. Vaterland, du hattest doch noch wackere Jünglinge! Handkuß war nicht möglich; aber die Straße erreichte ich. Das Haus steht noch heute, Generalshäuser werden von Bomben verschont; und immer, wenn ich dort vorbeikomme, erinnere ich mich der Stelle, an der ich dem Gott des Tabaks — wie heißt er eigentlich? — geopfert.«

George Cruikshank

Master Bates explains a professional technicality.

Ungezählt viele Pfeifen haben wir seitdem gekauft und geraucht. Eigentlich ist bei jedem Erwerb eine andere Pfeife zu beklagen gewesen — zu beklagen deshalb, nicht etwa, weil verrauchte Lebenszeit daran hängt, sondern Gewohnheit und Gewöhnung. In dieser unsentimentalen Weise hängen an einer Pfeife die Jahre; das macht ihren Treueakt aus. Vielleicht hat sie, in diesem einen Punkt, etwas mit der Schnupftabaksdose gemein? — daß sie zu dauern vermag, durch Gebrauch? Mehr allerdings auch nicht, denn gewiß urteilen wir jetzt aus Vorurteil, aber die Pfeife ist auch unbedingter ihrem Gebrauch verhaftet als die Dose, die uns Pfeifenrauchern widerstandslos zur Aufbewahrung unseres Krülls dienen würde. Als Friedrich II. seiner alten Freundin, Frau von Camas, eine Porzellandose schickte, stellte er ihr anheim, sie, wenn nicht mit Schnupftabak, so mit Schminke oder Schönheitspflästerchen, mit Bonbons oder mit Pillen zu füllen. Dazu lassen sich Pfeifen nicht verfremden. Wer hat jemals erlebt, daß einer sie zum Seifenblasenblasen mißbraucht hat? Friedrichs Mutter, die Frau des Tabakskollegen Friedrich Wilhelm, soll eine ›Maustabatière‹ besessen haben. So lautet die Beschreibung: »Wenn die Feder darauf gedrückt wird, so sticht man sich in den Finger und unten kommt eine Maus heraus.« Mit solchem Firlefanz hat keine Pfeife etwas gemein, auch solche in Form von Bierseideln und Hirschköpfen nicht. Es ist mit dem neuen Geschichtsabschnitt der Pfeife auch eine andere Zeit angebrochen, eine bürgerliche Zeit, und das macht sich spürbar. Auch hierin liegt ein Akt von Treue.

Versuchen wir noch einmal, uns über die Ausbreitung der Tabakepidemie an Hand der Malerei zu orientieren. Nach den Vorgängen der Renaissance und des Barock blieb bekanntlich der bildenden Kunst über erkleckliche Jahrzehnte nichts anderes zu tun übrig, als unsere hiesigen Zustände zu registrieren, so realistisch wie möglich. Selbstredend hatten die Niederländer fast alles schon vorweggenommen, was sich dann im neunzehnten Jahrhundert begab, und unter Umständen vermöchte ein kühner Kunsthistoriker sogar glaubhaft zu machen, daß Dürer, so wie das Männerbad, ebenfalls ein Tabakskollegium hätte in Holz schneiden können, der sozialen Konstellation seiner Kunst entsprechend, oder er könnte dem Tagebuch zufolge, das er 1520 auf einer Reise in die Niederlande geführt, indianischen Pfeifen schon begegnet sein, ». . . zu Prüssel . . . die Ding, die man dem König aus dem neuen gulden Land hat gebracht . . . allerlei wunderbarlicher Ding zu manniglichem Brauch . . . und hab mich verwundert der subtilen Ingenia der Menschen in fremden Landen. Und der Ding weiß ich nit auszusprechen, die ich do gehabt hab . . .«

Freilich, nach ihm, der mit großer Lust alle Sachen, die ihn umgaben, aufnotiert hat, sprangen die Kollegen der Renaissance- und Barockmalerei weit selbstherrlicher mit dem Umweltinventar um. Gesinnungen, die uns in höheren Existenzformen spiegeln wollen als in unsern alltäglichen, geben uns, und in unserm Falle müssen wir das eben einmal bedauern, in ihren Bildern keine Auskünfte darüber, wie wir gegessen, getrunken, gespielt, und auch wie wir gearbeitet haben, geschweige denn, daß wir darauf spekulieren dürften, uns jederzeit dort als Raucher zu entdecken. Von Rubens' Pastoralen sprachen wir schon; Watteau und Fragonard realisierten Wunschträume, was, sehr genau genommen, heißt, daß sie den Tabak als Stimulans in ihrer Welt des glücklichen Scheins wie der vermiedenen Strapaze bestritten. Anderseits wird deutlich, wie eng alles aufrückt, wenn Velasquez in seinen ›Teppichwirkerinnen‹ als erster eine Manufaktur malt, Watteau das Firmenschild der Kunsthandlung Gersaint. Die Lust, unser Milieu auf die Tafeln zu projizieren, ließ sich kaum noch zügeln. Die Pfeife fehlt vorerst in einem Requisitorium, das sich schon bei Giotto ankündigt, etwa in der ›Verkündigung an Anna‹ zu Padua, wo sich eine Spinnerin bei der Arbeit zeigt und das Interieur sich mit Versatzstücken glaubwürdig zu machen bestrebt, bis ganz spät, auf sehr dingkargen Stilleben der Braque, Picasso und Gris, neben Krug und Gitarre die Pfeife geradezu dominiert als Emblem unserer Zusammengehörigkeit. Dennoch ist alles nicht so einspurig verlaufen. So nehmen die Tafeln der Flamen, Stilleben als große Revuen der Dinglichkeit, von unserm Rauchgerät überhaupt keine Notiz, während wir zu unserer Überraschung im Zeitalter des Rokoko auf Bilder stoßen, freilich sehr ironische, auf denen jetzt die Pfeife geraucht wird. Der Kupferstich eines Künstlers namens Paul Decker präsentiert sogar eine junge Dame beim Rauchen einer langen Pfeife. Ein wenig Lumpenball ist zweifellos dabei, die Pfeife des ehrsamen Bürgers zu rauchen; doch die Sache geht noch weiter. Denn der ehrsame Bürger ist gewiß überzeugt, daß er mit derlei Sittenverderbnis nichts zu tun hat; ihm ist die Pfeife ein sittsames Symbol des Patriarchats, gutgläubig. Nur daß sie ihm das nicht unbedingt zugesteht. Es geht eben um Nikotin, und noch als Biedermeier laufen wir Gefahr, uns damit zu vergiften. Uns Heutigen ist natürlich durch Gewöhnung an den Anblick das Empfinden völlig verloren gegangen, was an der rauchenden Frau für anstößig gelten kann. Wir wollen aber nie den Emanzipationsakt vergessen, der sich dahinter verbirgt, einen Akt auch, der bedenkliche Deutungen auslöste; und haben wir damit nicht eine Revolte gegen den Schein der Philistrosität gewonnen, meinetwegen nochmals durch Offenbarungseid? Und dann finden wir 1898, veröffentlicht vom Eugen Diederichs Verlag, eine Sammlung Illustrationen und Karikaturen zum Gedächtnis der Revolution 1848. Ohne Rücksicht auf Kaiser und Reich, König und Vaterland feiert sie das Andenken des erschossenen Robert Blum, Rüttlers an Thron und Altar, und zeigt auch die beiden emanzipierten Frauenzimmer, die auf offener Straße Zigarre und Pfeife rauchen. Freilich ist nicht ganz klar, ob der zeitgenössische Karikaturist sich mit der Attacke auf die muffige Wohlanständigkeit solidarisch erklärt oder ob er den Sittenverfall anprangern will. Uns kann das auch gleichgültig sein, weil hier nur interessiert, wie sehr und wie lange noch in der Defensive stand, was uns längst und völlig als durchgesetzt gilt. Mitunter neigen wir dann dazu, derlei nur noch putzig zu finden. Das bagatellisierte aber. Auch wenn wir mit

unserm Thema in unserer Korona die Weltgeschichts-
rätsel nicht lösen können, so reflektiert es eben die uns
eigenen und bedeutsamen Konstellationen; und wenn
jene Publikation Ludwig I. mit Lola Montez und Friedrich Wilhelm IV. in der politischen Kontroverse vor
den Untertan Biedermeier herausfordernd zitiert, bekommen Bedeutung fürs Ganze auch solch kleine Züge, daß auf der Volksversammlung vor dem Franzis-
kanerkeller in der Vorstadt Au zu München im Früh-
jahr 1848 ausgerechnet ein Straßenkehrer mit brennender Zigarre erscheint. Kuriose Parallele nun: die zwei
feinen Damen oder besser die zwei ›Damen‹ in Beglei-
tung des feinen Herrn rauchen und machen sich gemein — und ein Putzer, der sich mit der Zigarre im
Mund ›ungemein‹ macht? Liegt die Ehrbarkeit in der
Mitte?

Deshalb müssen wir noch eine Weile in den Win-
keln stöbern, wenn wir den tabatiösen Dokumenten
auf die Spur kommen wollen. Zum Beispiel findet sich
in unseren Museen, von den ganz großen vielleicht
abgesehen, meist eine Flucht von Kabinetten, in denen
nicht die Weltkunst von Tizian bis Manet hängt, sondern in diskreterem Schatten die lokale. Hier statten
die Kustoden sanft geniert den Kleinmeistern ihrer
Zeit und der Kunstgeschichte der jeweiligen Provinz
ihren Tribut ab. Meist sind diese Kabinette verödet;
wer war Hermann Steinfurth (1823 bis 1880), wer
war Friedrich Carl Gröger (1766 bis 1838)? Wir sind
Größeres gewohnt und hasten hindurch, weil irgendwo ein Magnasco hängen soll oder ein Longhi, und
weil wir Fremdlinge hier selten etwas zu suchen oder

zu finden haben, es sei denn, wie diesmal, Bilder, auf denen geraucht wird. Kaum daß sich noch ein Vater mit zu bildender Tochter oder ein vorm Regen geflüchtetes Liebespaar ratlos umsehen. Sie hatten gehört, in dieser Galerie befinde sich ein berühmtes Bild; doch ehe sie sich zu Fouquets ›Maria mit dem Kinde‹ oder zu Riberas ›Mater dolorosa‹ durchgefitzt haben, sind sie erschöpft oder hat der Regen draußen aufgehört. Freilich mag sich oftmals fragen, ob ihnen — die in diesen heiligen Hallen zwecks Stärkung vor der Kultur nicht einmal rauchen dürfen! — Parmigianinis ›Madonna‹ zu wesentlicherem künstlerischen Genuß — vom Staunen abgesehen — verholfen hätte; aber — nun aufgepaßt! — ganz unerwartet nimmt der junge Mann sein Mädchen fester an die Hand; denn soeben entdeckt er ganz für sich, so wie Kolumbus das tabakrauchende Amerika, Kerstings Bild von den Lützower Jägern. Wie doch solch sorgloses Schlendern sich lohnt: es soll da Theodor Körner darauf zu sehen sein. Wer? Nun, der mit ›Das ist Lützows wilde verwegene Jagd‹! Und welcher ist es nun? Etwa der hier vorn mit der Pfeife? Nee, der mit der Pfeife ist's sicherlich nicht, sagt die junge Dame und meint, Dichter rauchten nicht; Dichter denken an den frühen Tod: ›Morgenrot, leuchtest mir . . .‹ — stammt nicht von Theodor Körner, sondern von Wilhelm Hauff, dem mit dem kalten Herz. Ist natürlich gleichgültig. Links hinten der mit dem melancholischen Blick, das wird der Dichter sein; rechts der mit dem Bart ist es keinesfalls; Theodor Körner hat Bartkoteletten getragen, mehr nicht; und der vorn, der mit dem groß heraushängenden Eisernen Kreuz, mit der mächtigen Muskete, ja und eben mit der noch gewaltigeren Tabakspfeife, der hat Friesen geheißen, Friedrich Friesen, ein Lehrer, und ist ebenfalls während der Freiheitskriege gefallen. War zudem einer der ersten Gehilfen des Turnvaters Jahn. Aber dann raucht er, und gleich aus diesem Kanonenrohr? Daß es ihm nur bekommt! Seit wann Sportler — und Turner sind doch die Sportler von damals — rauchen? Na, wenn man bald darauf sterben muß, und dann, ›Auf Vorposten‹ eben doch; und ist auch kulturhistorisch interessant, daß seinerzeit die Lützowischen Jäger — war so etwas wie eine Elitetruppe, weißt du, und lauter prima Jungen — daß sie Pfeife rauchten. Natürlich, zu einem Burschenschaftler gehörte bald darauf die Pfeife ohnehin, die lange, und das waren ja auch noch junge Männer gewesen, die lange Pfeifen zu rauchen verstanden, ohne daß sie dem Tabaksgott gleich opfern mußten, und auf die das Vaterland sich deshalb verlassen konnte. Unsere Großväter waren das und machten dann eben Revolution, bitte schön! Und jetzt zieht die bildungsbeflissene Tochter, die diesen Ausführungen eines fremden jungen Mannes heimlich gelauscht hat, ihren längst gelangweilten Vater nebenan zu dem kleinen Bildchen von Johann August Krafft, in der Hoffnung, hier ähnlich Interessantes wie von den Lützowschen Jägern zu erfahren. Jacob Wilder soll der Mann geheißen haben, der hier, offenbar uralt, mindestens sechzig, im Lehnstuhl sitzt und über der langen Pfeife fast eingeschlafen ist. Der befragte Aufseher weiß natürlich auch nicht, wer Herr Wilder in durchaus unwilder Zipfel-

mütze gewesen ist. Vielleicht ein Vorfahre des berühmten amerikanischen Dichters, dessen Ahnen ja aus
Deutschland stammen sollen? Denn mutig muß dieser
Mann damals ebenfalls gewesen sein, wenn er sich ungescheut beim Rauchen der langen Pfeife konterfeien
ließ. Oder war es in Altona 1819 nicht mehr ungewöhnlich? Denn vorhin im Erdgeschoß bei dem Selbstbildnis des alten Malers, das ganz bestimmt aus der
gleichen Zeit stammte, da war das lange Pfeifenrohr

gleichfalls ins Bild praktiziert, so sorgfältig, wie diese Kleinmeister noch waren, im Gegensatz zu unserer Zeit, wo auf den Bildern nichts Rechtes mehr zu erkennen ist, von den Pfeifen bei Braque, Picasso und Gris abgesehen. Und da drüben — wie heißt der Meister? Wasmann? Nie gehört; doch der junge Herr, den er gemalt hat, Herr Johannes Ringler, raucht bereits eine Zigarre. Ei, sieh' einmal, Ulrike: bedeutet das nun schon Pfeifendämmerung? Das wäre dann aber eine sehr kurze Pfeifenperiode gewesen, was? Wie bitte? Was sagt der Aufseher? Es klingelt, das Museum wird geschlossen? Gut, gehen wir. Aber das mußt du doch zugeben: ganz so ohne Belehrung ist es nicht, ab und an einmal hierher zu gehen.

Pfeifendämmerung?

Die seichteren unter uns Amateur-Historikern behaupten nun, nach etwa Mitte des neunzehnten Jahrhunderts, nach erfolgter Revolte, habe die Zigarre der Cholera wegen die Pfeife verdrängt und zwar rechtens. Zu jener Zeit wütete diese Pest tatsächlich in vielen großen Städten unseres Landes, in Berlin zum Beispiel und in Hamburg. Übertragen wird die Cholera von Mund zu Mund, und es stimmt auch, was wir schon erwähnten, daß seinerzeit die Pfeife noch nicht oder noch nicht durchweg jedermanns eigenes und alleiniges Requisit war. Vielmehr stellte bei häuslichen Geselligkeiten der Gastgeber nicht nur die Tabaksdose zu allgemeiner Bedienung auf den Tisch, sondern zugleich ein kleines Regal, in dem die Pfeifen lehnten wie an der Wand die Billardqueues. Heute schaudert uns bei dieser Vorstellung, und wir denken an die Familienzahnbürste, aber auch daran, daß es Stammtischbrüder gibt, die sich in ihrem Wirtshaus ein eigenes Bierseidel halten, das nicht an aller Mund kommt. Von der Familienzahnbürste bis hierher: wir sind mit Recht sehr ekelig geworden, obwohl wir bei einiger Konsequenz morgen zu Tante Alices Geburtstagsfeier unsere eigene Kaffeetasse mitnehmen müßten, anstatt aus ihren geschmackvollen Sammeltassen den geschmacklich etwas dünnen Mokka zu schlürfen. Überwinden wir aber für einen Augenblick unsern Abscheu und sehen wir den Pfeifenständer an als Symbol echter Soziabilität; denken wir dabei auch kurz einmal an die Wasserpfeife des Orients, die ja auch Tabak verbrennt. Wir wissen aus Berichten, daß die Gastfreundlichkeit eines Wirtes dort ihren genauen Höhepunkt erreicht in dem Augenblick, da er die Nargileh vor uns aufstellen läßt. Wir Hausfreunde erhalten ein Mundstück, dessen langer Schlauch sich in die Flasche schlängelt, aus der wir den durch das Wasser gekühlten Rauch zu saugen haben. Ist gewiß, ob nicht eine grobe Ungehörigkeit wäre, wollten wir nun um abendländischer Hygiene willen aus unserer Westentasche ein privates Mundstück nesteln und versuchen es an unser Schlauchende zu basteln? Möglich also, und mehr wollen wir hiermit nicht andeuten, daß auch bei unsern Altvordern als unfreundlich galt, die eigene Pipe zu den Freunden mitzubringen. Womöglich hatte der Hausherr alle Exemplare sorglich vom Kutscher reinigen lassen? Denn ehrpusselig waren wir damals sehr, auch besonders stolz, drei Dutzend Pfeifen zur Auswahl zu besitzen, echt englisches Fabrikat, was die Liberalität betonte. Allerdings, J. P. Hasenclever in Düsseldorf (gest. 1853), J. E. Hummel in Berlin (gest. 1852) stellen uns auf ihren Tafeln deutlich auch mit der eigenen Pfeife dar, einmal beim Schachspiel, einmal im Lesekabinett. Doch was dringlich anzumerken ist: jedesmal sind wir jetzt offensichtlich, ja demonstrativ wohlsituierte Bürger, weniger noch Vorposten im Freiheitskrieg oder verhungerte alte Maler noch gar Bauernlümmel mehr wie bei Adriaen Brouwer einst, die ihr Rauchgerät an die wenig adrette Pelzmütze stecken; nein, gepflegte, anständige Leute: der Herr Apotheker vielleicht und der Herr Konrektor. Deshalb wohl überläßt die halblange Pfeife W. von Kobell in München (gest. 1853) dem Soldaten an der Brustwehr, während wir besseren Herrschaften uns auf die kürzere, eben die aus England importierte, einigen. Natürlich sind wir uns nicht ganz sicher, ob wir hier von einem soziologischen Schisma reden dürfen, und die Schlacht, von der Kobells Bild erzählt, hat bereits am 16. Mai 1807 stattgefunden. Dennoch, es haftet der halblangen Pfeife nunmehr eine besondere Art Gemütlichkeit an, die Gemütlichkeit solcher Männer, deren Ehrgeiz nicht in der Geschäftigkeit und Geschäftlichkeit liegt noch gar im Aufstand. Handwerksleute paffen sie und Schrankenwärter. Und dann wissen wir eben auch, daß sich nach der politischen eine gesellschaftliche Revolution anbahnte, die die Klassen anders trennte als vorher, programmatischer nämlich insofern, als die Tüchtigen die Zeichen der Zeit genauer zu deuten verstanden und sich, wenn nicht mehr durch Adelsbriefe, so durch ihre Gewohnheiten von der breiteren Masse zu isolieren strebten. Delikate Überlegungen das, und präzis läßt sich da nichts festlegen. Aber einiges beginnt zu schwelen, im Tabak. Die Choleratheorie jedenfalls reicht dazu nicht aus. Natürlich kündigt sich der Sieg der Zigarre an; aber so sehr wie die Schnupftabaksdose wird sich die Pfeife niemals verdrängen lassen. Sie wird überspielt werden, das ist gewiß, doch niemals ausgerottet. O ja, eine Weile wird die Pfeife nun als minderes Vergnügen gelten; diese Krise wird sie zu überstehen haben, und zu ihren Treueakten zählt, daß sie immer wieder zur Stelle sein wird, wenn Not an Zigarren und Zigaretten ist; da springt sie dann ein; selbst Generäle werden sie wieder rauchen. Also doch: Pfeifendämmerung? Nun, meine Herren in unserer Korona mit der Corona, wir sträuben uns, das klipp und klar zuzugeben, und haben ein Recht dazu; denn unsere Pfeife brennt wie eh und je. Einigen wir uns auf die Gleichberechtigung, wiewohl wir freimütig einräumen, daß wir Pfeifenraucher längst nicht mehr in jeder Korona gern gesehen beziehungsweise gern gerochen werden, insbesondere nicht in solchen, denen unsere Damen zugehören. Damen lieben (ausgediente) Revolutionäre nicht.

DE TABAKS PLANT

Zigarrensiege

Als Jungen blätterten und lasen wir oft in einem Buch, das der Onkel uns lieh, es hieß ›Krieg und Frieden‹ und war nicht von Leo Tolstoi, sondern von Herrn Tanera. Da Herr Tanera ein bayerischer Offizier gewesen war, erzählte er gern von bayerischen Heldentaten, besonders aus dem deutsch-französischen Krieg, und obwohl wir in der Schule Geschichte sonst immer nur aus preußischer Sicht lernten, erfuhren wir jetzt, daß bei den Schlachten auch bayerische Generäle beteiligt waren, vornehmlich der General von der Tann. In diesem Buch trat er stets mit einer halblangen Pfeife im Munde auf, ähnlich wie Blücher im Freiheitskrieg. Das war uns sehr sympathisch. Trotzdem, müssen wir heute gestehen, war in diesem Schmoken etwas Anachronistisches, denn zumindest bei Generalen hatte sich inzwischen die Herrschaft der Zigarre durchgesetzt.

Sie läßt sich sogar auf den Tag genau bestimmen, vier Jahre vor dem General von der Tann und vielleicht gar gegen ihn, nämlich auf den 3. Juli 1866. Denn auf den Tag der Schlacht von Königgrätz fällt die Anekdote, die den Triumph der Zigarre bezeichnet. Auf dem Feldherrnhügel erwarteten alle preußischen Generalstäbler unter Einschluß des Ministerpräsidenten nervös die Ankunft jenes Heeresverbandes, der die entscheidende Flankenoffensive einzuleiten hatte. Lediglich der Chef des Generalstabs behielt hierbei Ruhe und Nerven; denn als der zukünftige Graf Bismarck ihm für die Wartezeit sein Etui reichte, in dem sich nur noch zwei Zigarren befanden, wählte Moltke mit so großem Bedacht die bessere aus, daß der gewiegte Diplomat schließen durfte, der Ausgang der Operation sei gesichert. Wir verbürgen uns selbstredend nicht für die Wahrheit dieser Erzählung; aber laut Fontane braucht eine Anekdote nicht wahr zu sein, wenn sie nur wahrscheinlich ist. Oder kann einer von uns sich vorstellen, daß der Minister dem General während der kriegerischen Aktion eine Pfeife angeboten hätte? Da wäre wahrlich eine vom König dedizierte Schnupftabaksdose eher am Platze gewesen, wiewohl der Generalissimus bei einer Prise keinesfalls so sorglich hätte wählen können. Ob dann die Generäle auf dem Feldherrnhügel die Nerven und infolgedessen die Schlacht verloren hätten? Nicht auszudenken die Konsequenzen. Jedenfalls läßt es sich kaum weiter begründen als mit soziologischer Fälligkeit, was gewiß ziemlich vage ist: unter den Herren war die Zigarre schlicht selbstverständlich geworden, als Attribut. Stimmt es, daß

jener Krieg ein Kabinettskrieg war, also ein Herren-
krieg? Von der Zigarre ließe sich sagen, daß sie wirklich ein herrenmäßigeres Produkt war, kostbarer als
die Pfeife, weil kostspieliger, mithin unterscheidender.
Der Tabak in den Pfeifen, selbst wenn jede ihren Eigen-
tümer hatte, aus dem gleichen Beutel, wohingegen die
Zigarre, auch wenn aus gemeinsamer Kiste, so doch
stets ein unteilbares Individuum fürs Individuum. Aber
dies eine nun doch noch, im Hinblick auf die Cholera
beziehungsweise die unterentwickelte Hygiene der
Pfeife: davon kann bei der Zigarre nur sehr bedingt
die Rede sein. Trockenes, zusammengewickeltes Kraut
zwischen die Lippen zu stecken ist kaum appetitlicher
als ein hübsch sauber gehaltenes Mundstück aus Horn
oder Ton oder Porzellan. Trotzdem: die herrenhaftere
Gebärde der Zigarre besteht schlechtweg darin, daß
wir sie nur einmal benützen; dann werfen wir den
Stummel fort. Können wir verschweigen, daß in dieser
Geste etwas Verachtendes steckt? Nichts von Treue,
sentimentaler gar, keinesfalls seitens des Rauchers; nur
Pracher bücken sich nach der ›Kippe‹. Sonach steckt
auch etwas Verschwenderisches darin, zumal nur wir
armen Schlucker die Zigarre bis anderthalb Zentimeter
Rest aufrauchen. Und nicht länger läßt sich verheim-
lichen: die Zigarre ist das neue Emblem der Wohlsitu-
ierten. Dementsprechend erscheint sie auch bald auf den
Bildern — bis zur Karikatur bei George Grosz und Karl
Arnold, wo die Schieber sie zwischen die wulstigen
oder verkniffenen Lippen klemmen. Bei Anders Zorn
aber findet sich eines der glücklichsten Zigarrenbilder:
ein sehr saturierter Herr bringt einen Toast aus. Die

Kurven der Radiernadel streicheln sein Embonpoint, streicheln seinen vollen Bart, streicheln das Glas in seiner Rechten, streicheln auch die Zigarre. Von allen Einzelheiten auf dem Blatt jedoch nimmt sie den geringsten Raum ein; noch die Uhrkette samt Berlocke beansprucht auf dem Bauch mehr Platz. Es ist aber die Art und Weise, wie des Mannes Hand sie hält, halbfest, dürften wir sagen, ein wenig abwärts, weil sie brennt und Asche fallen lassen könnte, im Glimmen aber bereit, nach gelungenem Trinkspruch wieder zu selbstzufriedenem Schmauchen in den Mund genommen zu werden, mithin als Freudenspender respektiert, solange sie dazu taugt — hernach freilich brüsk in den Aschenbecher abzulegen. Das alles macht sie zu dem, was wir soeben ein Emblem nannten, zum Emblem des Herrn. Mögen heutzutage gar Bahnwärter und Wachtposten Zigarren rauchen, hier jedenfalls, ursprünglich, und das heißt nahezu legitim repräsentiert sie den Kommerzienrat oder den Senator, wenigstens in einer bestimmten Periode der Geschichte, in ihrer eigenen Geschichtsperiode, in der späten Periode des Spätbürgertums.

Damit sagen wir jedoch schon nichts Neues mehr, und die Erscheinungsformen des Tabaks grenzen an soziale Tests. Schien nach der Revolte die Pfeife, speziell die halblange, Ausweis brav-biderber Simplizität zu sein, etwa im Geiste Ludwig Richters, so macht die Zigarre aus sich ein Szepter des Bürgers, der Herrschaft beansprucht. Darüber bedarf es ja auch nur weniger Worte, und dergleichen wird uns auch wieder beschäftigen, wenn wir dann in die Bereiche der Zigarette eintreten. Noch leben wir aus einer gewissen Reserviertheit heraus, die freilich keineswegs die Beschaulichkeit des biedermeierlichen Biedermannes ist. Viel Bilderwerk könnten wir hier zu Zeugen anrufen, zahl-

Luchs & Stadler

in *Zwoll*

reich sind die Dokumente. Es gibt beispielsweise ein Studienblatt Lovis Corinths aus dem Jahre 1877, sehr früh also, aus der Akademiezeit, auf dem fängt er einmal an, die Haltung eines Pfeifenrauchers zu notieren. Das hat er uns für die Zigarre nicht geliefert; aber viele seiner Bilder, jene trotz allen Temperaments durchaus noch bürgerlichen Bilder, lassen sich wie monographische Illustrationen aus dem Dasein der Zigarre zusammenreihen. Bei flüchtigem Überblick über die spätrealistische Malerei — zumindest in unserem Lande — ist Corinth geradezu der Mann, der das koloristische Phänomen des Rauchens wohl nicht entdeckt, aber durchinstrumentiert hat, vom ›Frühstück‹ bis zum ›Kronleuchter‹, wo der Rauch in eine Art Wettbewerb tritt zum Geblinker des Lüsters wie auch der Weingläser. Beide Bilder höchst behagliche Daseinszeugnisse ebenso verschiedener Tageszeiten wie unterschiedlicher Lebensstimmungen: einmal Rauchschwaden wie Gesprächsfetzen, die im Raum hängen bleiben und nachschwelen; und andermal, mit dem Geblinker, der Rauch wenn nicht als erotischer Auslöser, so doch als solcher Begleiter, stummer Musik gleich; und wohlgemerkt bei Mitspielern reiferen Alters. Gehen wir zu weit? Wesentliches unseres Themas ist darin eingefangen; die beiden Zigarren, einmal eine Corona, andersmal eine Virginia, ziemlich unbetont als Gegenstände, erzeugen köstlich malerische Effekte — was nichts anderes besagt, als daß sie, wie im Leben, so im Bild aufgehen im verspielenden, auch im sich verzehrenden Akt, Räucherwerk eben. Das Handwerkszeug Pfeife verhält sich dagegen stets autonomer; und fast wirkt die Zigarre nun so, als befriste sie mit ihrer Vergänglichkeit noch das Stimmungsakzidens, das sich mit ihr ins Bild eingefunden hat — ganz abgesehen davon, daß ihre größere Zerbrechlichkeit und offenere Glut wesentliche Distanz erzeugt unter den Teilnehmern der vorgestellten Geselligkeit. Nichts da von der vulgären Atmosphäre, wie sie unter den Pfeifenrauchern des Teniers anzutreffen ist.

Corinth porträtiert Raucher offensichtlich gern. Natürlich hat es ihm, dem späten Impressionisten, dabei vornehmlich die farbliche Aura angetan; da er aber zugleich ein brillanter Bildnismaler gewesen ist, trifft er seine Modelle hier in einem charakteristischen Moment an. Damit decken sich das soziologische wie das artistische Element so künstlerisch wie typisierend, daß wir vor solchen Bildern behaupten können: Bürger seien schlechthin Zigarrenraucher; und wem diese Behauptung zu keck erscheint, braucht jetzt nur zu den Bildern Liebermanns hinüberzusehen, zu Liebermann, dem Bürger katexochen unter den Malern. Er tut es dem Corinth gleich in dem Konterfei des Baron Berger, den er förmlich ertappt beim schwatzenden und schmatzenden Rauchen der Zigarre, und das Amalgam von Malakt und Persönlichkeit ist hier möglicherweise noch erstaunlicher, weil in dem Modell sich außerdem zwei so heterogene Elemente zu finden haben wie der Baron und der Theatermann. Die Zigarre zwischen den Knien, hochindividuell gehalten und zugleich typisch für den Herrn, der sich gemessen-angemessen gehen lassen darf, tariert das Ganze wie ein Zünglein an der Waage. Ebenso raucht dann bei Corinth Paul

Gorge typisch wie zugleich anders als Karl Strath-
mann, und der Vater hat das ebenso wie ebenso anders
getan. Auf unserer Pürsch nach Raucherbildern hatten
wir das ›Cafè Greco‹ von Ludwig Passini entdeckt,
einem Wiener, und hatten unseren Spaß daran gehabt,
wie die Bohemiens von damals sich nach ihrem Rauch-
werk unterschieden: Herr Ernst Meyer mit Zigarette
von Herrn Pollak mit Zigarre, und uns hatte scheinen
wollen, als ob in den Händen eines Malers die Zigarre
falsch sei; die Pfeife oder Zigarette stünde ihm zu,
meinten wir. Dann aber stießen wir, in immer weiteren Bänden blätternd, auf Max Beckmanns Lithozyklus
›Berlin‹. Der Herr, der uns da ansah, war der Meister
selbst, und vor seiner grimmigen Miene stand das
steilste Szepter Zigarre, das je vorgestellt worden ist.
Es stach ins Gesicht, in seines wie in unseres, Spindel
gleich Waffe entfremdenden Hochmuts, voll wegwei-
sender Verachtung, wie ein Bürger sie nie gewagt.
Diese Zigarre, überhöht in der Zigarrenspitze, war zugleich die Groteske einer Zigarre, und niemand könnte
uns wehren, wollten wir behaupten: bei diesem bürgerlichen Außenseiter steigerte sich mithin ihr Wesen
so sehr, daß sie, die trotz aller Herrenhaftigkeit sich
immer jovial benahm, zur Schranke wurde, hinter der
sich Vereinzelung abschirmte. Etwas davon war ihr
stets eigen; doch wenn es sich so offenkundig dartut,
deutet es da nicht auf das Ende ihrer Herrschaft? Aber
ehe wir davon sprechen, noch einiges zuvor.

Denn noch sind wir bei den Zigarrensiegen. Ob wir
es beweisen können oder nicht — beweisen lassen sich
immer nur Inhumaniora, mathematische, physikalische,

chemische; die humanen Fakten wollen glaubhaft sein
— wir vertrauen grundsätzlich auf das gesellige Wesen
allen Rauchens. Und auch nur unter solchem Aspekt
läßt sich, wie wir getan haben, von der Gestik der Zigarre reden. Natürlich können wir ebenso bei der
Pfeife davon sprechen; doch bildet sich bei ihr Panto-
mimisches weniger spezifisch heraus. Im eifrigen Disput stößt sie gewiß auch mit dem Trumpf eines Argu-
ments auf den Kontrahenten zu; aber sie hat einen ver-
dickten Kopf, sticht demnach nicht. Sie sollte ein Hammer sein können und ist es nicht, und schlechthin al-
bern wirkt, mit ihr auf die Tischplatte zu klopfen; lediglich die Asche fällt heraus. Alles lacht, so wie vielleicht alles lacht, wenn wir derlei so demonstrieren
und behaupten, daß es sich mit der Zigarre anders verhält. Ob das daran liegt, daß sie eben vorn brennt? Sie
kann schon, jeder beobachtet das, auf viel verschiede-
nere Weisen zwischen den Fingern gehalten werden
als die Pipe. Warum nur? Einfach deshalb, weil sie
nicht nur individuell, sondern individualistisch ver-
fährt? Der Maler Karl Schuch war ein trefflicher reali-
stischer Maler; seine Bilder gehen uns in gänzlich ver-
wandelter Zeit kaum noch etwas an, zumal er auch zu
seiner Zeit, etwa neben den Freunden Leibl und Trübner, nie zur rechten Geltung kam. Und so hat Trübner
ihn auch gemalt, leicht resigniert, und das Resignative
erscheint am eindeutigsten in der Art, wie er seine Zigarre hält. Trübner, ein Porträtist, der sein Metier verstand, dürfte ihn exakt getroffen haben; die Hand fällt
seinem Modell zwischen die Knie, jedoch völlig anders
als bei Liebermanns Baron Berger; denn wie die Hand

zwischen die Knie, so fällt die Zigarre fast aus den nach oben geöffneten Fingern, erdwärts gerichtet. Dagegen Slevogts Zigarre auf dem 1918 radierten Selbstporträt: in fast absoluter Verkürzung ist sie zwischen dem gespannten Zeigefinger scharf auf uns gerichtet wie seine Augen. Dieser Mann zweifelte nicht im geringsten an sich selbst, was wir nun um so mehr nachzuholen geneigt sind. Einige von uns sehen ihn auch noch im Romanischen Café sitzen, einem erfolgreichen Unternehmer gleichend, im höchst ›bürgerlichen‹ Rauchschwaden seiner Zigarren. Und schon auf der Radierung von 1903, ›Schwarze Szenen‹, stakste die ›Giftnudel‹ des hier noch bohemehaft auf dem Sofa Liegenden schräg nach oben, aktiv dem kunstvollen Rauchring zu. Zigarrensieger.

Zigarrenschicksal ironisch

All das läßt sich ad infinitum illustrieren. Bei Grützner — oha! und horribile dictu, gewiß; dennoch — auf dessen ›Unfehlbarer Niederlage‹ sticht die Zigarre den Verlierer Mönch trotz der Schwaden noch sicherer ab als das Atout. Ein ganzes imaginäres Museum ließe sich auf diese Weise versammeln; doch darauf kann es uns nicht ankommen. Vielmehr kommt es uns darauf an darzutun, daß zwar derlei Gebärdenspiel vorhanden und für die Beobachter, das heißt also für die Künstler, schlechterdings unumgänglich gewesen sein muß, es in seiner Typik herauszulösen; sie waren ja in dieser Zeit beauftragt, realistisch, will sagen: in dokumentarischer

Treue unsern jeweiligen Zustand festzustellen. Aber in einem bestimmten, näher freilich schwer zu bestimmenden Augenblick mußte es sie verführen, das Charakteristische ins Karikaturistische, das Bestätigende mithin ins Bezweifelnde zu verkehren. Wir haben das bereits anläßlich Beckmanns Selbstporträt angemeldet. Voraussetzung dazu war, daß das herrschaftliche Ansehen der Zigarre aus Anmaßung verfiel. Tatsächlich, je mehr die Zigarre sich durchsetzte, um so mehr büßte sie an Besonderheit ein — eigentlich, weil es so einfach war, sich mit ihrer Hilfe zu besondern. Nicht nur Moltke und Bismarck rauchten sie nun, auch Herr Jedermann, und Tabus tilgten sich damit von selbst. Freilich lag das an der Sache des Rauchens selbst, und es scheint seine Erbsünde zu sein, daß es von allem Anfang an aus der Revolte lebt. Jedermann revoltiert gegen die Oberen, indem er es ihnen gleichtun will. Aber ganz so simpel ist die Situation des Rauchens jetzt nicht mehr. Denn nichts Heroisches eignet ihm noch, und alles ist ironisch facettiert. Wir werden einige Pfeifen verrauchen müssen — und natürlich auch einige Coronas —, ehe wir das durchspürt haben. Das letzte heroische Fakt ereignete sich bereits in den Märztagen des Jahres 1848 zu Berlin. Bei Ludwig Pietzsch lesen wir in einem Aufsatz ›Berliner Pflaster‹, 1891: ». . . in Berlin durfte in der freien Luft nicht geraucht werden . . . unter allen Freiheiten, welche in den Märztagen erobert wurden, ist keine widerspruchsloser seitens aller Parteien begrüßt worden als die Rauchfreiheit.« »Ooch im Tierjarten?« hatten die Freiheitskämpfer gefragt und zur Antwort erhalten, daß sie »ooch im Tierjarten roochen« dürften. Diese Anekdote ist bekannt; nur bedingt verständlich ist uns dabei, wieso der Rauchakt nur lokal anrüchig gewesen ist. Verbieten, daß wir im Kaffeehaus bei türkisch Mokka und Nargileh konspirieren oder sonstwie brandstiften, das lassen wir als Politikum allenfalls gelten — obwohl wir mählich dahin geraten, Konspiration für freier Männer unabdingbar Recht zu halten. Rauchen überhaupt verbieten, weil es uns wehruntüchtig macht oder Bevölkerungszuwachs mindern soll, gut — nein, natürlich nicht gut, aber traun!; nur dann nicht lediglich im Tiergarten, sondern auch daheim, im Schlafzimmer meinetwegen. Oder sollte ein Polizeirat es wirklich für exhibitionistisch gehalten und daran als an einem öffentlichen Ärgernis Anstoß genommen haben? Dann hätte er aber, bei so delikater Empfindlichkeit, auch das öffentliche Schnupfen verhindern müssen; denn das wäre ebenso unter die bedenklichen Ersatzhandlungen zu rechnen.

Hier rasch eine Anmerkung. Seit je wird immer wieder das Rauchen in Frage gestellt. Wir haben nichts dagegen, fügen sogar noch hinzu und hoffen, daß sich darin etwas wie disputante Vitalität bekundet: entfielen die Einwände gegen das Rauchen, geriete es in den Verdacht, eine sture Angewohnheit zu werden, sagen wir, wie das Fluchen oder Radiomusik als Geräuschkulisse. Und so, wie wir es rührend finden, wenn unsere Frau den Tee an unseren Schreibtisch bringt und sanft (sanft, bitte!) mahnt: »Aber rauche nicht zuviel, Liebster!«, so lassen wir uns durchaus ab und an daran erinnern, zu unserer Kontrolle wie gar zur Steigerung unseres Vergnügens, daß wir mit einem der giftigsten

Gifte umgehen. Aber trauen wir den Polizeiräten, die vielleicht nur ihre Existenzberechtigung nachweisen wollen, soviel Sorglichkeit zu wie unserer Ehehälfte? Und dann, wie hat der alte Fontane gesagt? Jeder lebt sich selbst, jeder stirbt sich selbst; und einiges wünschen wir entschieden auf die eigene Kappe zu nehmen. Gestern zum Beispiel hat Freund Remo seine zweite Pfeife bei uns probiert, und da erging es ihm ähnlich wie unserem Erzähler beim General Stenglin. Haben wir ihm da eine Antinikotintablette angeboten? Nun, ganz abgesehen davon, daß wir derlei gar nicht im Hause halten, so haben wir ihm, und zwar lachend, geraten, vorerst nur in Raten zu rauchen. Ohne Frage kennen wir die ›akuten Vergiftungserscheinungen‹, Erbrechen, Durchfall, kalten Schweiß, Benommenheit; na, und benommen war Remo für den Rest des Abends wahrhaftig. So gern wir unsere jüngeren Freunde animieren, zur Pfeife zu greifen, weil wir mit ihr sowohl für die Geselligkeit wie auch für die Arbeit die besten Erfahrungen gemacht haben, so ist doch niemand genötigt, sich zu uns zu gesellen, und wir halten keinen Nichtraucher für einen schlechten Kerl. Nur eines bitten wir uns unbedingt aus: daß uns unser Spaß ebenso wenig verdorben wird mit fuchtelnder Moral. Mannhaftigkeit beweist Tabakrauchen keineswegs, und meist sind es höchst labile Naturen, die mit ihren fünfzig Zigaretten je Tag prahlen; auch wird weder zur Dame noch zur Demimondäne jene Friseuse oder Gymnasiastin, die es ohne Glimmstengel während der großen Pause im Theater nicht aushält. Leichte Nikotinvergiftungen haben wir freilich alle ohne Schaden überstanden. So etwa war es uns nicht zuzumuten, ohne Rauch mit Banausen über Webern oder die zeitgenössischen britischen Plastiker zu debattieren; wir hatten — hört, o Tabakgegner! — notwendig den Tabak als Stimulans zu mißbrauchen; und den Kater des nächsten Tages bezahlten wir im voraus mit Formulierungen, die die Banausen schlechthin auslöschten, so oft wir anzündeten. Ach was denn, sind wir nicht gezwungen, auch ansonsten einiges entgegen aller Vernünftigkeit einzusetzen — vom sorglichen Vater Staat ganz zu schweigen, der eventuell unsere Haut nur schonen will, damit wir sie preiswerter zu Markte tragen können?! Oder sollen wir unsere Kinder in Käfige einsperren und nicht mehr über die Straße lassen? Kein staatlich verordneter Schulweg ist ohne berechenbare Gefahr. Der alte Hingst, der uns als Mulis die Zigaretten gedreht hat, ist, wie er erzählt, einmal vom Blitz getroffen worden, obwohl ein solches Ereignis seltener ist, als das Große Los gezogen wird. Gewiß doch, wir stellen uns keineswegs taub, sobald wir über die schwereren Erscheinungen der Nikotinvergiftung hören, und vom Raucherkrebs haben wir gleich anfangs gesprochen, vorsätzlich. Jetzt also noch: Unregelmäßigkeit des Pulses, Anfälle von Herzasthma, Sehstörungen wie Miosis, zentrales Flimmerskoton, Amblyopie und Amaurose. Die Nichtmediziner unter uns erschrecken schon diese Bezeichnungen, und sofort berufen wir uns darauf, daß wir uns vor wenigen Minuten energisch von den Kettenrauchern distanziert haben. Aber — ob das ein übles Zeichen unserer Tabaksucht ist? — dann lachen wir schon wieder. Unser Freund Dr. Rosebrock

wird uns obige gefährlichen Wörter schonungslos über-
setzen, doch wir lesen im Lexikon, auch freiwilliges
Hinken gehöre zu den Warnsignalen. Dunnerkiel! Natürlich werden wir Rosebrock demnächst fragen, was
das bedeutet, und als ordentliche Menschen sehen wir
dann trotz Lachens ein, daß es sich hier möglicherweise
um eine schwere seelische Beeinträchtigung handelt.
Von Zeitläuften, ungezogenen Sprößlingen, Geldnöten
abgesehen, fühlen wir uns ›seelisch‹ zwar nicht wesent-
licher beeinträchtigt, als normal ist und demnach sogar
zuträglich. Na also, Herr Doktor! Aber einen Augenblick bitte: unser Nachbar schräg gegenüber, der eine
Zigarre nach der andern pafft, hinkt er nicht in letzter
Zeit? Er geht am Stock, freiwillig, wie er behauptet?
Nana, denken wir aufgeklärt, und sehen ihn schief an;
da drüben kreuzt er soeben die Straße und humpelt
auffällig. Wie bitte? Er erklärt, er hinke, weil nur so
die Taxifahrer abstehen, ihn zu rempeln? Wenn das
nur keine Wahnvorstellung ist, hervorgerufen durch
zu vieles Rauchen! Aber als wir ihm das — schonend —
vorhalten, lacht er lauthals. Es sei zum Lachen, sagt er,
neulich habe er sich auf unserer Treppe den Fuß ver-
knackt; es ist eine miserable Treppe; und solange einer
darüber lachen kann, dürfte es kaum sehr schlimm sein.
Alles löst sich in Rauch auf.

Aber, mein lieber Nichtraucher, so wie wir argumentieren, beweisen wir natürlich nichts, und an dem
medizinischen Befund des freiwilligen Hinkens durch
Überdosis Nikotin wollen wir keineswegs deuteln. Nur
meinen wir, mit Verlaub, eine gewisse Portion dieses
Giftes müßten wir uns zumuten können; andernfalls

seien wir krank; keimfreies Dasein nämlich gehörte in die Retorte. Ein windiges Argument und Schall und Rauch? Gut, so kommen wir literarisch. Vorgestern haben wir bei Ernst Jünger gelesen, der solcherlei bekanntlich mit Vorliebe anführt, und er soll durchaus nicht zu uns passionierten Rauchern gehören, daß Ornithologen eine Anzahl Drosseln gefüttert hätten, in zwei Gruppen, die eine Gruppe mit schmutzigen, die andere mit fein säuberlichen Regenwürmern; und nach einiger Zeit seien alle Vögel, die mit geputzten Regenwürmern gefüttert worden seien, eingegangen, während die anderen das Experiment quicklebendig überstanden hätten. Quod erat demonstrandum.

Übrigens wäre es, wenn wir derart demonstrieren, nicht schwierig, die heroische letzte Eroberung der Raucher: »det ooch im Tierjarten jerooct wer'n darf«, auf seine ironische Facette zurückzuführen, und was als Signal gelten sollte, wäre sodann und möglicherweise lediglich der Anfang einer raucherischen Ausartung. Wir fragen das wohlgemerkt nur, haben dabei allerdings schon einiges im Hinterhalt, worauf wir jetzt mit einer gewissen Rankūne ausgehen. Wie denn, hatten uns nicht jene Zigaretten wenn nicht am besten geschmeckt, so doch den verwegensten Spaß gemacht, die wir heimlich gequalmt hatten? Und bitte doch: wenn wir soeben mit dem giftigen Nikotin gefackelt haben, versuchten wir damit nicht, uns etwas von dem heimlichen Bangen zu wiederholen, das wir vor der Entdeckung unseres Streichs gehabt? Nun auf in den Tiergarten und dem Parkwächter die Verbrennungsgase unseres Krauts ins Gesicht geblasen? Ach, der rauchte nunmehr selbst! Zugleich wollen wir nicht vergessen, daß viele von uns Rauchern dem Rauchen auf der Gasse ohnehin widerstreben! Wohlgemerkt, daß es als unfein gilt, macht uns dabei nur wenig aus. Dieser Verruf gründet lediglich — so lange wirkt derlei nach — in jenem polizistischen Verbot, auf der Straße zu qualmen, ist also akzidentell fundiert, nicht substantiell. Hatten wir schon angeführt, daß der Alte Dessauer jedermann erlaubte, jedermann die Pfeife aus dem Munde zu schlagen, den er damit auf den Wegen betraf? Zum Teufel mit solchen Verdikten! Andererseits: wer wünschte, falls er nicht ein professioneller Raufbold war, sich dem auszusetzen? Außerdem hatte auch der König Friedrich II. 1764 das Rauchen auf offener Straße verboten; solchem Befehl fügte ein guter Untertan sich nicht nur, er hielt ihn für rechtens. Bezweifelt jemand, daß sich solcher Gehorsam nicht nur ein knappes Jahrhundert vererbt, sondern auch deren zwei, ganz abgesehen davon, daß der Snob, dies Produkt des letzten Jahrhunderts, gerade, weil sämtliche Parteien jetzt die Aufhebung des Rauchverbots begrüßten, desto strikter in der Öffentlichkeit nichtrauchte? Wer dennoch zweifeln will, dem bescheren wir, gerade in unserer Sache, ein witziges Beispiel für jahrhundertelange Vererbung von Gewohnheiten. Er braucht nur ins nächste Kaffeehaus zu gehen; oder wollen wir uns lieber von Tante Alice zu ihrem nächsten Damenkaffee einladen lassen? Dort werden wir Hahn im Korbe sein, um so mehr, wenn wir recht gute Zigaretten mitbringen und sie nach dem ausgiebigen Kuchengenuß reihum anbieten. Obwohl eine der Damen bereits die Siebzig überschritten hat, werden sämtliche Teilnehmerinnen ihre Weltläufigkeit bekunden und eifrig rauchen, mit ausgesprochen mondänem Gebaren; denn sie gehören der energischen Generation an, die die Zigarette für die weibliche Welt erobert hat. Ehrensache! Notfalls müssen wir uns in ein Gespräch über Innenarchitektur einlassen; doch darauf soll es uns diesmal nicht ankommen. Viel mehr haben wir bereits beim Umtrunk aufzupassen. Von Tante Alices Sammeltassen haben wir ja schon gesprochen, und aus diesen kostbaren Gebilden werden Frau Amtsgerichtsrat Sch. und Frau Dr. W. und Frau Oberstudienrat S. nicht nur mit gespitzten Mündern Kaffee schlürfen; nein, auch unsere Täßchen werden sie fein zierlich halten, und zwar mit abgespreiztem kleinen Finger. Warum das nur? Flugs fällt uns dabei ein, daß schon unsere Tanzstundendame, Fräulein Susanne, seinerzeit erzählte, Frau von Pelcherzym, unsere Tanzmeisterin, habe beim separaten Anstandsunterricht der jungen Damen strikten Wert darauf gelegt, daß die an und für sich ganz natürlichen jungen Dinger bei Weinglas und Kaffee —, besser natürlich bei Teetasse sich diesen Spreizfinger angewöhnten. Dies war zu tun ungeachtet dessen, daß Glas oder Tasse, besonders wenn sie gefüllt waren, dabei weniger Halt hatten, als wenn alle fünf Finger sie anfaßten und stützten. Doch darauf kam es nicht an; gute Manieren strapazierten eben, ja, und es fällt uns bei den eigenen Töchtern noch schwerer, ihnen klarzumachen, daß der abgegrätschte Finger lächerlich, eben affektiert sei. Kaum daß sie uns glauben, wenn wir es historisch begründen. Als die Sitte erst des Schokolade- und dann des Kaffeetrinkens aufgekommen war, hatte sich ja auch die Unsitte des Tabakschnupfens eingebürgert oder gar eingeadelt. Und wenn nun, infolge genossenen Schnupftabaks, die Herrschaften niesen mußten wie überhaupt sich schneuzten, so besaßen sie nicht so entzückende Battisttaschentücher wie unsere jungen Damen; nein, sie hielten sich und zwar mit dem kleinen Finger, erst das rechte Nasenloch und hernach das linke zu. Sodann pusteten sie, wohin, eben in die Gegend, vermutlich gar auf den Teppich. Obwohl der Gebrauch von Taschentüchern damals also noch selten war, so verfügten sie, auch wenn Schmutz meist nur überpudert wurde, über so viel Appetitlichkeit, daß sie ihren beim Schneuzakt mitunter leicht besudelten kleinen Finger nicht an die Kaffeetasse rühren lassen wollten, aus der sie tranken. Frau Amtsgerichtsrat Sch. und Frau Oberstudienrat S., obwohl dank ihrer Gatten zu den gebildeten Ständen zählend, wissen das natürlich nicht. Es ist auch unangebracht, bei ihnen unsere Kenntnisse anzubringen; es läßt sich eine solche Aufklärung immer nur in einem bestimmten Zusammenhange anbringen, so wie bei uns hier. Und wenn wir mit dieser Bemerkung elegant wieder bei unserem Thema angelangt sind, so haben wir nur hinzuzufügen: das Tabu, auf der Straße nicht zu rauchen, braucht wiederum nicht nur aus Untertanenseligkeit zu gelten, sondern einfach, weil wir dem Tabak zugetan sind. In der freien Luft verfliegt sein Rauch, zumal wenn wir dabei spazieren. Der Luftzug ist so stark, daß er den Tabak verbrennt, ohne daß all sein Rauch durch unsern Mund streicht, vom Aroma zu geschweigen. An einer Pfeife im Ohrenstuhl, die Zeitung oder das Buch in der Hand, rauchen wir zwanzig bis dreißig Minuten, lieber dreißig als zwanzig, bitte; draußen jedoch ist sie spätestens nach sechs Minuten ausgeraucht, zumindest viel zu rasch.

Dennoch war die Aufhebung des Rauchverbots auch ein Signal, wir wollen das keineswegs wegdisputieren. Sie war ein politisches Signal, und der Tabak war als Vorwand, nicht als Sache gemeint. Wenn der Straßenfeger in der Au während der aufpeitschenden Worte des Volksredners öffentlich rauchte, so wäre er noch wenig früher unverzüglich samt Besen von der Heiligen Hermandad arretiert worden. Etwa wirklich, weil er nicht nur eine Volksmenge, sondern ganz München in Feuer versetzt hätte? Beim Sultan, das glaubt doch niemand mehr. Es handelte sich bei dem Rauchverbot um den Versuch, zu erproben, ob und wie sehr sich der freie Mann von seinen Oberen bevormunden ließ, im Namen einer Sittsamkeit, deren Wesen und Grenzen jene allein bestimmen wollten. Wenn sich das aber so verhält, dann revoltierte der Straßenfeger nachdrücklicher als der Demagoge dort auf dem Faß, zumal er sogar eine Zigarre raucht, der Herr Reinigungsbeamte. Natürlich ist soeben Festtag; Revolution ist immer Festtag, insonderheit wenn unsereins dabei lediglich gewinnen kann. Die Zigarre wird für den einfachen Mann noch lange ein seltener Festtagsgenuß sein, und kaum zum Geburtstag und zu Weihnachten, höchstens zum fünfzigjährigen Jubiläum erhält der commoner ein schmales Kistchen. Ansonsten stopft er die Pfeife. Über dem einfachen Mann jedoch thronen die viel-

Portorico

Nᵒ 4.

Bei vom Rath & Bredt
in
Cöln.

fachen Männer, die Großkopfeten, bei denen — so scheint es jedenfalls ihm — täglich Sonntag ist, täglich Zigarrentag. Insofern ist die seltene Zigarre des einfachen Mannes ein Individualereignis, die des Großkopfeten ein typisches.

Das wird lange so bleiben, trotz unseres Straßenfegers, der zudem nur der pointierte Einfall eines intellektuellen Karikaturisten sein dürfte, die Provokation eines Pamphletisten. Aber dennoch, und das ist ein historisches Axiom, verfallen Herrschaftssymbole immer, und zwar verfallen sie stets dann, wenn die Herrschaft, die sie vertreten, sich dem Zweifel unterstellen lassen muß. Darauf könnte unser Pamphletist also bereits angespielt haben. Doch weiter: Moltke und Bismarck siegten bei Königgrätz im Zeichen der Zigarre, diesem Szepter männlich-preußischer Herrschaft. Aber: Rache für Sadowa! Denn als etwa zwanzig Jahre später Karl Schurz beim inzwischen gefürsteten Kanzler saß, Gesinnungsgenosse derer, die vier Jahrzehnte vorher im März gefallen waren, soll der Eiserne Reichsgründer bei Sekt und Zigarren sich mit ihm gemein gemacht und über seinen König gewitzelt haben. Prompt rauchte er, nicht allzu viel später, im Sachsenwald — sehr nahe der Stadtrepublik Hamburg — die lange Pfeife. Das sind fraglos höchst gewagte Kompilationen, die uns hier das giftige Nikotin einfallen läßt. Der Alte im Sachsenwald rauchte auch weiterhin Zigarren, gewiß, und sogar Zigarren, die Bauchbinden mit seinem eigenen Bild trugen! Welch ein Weg von Sadowa bis zur Bismarck-Bauchbinde! Das waren Zigarren einer guten Qualität, Feiertagszigarren, dreißig

Pfennig das Stück, denken wir, seinerzeit! Solche Zigarren erhielt der Herr Legationsrat Weihnachten von seinem Chef, der Herr Prokurist vom Kaufherrn für einen guten Abschluß. Henry Clays hingegen kosteten bereits damals einen Dollar. Was das ist: Henry Clay? Das ist der Mythos einer Zigarre. Sie rauchte der Kaufherr selbst, freilich auch nur feiertags. Wir gewöhnlichen Sterblichen haben höchstens einmal im Leben eine Henry Clay geraucht, rauchen dürfen, 1929. Ernst Glunz, damals Direktor des Kaiserhofs in Berlin, hatte sie uns spendiert, und wenn wir von ihr noch etwas wüßten, könnten wir nur sagen: sie sei unbeschreiblich gewesen. So, wie Trockenbeerauslese unbeschreiblich ist; denn sie geht über die Empfindungsmöglichkeiten einer ordinären Durchschnittszunge hinaus. Also entsinnen wir uns nur noch, daß Glunz uns demonstrierte, wie sich die Zigarre um unsern Finger biegen ließ, ohne daß sie zerbrach; was heißen sollte, da wir doch Zigarren gemeiniglich nicht um den Finger wickeln, daß sie derart gut, derart erlesen gefertigt war, aus derart elastischen Blättern, derart sorgfältig im Stoff durchprüft, daß damit gar kein physikalisch-chemischer Wert mehr bezeichnet sein konnte, sondern eine innere Konsistenz, die äußerste geschmackliche Qualität durch Kunst verbürgte. Henry Clays brauchen deshalb keine Bauchbinden, wie wahre Schönheit keinen Schmuck. Ja, und wer Herr Clay eigentlich gewesen sei, fragen Sie? Ach, das tut gar nichts zur Sache: ein nordamerikanischer Außenminister, weit vor Bismarck; und, wir sagten es bereits, von seinen Taten ist uns nur bekannt, daß er ein Jagdgebot erlassen hat — gegen flüchtige

Negersklaven, die auf Betreiben Las Casas nach Amerika gebracht worden waren.

Doch nochmals zurück zu Bismarck, dessen Gesetz gegen Sozialisten hier nun keineswegs mit dem Clayschen in zigarrentliche Parallele gesetzt werden soll. Die nach ihm benannten Zigarren hatten also Bauchbinden, mit dem Bild des Fürsten darauf, ziemlich groß, dem historischen Format des Dargestellten entsprechend. Die Zigarren waren ebenfalls groß. Und gut, wirklich. Frau Prokurist und Frau Legationsrat sammelten diese Bauchbinden; so um die Jahrhundertwende war das. Mit ihren Kränzchenschwestern tauschten sie dann, auch mit ihren Schwägerinnen. Der Schwager stellte auch etwas dar und erhielt von seinem Vorgesetzten Weihnachten Zigarren mit dem Bild König Alberts von Sachsen, des Grafen Zeppelin oder Lettow-Vorbecks auf der Bauchbinde, letzteren aber erst etwas später, dann jedoch sehr schick mit dem Südwester tief in der Stirn. Diese war freilich kleiner, diese Bauchbinde; auch die Zigarre war kleiner und kostete nur zwanzig. Das war auch noch enorm; zwölf bis fünfzehn Pfennige war der Preis, den Prokuristen und Legationsräte seinerzeit für eine anständige Zigarre anlegten, Schwäger etwa zehn bis zwölf. Übrigens dürfen wir in diesem Zusammenhang auch den Kaiser in schimmernder Wehr auf den Bauchbinden nicht vergessen; wo kämen wir da hin! Viele der Herren bezogen ihre Ware übrigens aus Herrenhut, in Fünfzigerkistchen, ohne Bauchbinde dann, was den Damen nicht recht war; die Herren waren, als gute Raucher, höchstens auf Konferenzen für Bauchbinden, und die Zinzendorfer gaben sich im Angesicht der Welt demokratisch; ihre Zigarren, die die Brüdergemeinde finanzieren mußten, empfahlen sich durch schlichte Güte. Umso rarer waren dann die Bauchbinden und unsere Damen desto eifriger hinter ihnen her; denn wer zuerst genügend davon besaß — was nichts anderes hieß als: wer mit vielen Herren, die bauchbindengeschmückte Zigarren rauchten, Umgang hatte, solchen, die trotz Christlichkeit nicht die Herrenhuter Sektierer, sondern die Bremer Republikaner mit Aufträgen bedachten, Republikaner, die um des Geschäfts willen unbedenklich fürstliche Bauchbinden lieferten! — kurz und gut: welche unserer Damen zuerst genügend Bauchbinden gesammelt hatte, die fertigte davon einen Aschenbecher an. In den besseren Geschäften zu Osnabrück, Rudolstadt oder Landshut hielt Herr Baldauf oder Herr Unterdimpfler speziell für die Gnädigen glatte dünne Glasschalen zur Verfügung, solche, wie sie heute für zwanzig Pfennig in jedem Warenhaus stehen, die billigste Sorte ohne Verzierung. Damals freilich, wo noch das gewöhnlichste Wasserglas blumenumrankt war, bedeutete diese Schmucklosigkeit Rarität. Der Schmuck sollte diesen Schälchen erst appliziert werden, von unseren Damen, in mühevoller, nämlich durchaus nicht einfacher Handarbeit. Einige von uns haben sie noch damit beschäftigt gesehen, haben die kostbaren Arbeitsresultate auch noch auf dem Vertiko gefunden, oftmals freilich schnöde geplatzt. Das Glas war sehr empfindlich; Kinder durften es nicht in die Hand nehmen, Mamas Kunstprodukt und bedingt staatsbürgerliche Loyalitätsbekundung, nämlich mit kleiner Rempelei gegen

Majestät in Berlin zugunsten des verehrten Fürsten vom Sachsenwald. In der Mitte prangte er groß, mit Glatze natürlich: unser Eiserner Kanzler, um ihn herum die Könige Albert und Wilhelm (von Württemberg), Zeppelin, Graf Waldersee, der es, Germans to the front!, den Chinesen trefflich gegeben. Und um diese nationale Elite herumgruppiert waren sodann die unhistorischen Bauchbinden, die es auch gab, von Zigarren zu zwölf, ja elf Pfennig gar. Auf ihnen prangten Palmen, mitunter eine südamerikanische Schönheit, auch vielleicht ein Negersklave oder, wenn's hochkam, ein nordamerikanischer Präsident, Roosevelt als Rauher Reiter oder der letzte brasilianische Kaiser oder gar nur ein bremischer Senator. Wie gesagt, es verlangte Geschicklichkeit und Geduld, die Herren ohne Schaden an die Hinterseite der Glasschale zu praktizieren; doch unsere Damen hatten Zeit und die rechte Gesinnung; und auf das Mädchen, langgedient und noch nicht frech wie heutzutage, war Verlaß; nur beim Braten mußte die Hausherrin in die Küche. Aber dann eilte sie schwenkenden Rockes zurück und legte hinter die Staatsmänner und Feldherren — nein, Wissenschaftler und Künstler lieferten keine Köpfe an, nicht einmal Franz von Stuck oder Wildenbruch, und Filmstars lagen noch in den Windeln — sie legte also das bereits zurechtgeschneiderte Stück schwarzen Sammet hinter die Bauchbinden. Alles klebte dann fest zusammen, mit Gummi arabikum. Auseinander fielen die Schalen nie, sie zerplatzten eben nur nach einiger Zeit; und damit soll keineswegs etwas Symbolisches angedeutet werden. Nein, es war nur schade.

Ja, und später, bis etwa zum ersten Weltkrieg, nach dessen Ausbruch wir dann andere Sorgen hatten, verlustierten sich mit solchen Arbeiten auch Oberinspektorengattinnen oder solche von Oberlehrern und Bankbeamten. Eine unserer Tanten, deren Mann Nichtraucher war, sammelte und klebte, obwohl Bedarf in ihrem Hause nicht vorhanden war, noch nach dem ersten Weltkrieg. Als Nichtrauchersgattin fiel ihr das nicht schwer, weil a) andere Damen um diese Zeit längst nicht mehr sammelten, und b) nunmehr nahezu jede zweite Zigarre eine Bauchbinde trug. Sollen wir jetzt erklären, die Bauchbinde war heruntergekommen? Jedenfalls war ein Privileg zerstört. Kinder unter Fünfzehn steckten die Dinger nunmehr an den Daumen, zwei Minuten lang; dann war das Schmuckstück zerknüllt. Zweifellos können wir auch erklären: Totale Demokratisierung der Zigarre; denn soll als derangiert gelten, was vom Festtagsgeschenk zum Alltagsgenuß geworden? Das wollen wir der Zigarre, die wir alle unverändert gern rauchen, nicht antun, zumal sie längst den Existenzkampf mit der Zigarette zu bestehen hat. Und der ist hart. Übrigens haben wir für unser Teil selbst zu jener Degradierung einiges beigetragen; denn als Quartaner kauften wir uns die ersten Zigarren, drei Stück für insgesamt zwanzig Pfennig. Wieder rauchten wir sie heimlich und im Freien. Wieder wurde uns fürchterlich schlecht oder besser: zum erstenmal, und wieso wir sie da nicht einfach wegwarfen, ist heute unerfindlich. War es eine Bewährungsprobe, und hätten wir nicht zu den Männern gehört, wenn wir aufgegeben hätten? Bauchbinden hatten die Dinger nicht, aber sie verursachten Bauchweh; das Kraut maßte sich an, Zigarre sein zu können, und taugte wahrscheinlich kaum für die Großvaterpfeife. Bleichgesichtig nach Hause gewankt, mußten wir wieder dem Tabaksgott opfern, sühneopfern; und wiederum heucheln; denn die sonst stets mißtrauische Mutter fürchtete, wir wären krank. Fast kamen uns die Tränen, und damit waren wir Mannssüchtigen noch mehr gedemütigt. Oder geschah uns recht, weil wir ein Szepter mißbraucht hatten? Ach was, Szepter! Die Zigarre hatte längst vor uns ihre Hoheit verloren, und nun ging es rapide mit ihrem Sonderstatus zu Ende.

Übrigens hatten sich die Satiriker ihrer längst und ausgiebig bemächtigt.

Hierzu ist ein physiologisches Phänomen zu beachten. Wir drücken uns hoffentlich nicht zu großmäulig aus bei einer ganz trivialen Sache; aber da wir mit dem Mund rauchen, unser Mund aber, und alle illustrierenden Zeichner bestätigen das, physiognomisch als stärkster Ausdrucksträger gilt und dient, wandlungsfähiger als unsere Augenpartie, so wird sich jeder Raucher besonders im Spiel seiner Lippen darstellen. Die Pfeife, ob die lange oder die kurze, das bleibt sich gleich, halten wir vornehmlich mit der Hand fest. Natürlich beißen wir mit den Zähnen auf ihr hartes Mundstück; fest halten wir sie jedoch mit den Zähnen selten, höchstens, wenn wir mit beiden Händen auf der Schreibmaschine tippen oder wenn wir als Maler die Palette balancieren und die Pinsel wechseln, auch wenn wir als Hausvater einen Nagel einschlagen, kurz, sobald wir werkeln. Dabei schieben wir den Unterkiefer nach vorn; klemmte das Pfeifenmundstück nicht dazwischen, wir knirschten mit den Zähnen wie ein Nußknacker: Grimmig sehen wir aus, was jedoch nur von unserer Bangnis herrührt, wir könnten mit dem Hammer zwar den Nagel, aber nicht den eisernen, sondern den des Daumens treffen. Vorhin haben wir uns an die Straßenecke vorm Haus gestellt, wo bei rotem Licht die Autofahrer widerwillig halten müssen; da hätte ein grimmig blickender Wagenlenker hinter dem Volant hocken mögen, die Pfeife malmend, zumal einige der Herren irritierte, daß wir nicht artig an ihnen vorüberdefilierten, sondern sie statistisch als Raucher zu erfassen suchten.

Hundertzwanzig Ritter vom Steuer haben wir registriert. Einer von ihnen, ein Nichtraucher, hat uns etwas Schnödes zugerufen. Neununddreißig rauchten Zigaretten, darunter elf Miezen, wie Petra das nennt, weibliche Fahrer; acht rauchten Zigarren, aber keiner die Pfeife. Es gibt auch Fahrer mit Pfeife; doch zweihundertvierzig Autos wollten wir nicht abwarten; Petra hatte noch ihr Englisch zu machen. Frühmorgens kommt mitunter ein Lieferwagen vorbei, ›Das gute Vollkornbrot‹, dessen Chef ein kurzes Pfeifchen raucht. Trotz der sympathischen Ware, die er befördert, sieht er höchst martialisch aus. Dabei dürfte zu beachten sein, daß die Pfeife immer in bestimmter Distanz von den Augen verharrt und nicht kurzbrennt wie Zigarre und Zigarette, deren Rauch sodann in die Augen weht und jenes typische feuchte Zwinkern hervorruft, was, insonderheit für Zigarettenraucher, gleichfalls ein physiognomischer Effekt ist. Zigaretten jedoch sind leicht; o ja, sie hängen auch verschieden im Mundwinkel, und über sie ließe sich gleichfalls eine Ausdrucksstudie abfassen; Zigarren hingegen und zwar, sobald sie frisch angesteckt sind, haben im Verhältnis zur ›Athletik‹ unserer Lippen ihr bestimmtes Gewicht. Gewiß finden sich Männer, die sie zwischen die Zähne beißen. Unter unseren acht Delinquenten befand sich kein solcher Barbar; alle hielten sie die Zigarre mit den Lippen. Möglich, daß, wäre ein zähneknirschender Zigarrenraucher dabei gewesen, wir ihn als verdeckten Pfeifenraucher hätten identifizieren können. Es halten sich aber, entgegen anderslautenden Behauptungen, Autofahrer an Zebrastreifen nie sehr lange auf. Mithin war es unmöglich, intensivere Studien zu betreiben. Auch gibt es an unserer Straßenecke keine längeren Stauungen, und was wir nicht registrieren konnten, hat sonach nur impressiven Rang. Dennoch trollten wir uns schließlich einigermaßen befriedigt; wir hatten die Zigarre als reinkultivierten Schnuller beobachtet, nicht immer so, wie Karl Arnold sie auf dem Titelblatt seiner Mappe ›Berliner Bilder‹ zitiert, mitunter sogar recht behaglich, auch, im Gegensatz zu den Zigaretten, ein wenig stolz — wieso, das konnten wir nicht eruieren — manchmal herablassend, was daran lag, daß ihr Raucher den Kopf in den Nacken legen mußte, um den aufsteigenden Qualm an seinen Augen vorbeiziehen zu lassen, stets aber in besonderer Weise genießerisch und — wenigstens und absolut in zwei Fällen — nun doch Karl-Arnoldisch. Da schien ihr Genießer zum Typ Schieber zu gehören, wie er seinerzeit, zu Arnolds großer Zeit, Zeit der Inflation, stärker dominierte als heute — wo er sich vielleicht nur geschickter kaschiert.

Sachlich, sine ira et studio konstatiert: Wo dieser Extremtyp des Zigarrenrauchers auftaucht, dieser Typ, der physiognomisch das Zigarreauchen zu geradezu exzessivem Genuß treibt, nämlich ohne Kontrolle im Hinblick auf Wirkung — auf die er pfeift, weil er bar zahlt — da sieht er im Lebendgewicht noch unverändert so aus wie auf dieser Zeichnung, nämlich — nehmen wir es diminutiv — wie ein Schweinchen. Eine solche äußerste Ausprägung findet sich nirgends sonst als bei der doch eigentlich vornehmen Zigarre. Die erzieherische Funktion des Rauchakts, auf die wir vorhin so selbstgefälligen Wert gelegt haben, ist ausgelöscht; der

Mund wird zum Rätsel und, das ist jetzt natürlich fatal anzumerken, der ganze Gesichtsausdruck strahlt vor Glück; es ist das Glück, das einer hat, und das ihm also eine Balance verleiht, die tatsächlich ohne kritische Intelligenz auszukommen vermag. Aber lassen wir das; an den Grenzen soll niemand allzu lange verweilen; kehren wir an unseren Zebrastreifen zurück. Grünlicht für die beiden Kavaliere! Wir meinten übrigens, wir hätten dort auch jenen Vertreter bemerkt, der nicht gerade mit vorgeschobenem Unterkiefer, aber doch mit vorgeschobener Unterlippe die Zigarre schräg nach oben stellt. George Grosz hat ihm den Vorzug gegeben. Grosz kennt selbstredend auch jenen Mann, der die Zigarre zwischen die Zähne klemmt; Himmelstoß, eindeutig in seiner Brutalität, phänomenologisch vielleicht als derjenige Vertreter zu bezeichnen, der sich

BERLINER BILDER

VON KARL ARNOLD

mit der Zigarre hochstapelt. Der dicke Glatzkopf hingegen, der die Zigarre in den Mundwinkel quetscht, tauchte tatsächlich vor uns auf, in gewaltigem Straßenkreuzer, und unter Umständen wirkt er noch übler als der Arnoldsche Schieber. Er ist nicht ganz so eingebettet in gemeinem Fett wie der mit dem Rüssel, aber hämischer. Grosz kennt ihn auch, und bei ihm scheint er dann über eine bestimmte Portion Intelligenz zu verfügen, um sie sowohl zur Rechtfertigung der eigenen Existenz wie zur Verachtung anderer einzusetzen, womit wir angeführt haben, auf was die Zigarre hinauswill: auf die Perversion des Szepters, das nicht mehr den Seigneur bezeichnet, sondern den Schmarotzer. Bei Toulouse-Lautrec finden wir den Mann — Herrn zu sagen, geht nicht recht an —, der die Zigarre im Mundwinkel hängen läßt, und öffentlich präsentiert er sich so nur in angetrunkenem Zustand. Vielleicht läßt er sich noch unschwer in Soho auftreiben oder auf der Reeperbahn, in Bezirken, wo Herrschaft erlischt, und selbst da nur nachts nach halb drei; aber selbst dann wäre er, zumindest heutzutage, ziemlich isoliert, nur noch akut, weniger typisch: mit drei Prozent Alkohol im Blut und keinem Pfennig in der Tasche eine nihilistische Erscheinung am Nullpunkt und privat in der Verzweiflung. Da es uns aber allen gut geht, wir folglich die Zigarre in die Luft grätschen können, wie sollten wir da verzweifeln?!

Nun, auf jeden Fall war, was wir soeben angestellt haben, eine höchst ominöse Betrachtung, ausgesprochen die dunkle Seite des Tabakqualms. Anfügen müssen wir noch die Bemerkung, daß, was diese drei Zeichner in ihren Satiren aufgespürt, sich ausdrücklich an die Zigarre hält, das einstige Szepter des Bürgers, das hier in Hände gerutscht ist, die alle Herrschaft verraten, so sehr es sie einmal symbolisiert hat. Geradezu tänzerisch hatte die Zigarre sich verhalten, was ihre Souveränität auswies, beim Sitzen, beim Stehen und Gehen, in der Vereinzelung wie in großer Gesellschaft. Jedoch befand sie sich dabei immer in der Hand, nie im Mund. Natürlich ließe sich, wenn wir uns Mühe gäben, auch das Bild auftreiben, da ein vergnügtes Gesicht soeben die ersten Züge tut; aber das wäre illustrativ und charakterisierte kaum. Daß wir strikt gegen den Alten Dessauer sind und keinem Passanten das Rauchzeug aus dem Munde schlagen, versteht sich von selbst. Anderseits: wem von uns hat es nicht doch in den Fingern gezuckt, wenn ein Flaps uns mit Pfeife, Zigarre oder Zigarette im Mundwinkel anredete? Dessauerische Haudegenanwandlungen; und uns gelüstete, verordnen zu lassen, daß rauchen nur darf, wer mit Pfeife, Zigarre oder Zigarette sein Gesicht nicht entstellt. In dieser Entstellung, die Mühe anzeigt, desavouiert sich möglicherweise das Rauchen. Sollte sein Gift uns nicht steigern? Und nun derangiert es uns . . . zur Fratze? Wenn das gilt, dürfen wir uns, als Physiognomiker, beim Fratzenhaften getrösten als eben einer Kehrseite der Freiheit, die wir niemals aufgeben wegen des Mißbrauchs, der sich mit ihr treiben läßt? Der Flaps könnte uns also gar nicht erreichen; ihn tilgte die Art und Weise, in der er raucht, gleichsam aus? Flapse erreichen uns leider immer, nur daß nicht immer sicher ist, wer Flaps ist, der Provozierte oder der Provokant; und für diese Schismatik, wie sollte es anders sein, liefert uns das liebe Österreich das fällige Paradox, selbstverständlich im Weltrang, aber ebenso durch die sich bekundende Ironie auch versöhnend.

Hier, im Lande Lanners und Strauß Vaters und Strauß Sohns und noch mehrerer Sträuße, diente der Tabakregie und das heißt: dem Staate, heißt auch: unserm guten Kaiser Franz, heißt auch: völkerverbindend — hier also diente all dem der Trafik; und zwar, vom Vaterländischen ganz zu schweigen, schon als Wort. ›Trafik‹: die Franzosen kennen es, die Briten gleichfalls; in Österreich jedoch ist es dank der allein hier erhältlichen Tabakwaren am geläufigsten. Etymologisch ist es arabischen Ursprungs, und in die Donaumonarchie ist es mit den Janitscharen eingedrungen. Gelehrte Trafikologen behaupten allerdings auch, es sei über Italien via Venedig immigriert. Wir mischen uns als loyale Raucher keinesfalls in solche Streitgespräche, sondern stellen lediglich den völkerverbindenden Charakter des Wortes fest, natürlich mit allen Kautelen, da wir mit den Türken nur eine ganz spezielle Völkerverbindung betrieben haben, über das Kaffeegeschäft etwa. Wie aber steht es mit Italien, dem wir, hier in Wien, Tabak und Zigarre danken? Sehr heikel natürlich. Denn dort saßen wir soeben, und zwar als Eroberer kraft apostolischer Majestät, gar — o über das schlechte türkische Beispiel, das wir nachahmten! — als Unterdrücker, nämlich der Freiheit, da doch einmal auf und hinter den Wällen Wiens Kaffee und Tabak Feldzeichen christenmenschlicher Freiheit gewesen waren! Anderseits und bitte schön: brachten wir Österreicher in

diese Unfreiheit nicht die Rauchfreiheit mit? Öster-
reichisch-untertänigst (»Servus!«) natürlich eine Freiheit in Regie; Regie wiederum sehr sanft verwaltet, als
mit den Trafiks pensionierte Leutnantswitwen belehnt
waren zwecks Aufbesserung des aus wohlverstande-
nem Staatsinteresse kargen Gehalts; aber doch auch
Soldatenwittiben, sofern nicht die Veteranen selbst, die

Westerwälder

Du rauchst en guata, Wer macht en?

über die nötige Staatsgesinnung verfügten: »Gott erhalte Franz den Kaiser!« Sonach Strenge mit Milde gemischt. Und nun war in allen Provinzen mit dem Fall
jeglichen Rauchverbots das Rauchen nicht nur salon-,
sondern staatsfähig geworden. Nirgends brauchte, auch
in Italien nicht, so weit Österreich hörig und den Trafiks untertan, noch ›schwarz‹ geraucht zu werden, weil
freies Rauchen eben den Staatssäckel füllte. Aber wie
denn? Den Staatssäckel füllen, um besser die italienische Freiheit zu knebeln? Rauchten da Flapse den
Wehrlosen frech ins Gesicht? Weg mit dem Qualm, im
Namen der Freiheit! Und so kam es zum raucherischen

Rückfall, zur raucherischen Unterdrückung im Namen
der Freiheit, sogar zu Gegenrevolution. In der Lom-
bardei geschah das, die sich gegen Österreich empörte
und ihrer Empörung damit Ausdruck gab, daß sie den
freiheitlich und tabakregielich rauchenden Fremdherren
leopoldinisch-dessauisch die Zigarren aus dem Mund
schlug.

Die so ironische Situation aber überschlug sich.
Denn Order aus Wien erging, daß Benedek, ein pro-
minenter Tabakfeind, der später als General und Nichtraucher bei Sadowa dem qualmenden Moltke unter-
liegen sollte, seine österreichischen Straßen- und Kaf-
feehausraucher mit Brachialgewalt zu schützen hatte
und das eben in jenem Lande, das seinem Lande das
Rauchen eigentlich beschert hatte; wobei noch zu beachten, daß Benedeks Selbstüberwindung nicht etwa
zugunsten der berühmten Tabakregie seines Kaisers
beziehungsweise Metternichs zu erfolgen hatte, also
politisch-korruptiv — was uns Skeptikern fast öster-
reichischer vorkommen möchte —, sondern im Hinblick
auf die Freiheit korruptiv-politisch. Hier mußte das
letztlich und zumindest von Benedek noch immer als
lasterhaft empfundene öffentliche Rauchen staatsräson-
nabel gemacht werden zugunsten einer, sit venia verbo,
staatlichen Irräsonnabilität, nämlich der Fremdherr-
schaft. Flaps oder besser Flapserei als moralisches Mon-
strum! Dagegen ist, den gegen das Tabakrauchen ein-
gesetzten Polizisten Berlins öffentlich ins Gesicht zu
paffen und mit der Pfeife auf die Staatsautorität zu
pfeifen, eindeutig ein vernünftiges Verfahren, trotz
Fratze fern der Fratzenhaftigkeit.

L. Boilly

Les Fumeurs et les Priseurs.

Zur Fratze wird all das natürlich nur, weil wir im
hinterher wissen, wie selbstverständlich nach angepaff-
ten Stadtgendarmen und angepöbelten k. u. k. Offizieren das Rauchen geworden ist, und so unverständlich erscheinen die Grimassen uns, daß wir sie nur als
Flapsereien verstehen wollen. Der dahinter steckende
Ernst ist verblaßt, weil sein Substrat nicht ausreichte:
Zigarrenkrieg als Freiheitskrieg, das desavouiert sich
von selbst. Der ›Höhere Offizier‹, den 1855 Menzel
im Gespräch mit einem Zivilisten zeichnet, hält, freilich nicht auf der Straße, sondern im Interieur, seine
Zigarre mit all der ungenierten Grazie, die nichts mehr
davon spüren läßt, wie heftig noch wenige Jahre vorher
und wie unduldsam General von Tippelskirch, Stadt-
kommandant von Berlin, das Rauchen ekelhaft genannt
hatte und einen Verstoß gegen alle Sitte. Übrigens wird
bei Menzel selten geraucht, und auf seinen ›Hofbällen‹
läßt sich kein Raucher entdecken. Nun findet sich nirgends ein authentisches Zeugnis, das uns bestätigt, hier
hinke die Etikette der Freiheit nach. Dabei wäre Ver-
spätung noch kein Rückfall, höchstens daß sie einem
Junker erlaubte, eines Tages als Umstürzler zu gelten,
weil er sich bei Hofe eine Zigarre ansteckte —, ungeheuerlich wie später die Tatsache, daß Eduard VII. als
Prinz von Wales eines Tages mit Bügelfalten in der
Hose auftrat, was bis dahin als schäbig galt. Oder war
das Ereignis, hier wie dort, Symptom gesellschaftlichen
Verfalls durch Angleichung an vulgäre (Un-)Sitten?
Rückfall wird sein, wenn eines Tages in unsern Landen

die Parole umgeht, die teutsche Frau rauche nicht. Das verschaffte uns dazumal eine der wenigen Gelegenheiten, öffentlich und laut zu lachen, und obzwar sie mit ihren Methoden uns das Lachen hätten vergehen lassen können, mußten die Nazis diesen Slogan wieder verschlucken; denn selbst wenn ihr Führer nicht rauchte und sonach Rückhalt für den Rückfall dagewesen wäre, auf die Rücknahme wird kaum die Rücksicht auf eine zigarettenkonsumierende Bonzenbaba Einfluß gehabt haben; der Anachronismus dieses Blut- und Boden-Schlachtrufs nötigte zum Widerruf, zweifellos in Form von Umsatzsteuerfragen, Banderolengebühren und drohenden Arbeiterentlassungen. Den Kaffee unterschlugen sie uns ja; aber konnten sie ihre Präventivkriege projektieren und den Landsern befehlen, ohne die Pfeife des Generals von der Tann siegreich Frankreich, Polen und die übrige Welt zu schlagen? Sie hätten uns ebenso das elektrische Licht als jüdische Erfindung Emil Rathenaus abstellen können — was sie dann sogar taten, zwecks völliger Verdunkelung unseres Vaterlands. Kurz: die Parole gegen den Tabak bestand vor der Realität nicht mehr. »Die Zigarre raucht der Mann«, lautet der Werbetext einer Kampagne zugunsten der Zigarre, und wenn wir auch sachte lächeln, weil wir das keinesfalls so verstanden wissen wollen, als ob nur Mann sei, wer Zigarre raucht, so ist damit gemeint, daß die Zigarre ein unbestreitbares Insignum des Mannes ist. Ist es sakrilegisch zu behaupten, von Tizian gemalt würde jetzt selbst Kaiser Karl v. mit der Zigarre in der Hand erscheinen können, von Lucas van Leyden gestochen Kaiser Maximilian? Monets ›Dr. Le-

clenche‹ versteht sich 1864 schon gleich gelassen mit
der Zigarre wie Bonnards ›Geheimrat Stuhlmann‹
1913. Es mag Ritardandos geben, und sanft spöttisch
fragen wir, ob Fritz von Uhde seinen Heiland zwischen rauchenden Arbeitern hätte auftreten lassen können. Ritardandos gab es. 1857 — und jetzt sind wir
bereits nicht mehr allein auf die Maler angewiesen —
photographiert sich Karl Dauthendey, einer der ersten
Lichtbildner, mit der Zigarette (Zigarette!) sozusagen namentlich; das finden wir in einem Band früher
Photographien; unbenannt hingegen bleibt dort die
Dame, die sich um 1865 in Paris mit einem Glimmstengel hat ›abnehmen lassen‹. George Sand ist sie gewiß nicht, wiewohl ihr so viel Schamlosigkeit zuzu-
trauen wäre! Nahezu gleichzeitig malt unser Wilhelm
Leibl die ›Junge Pariserin‹, 1869, und ha!, da haben
wir es ja. Denn nicht nur, daß die Person, die aus-
geschamte, statt einer Zigarette eine Pfeife raucht,
vollendet demimondän, und daß sie so auch aufs Kana-
pee, ach was, auf die Bergère gelagert, hingeräkelt ist,
wie eine echte Dame sich niemals hinlümmelt; im Kata-
log des Wallraf-Richartz-Museums Nr. 1170 steht rechtens und zur Warnung für Kölner Höhere Töchter, die
in die Galerie geraten: »Sogenannte Kokotte«. Prima
primissima, und Bärbel oder Ursel fragt: »Was ist denn
das, Fräulein Oberlehrer: eine cocotte?« Fräulein
Oberlehrer geht schleunigst zur ›Alten Pariserin‹ weiter, ebenfalls von Leibl, auch 1869, Katalognummer
1169. Nicht auszudenken, daß all das ein Originalköl-
ner verbrochen haben soll; schrecklich. Aber diese Maler, das ist eben ein Volk. Vorhin, im Kupferstichkabi-

nett bei Albrecht Dürer, auf den doch Verlaß sein sollte, weil er ein Klassiker ist, ein Blatt namens ›Liebes-
handel‹. Wäre kein Wunder gewesen, wenn die Person
auch noch geraucht hätte.

Ein Völkchen sind sie, und Dokumentatoren dazu,
jedenfalls mitunter, und jedenfalls für unsere Zwecke
gerade recht. Denn nun erhält jener frühverstorbene
Maler Jan van Mieris mit seinem Selbstbildnis endlich
seine Nachfolger, und ihre Zahl ist Legion. Da ist
Ernst Ludwig Kirchner mit der Pfeife, Franz Marc
ebenfalls, Max Beckmann mit der Zigarre oder der
Zigarette, Liebermann mit der Zigarette, Heinrich
Zille mit der zerknautschten Zigarre, Max Unold mit
der Pfeife . . . und alles ist ein großes Bekenntnis aller
zum Fest des Rauchens. Bei den Musikern und den
Schriftstellern wird das nicht ganz so augenfällig; aber
von Beethoven über Brahms bis zu Richard Strauß
Musik ohne das Stimulans des Tabaks? Thomas Mann,
Gerhart Hauptmann. Alma Mahler zufolge hat Franz
Werfel sich beinahe zu Tode geraucht. Einst hatte Johann Sebastian geraucht und zwar, mit Verlaub zu sagen, wie ein Schlot. Wir besitzen noch das Lied, das er,
seiner Frau Anna Magdalena ins Buch gewidmet, ver-
tont hat; es beginnt:

> So oft ich meine Tabakspfeife,
> mit gutem Knaster angefüllt,
> zu Lust und Zeitvertreib ergreife . . .

und endet mit den Worten:

> Ich kann bei so gehaltnen Sachen
> und bei dem Tabak jederzeit
> erbauliche Gedanken machen.

> Drum schmauch' ich voll Zufriedenheit
> zu Land, zu Wasser und zu Haus
> mein Pfeifchen stets in Andacht aus.

Wo mag der Gute nur zu Wasser geraucht haben? Auf der Pleiße? Die Behauptung hätte dem Amerikafahrer Lenau eher angestanden, der sein Loblied beginnt:

> Mein Pfeifchen traut, mir ist dein Rauch
> voll duftender Narkose
> noch lieber als der süße Hauch
> der aufgeblühten Rose.

Das ist eine gewagte Behauptung, in der Realität aber doch der Wahrheit entsprechend. Denn auf Herz und Gewissen befragt, wer von uns Rauchern möchte, solange in unseren Zimmern die der Frau Gemahlin dedizierten Nelken duften, auf das Rauchen verzichten? Dennoch soll der sonst so scharfsinnige, freilich in rebus literaricis wohl gerechtfertigte Grillparzer repliziert haben:

> Ich begreife,
> daß du vorziehst deine Pfeife
> Rosendüften zart und sanft.
> Jeder liebt, wie er empfindet;
> deine Glut, sie wärmt und zündet –
> aber auch, mein Freund, sie dampft.

Ob der gelehrte und belesene Herr Archivdirektor nicht Johann Christian Günthers ›Lob des Knastertobacks‹ gekannt hat?

> Nahrung edler Geister,
> aller Sorgen Meister,
> du mein Element,
> was man jetzo Knaster nennt;

komm und laß die müden Sinnen
wieder Ruh' gewinnen.

Diese Verse stammten von einem Herrn, mit dem ein
künftiger Reichsrat wenig zu tun haben wollte, von
einem notorischen Trunkenbold und außerdem aus
einer Zeit, in der, Anfang des 18. Jahrhunderts, das
Rauchen noch längst nicht gesellschaftsfähig war. Dazu
verhalf ihm eher, fünfzig Jahre später, 1783 ein Mann,
der Grillparzer zumindest im Amt ebenbürtig war:
Präsident des evangelischen Konsistoriums zu Colmar
namens Gottlieb Konrad Pfeffel, mit einer Ballade ›Die
Tabakspfeife‹; und mag sie auch leicht rührselig sein,
so beginnt sein hohes Lied auf die Pfeife mit einem
Satz, der eigentlich der berühmteste Slogan genannt
werden darf, den es auf unserm Sektor überhaupt gibt,
nämlich mit dem Satz:

Gott grüß euch, Alter! — schmeckt das Pfeifchen?

O ja, oder auch: o weh!; nun müssen wir leider nochmals an unseren Freund mit den Hunde- und Hirsch-
kopfpfeifen denken, denn das Poem fährt fort:

Weist her! — Ein Blumentopf
von rotem Ton mit goldnen Reifchen!

— aber da dieser Kopf »vom brävsten Mann« stammt
und der Preis der Pfeife aus freier Hand auf zwei Dukaten geschätzt wird, was heutzutage mindestens dreißig Mark bedeuten würde, so lassen wir keine Einwände in rebus literaricis wie in rebus aestheticis gelten; ja, wir sind literarisch sogar ganz besonders ge-
rechtfertigt; denn gibt es in der gesamten Weltliteratur

eine Strophe, die das Rauchen gültiger sowohl als hingebender feiert als der Satz:

NB.: unser Alter trug nämlich das Ding in seinem

> Vor Prag verlor ich auf der Streife
> das Bein durch einen Schuß ...

Stiefelschaft bei sich; deshalb fährt er fort, und das müßte in güldenen Lettern gedruckt werden:

> ... da griff ich erst nach meiner Pfeife
> und dann nach meinem Fuß.

Dadurch, einzig dadurch, wir bitten dies gebührend zur Kenntnis zu nehmen, stehen der Herr Konsistorialpräsident Pfeffel nicht nur in der Geschichte der Literatur, sondern auch in der Tabaksgeschichte und zwar gleich neben oder nur ganz wenig hinter dem guten König Franz II. von Frankreich, der lediglich weiterlebt, weil er uns den Tabak beschert hat, und kaum noch hinter dem Prinzen Louis Ferdinand von Bourbon Conti mit den achthundert Schnupftabaksdosen. Byron war ein Liebhaber des Tabaks, Thackeray auch; aber sie bestehen durch ›Manfred‹ und durch ›Henry Esmond‹. Vorsicht hier und nicht aufstehen, den ›Esmond‹ aus dem Regal nehmen, liebevoll abpusten und darin versinken! Da wäre dem Pfeffel — jetzt bitte Pardon geben! — eher der Graf Leo Tolstoi beizuordnen, der, einer der gewaltigsten Raucher in oben zitierter Weltliteratur, sich gleichfalls mit einem Schriftwerk in die tabaküöse Unsterblichkeit einzulassen versucht hat, mit seiner Schrift ›Lasterhafte Genüsse‹. Kennt jemand sie? Wir kennen ›Anna Karenina‹ und ›Krieg und Frieden‹ und wer weiß was noch alles, ›Macht der Finster-

nis‹, ›Auferstehung‹ — aber da fängt es schon an, da
rächt sich aller Verrat. Und mag er uns und das Rauchen getrost verleumden, das nimmt ihm niemand ab;
und es ist hier bei ihm wie mit der Liebe, die er erst
ausgiebig genießt und dann, als er ausgedient hat, als
sündig verschreit. Das ist also kein Kronzeuge. Als der
Autor von ›Krieg und Frieden‹ bleibt er Kronzeuge für
uns, da er bei der Abfassung vermutlich hundert, ach
was, tausend Zigarren verraucht hat, von den Papyrossa zu schweigen.

Kunst gedeiht selbstverständlich auch ohne Tabak,
obwohl wir unentwegt meinen, der Tabak habe gerade auf diesem Sektor einen Auftrag zur Steigerung.
Doch davon nicht jetzt. Amüsant ist jedenfalls die
Kunst als kulturpsychologischen Spiegel zu gebrauchen. Die Prähistoriker tun das ja immer, und von
Mißbrauch reden dann nur die Humorlosen — ganz
abgesehen davon, daß sich die Artefakte seit je dazu
anbieten; als ob sie um besseren Gewissens willen
zweckvoll dienen möchten, von Adriaen Brouwers
›Rauchern‹ bis zu Menzels ›Frühstück‹. Das ist eine
kleine Studie gut zweihundert Jahre später, auf der ein
Herr in hartem Hut und Havelock, mit vollem Bart
und Schirm, forschen Schritts und überhaupt forschen,
gar ideologisch-ostelbischen Gebarens ein Café verläßt.
Zwei Eier im Glas hat er ›intus‹ sowie einen Cognac.
Ein ganzes Filmfeature ließe sich ablesen von der Art,
wie der Mann die frisch angesteckte, von keinem Zweifel an ihrer Gehörigkeit verstörte Zigarre im Mund
hält. Sie eilt ihm geradezu voraus und signalisiert mit
ihrer brennenden Spitze den Herrn Rechnungsrat, der

höchst ostentativ den Amtsgeschäften zustrebt, Ressort: Bewilligungen, was im wohlverstandenen patriotischen, auf König und Vaterland eingeschworenen Sinne Nichtbewilligungen heißt. Blicklos der Mann, weil er nach erster morgendlicher Sättigung ganz in der Labung durch die ersten morgendlichen Züge Tabakrauchs aufgeht, aber auch, weil solch ein hohes Tier einzig das noch höhere, das allerhöchste Interesse im Auge haben kann. Ein Wehrhan denn, von Emil Jannings dargestellt, der das ursprünglich einmal gekonnt hatte: die hochgestapelte Respektabilität, deren Brennpunkt die reputierliche, die reputierende Zigarre bildet, Distanz weniger gebietend als heischend, prononciert jovial, dem gemeinen Volk jedoch nur zugewandt, sobald die Mutter Wolfen bei der eigenen Frau wieder waschen soll. Hier, im Kaffeehaus hochgeschlossen, unnahbar somit an dem Fensterputzer auf der Leiter vorbei; um der Unantastbarkeit der Staatsordnung willen keinerlei Interesse für dergleichen, weil der Verbrüderung verdächtig. Gedienter Mann das? . . . aber nicht 'mal befördert, wie? Wohl ungern Soldat gewesen, scheint's. Unzuverlässiges Element aus der SPD natürlich. Da stößt die Zigarre eine Wolke aus, als müsse sie so viel Unverschämtheit schamvoll verhüllen. »Moj'n!« Nichts daran ist Kabarett oder Sketch; das wäre Zille vor ›Schultzes Sargfabrik‹, wo der Fensterputzer gleichsam in zwei Exemplaren auftritt, noch mit der Zigarette im Mund, ehe er »bei den Preußen«, so »geschliffen« wird, daß er wenigstens als Fensterputzer nützliches Mitglied einer hierarchisch gestuften Gesellschaft werden kann. Hier also, bei Menzel, an einem winzigen Neben-

werk ein Bild voller verschworener Zigarrenexisten-
tialität, der keiner mehr zu entsagen gedenkt, wenn er
sie sich einmal mühselig zugeordnet? Und demgegen-
über, im Anfang des Raucherzeitalters, auf Brouwers
›Rauchern‹ die Pfeifen noch völlig gemeiner Genuß,
damit Symptom des Entschworenen, des Niederlebens
noch, wo Verruf nichts ausmacht, wo niemand etwas
tut, was höheren Orts gern gesehen — weil wir ohne-
dies in Mißachtung dahintreiben bei Bier und Gegröhle
und eben auch Pfeifenqualm. Nicht minder entlarvend
das durch die völlig unprätentiöse Wiedergabe eines
Vorgegebenen eben mit dem dokumentarischen Sinn,
der diesem Meister vor vielen anderen, anekdotischer
malenden, auszeichnet. So ein Kerl wie der links, der
sich die Pfeife mit lumpenproletarischer Großspurig-
keit per Fidibus anzündet, spiegelt er trotz sozialer
und historischer Entfernung nicht doch etwas von uns,
sozusagen gleich einem Ahnen aus neandertalischen
Vorzeiten? Und — wie hat Fontane gelehrt —: daß die
Hauptsache stets im Nebensatz steht? — sind die beiden
anderen Rauchkumpane nicht genauso typisch in ihren,
unseren Verfassungen ertappt, der eine, während er
mit dem kleinen Finger die Asche seiner Pipe nach-
drückt, um sie zu ein paar restlichen Zügen noch einmal anstecken zu können, und der andere, dem der
Rauch genießerisch in Kringelwölkchen aus den halb-
geöffneten Lippen streicht, während er den Becher so
fest wie die Pfeife hält, den Krug mit Bier in greif-
barer Nähe? Fängt uns das nicht ein von damals bis
heute? ... wiewohl der Herr Rechnungsrat kaum gern
mit solchen Vorfahren behelligt werden möchte.

Zigaretten-Moritat: *Um solcher Typik willen, die uns darstellt und auch entlarvt, ist nicht Zille mit seinen Typen der
Mann, der uns Raucher dokumentiert. Es drängt uns
längst, von der Zigarette zu sprechen, und es könnte scheinen, bei ihm erhielte sie Gestalt als die Zigarre des kleinen
Mannes. Aber in seinem Milljöh ist sie nur Akzidens, und
geistreich ließe sich formulieren, nur wo sie das wirklich
ist, nämlich außerhalb des Bildlichen, und nicht zur wit-
zigen Pointe wird, ist sie typisch. Akzidens ist die riesig-
lange Pfeife des alten Türken auf Pietro Longhis ›Gaukler‹-
Bild, auf dem sie einen Nebeneffekt beisteuert zu dem übrigen Maskenpack. Akzidentell scheint uns auch die Zigarette auf jener unerhört männlich hingebürsteten Kreide-
zeichnung der Kollwitz zu sein, dem ›Pariser Kellerlokal‹.
Denn gerade weil hier auch Weibsbilder mit im Bilde sind,
ist das Blatt nach zweieinhalb Jahrhunderten das gültige
Gegenstück zu dem Brouwerbild, freilich um eine Substanz*

vermehrt und sonach andrängender, zudringlicher, ver-
mehrt um ein soziales Pathos, das dem Brouwer fremd sein
mußte, weil er sonst die Legitimität seines Genres verdor-
ben hätte, und in dessen Hintergrund die usurpierte Gel-
tung des Herrn Rechnungsrats giftet. Hier, bei der Koll-
witz, sind Suff und Paff nicht schlechthin ordinäre Stimu-
lantien ordinären Volks, sondern dessen Quietive. Herr
Rechnungsrat begreifen das auch heute noch nicht. Was bei
Brouwer Gegröhle, ist hier Liebesgemunkel, aus sehr keller-
haftem Eros natürlich; zum billigsten Rotwein bequemt sich
die Zigarette selbstverständlicher, und das lallende Mensch,
das sich an den Ofen lehnt, während der Kerl links einer
Andern an die Brüste tatscht, eint die Zigarette mit dem
Kanalarbeiter rechts vorn aus gleicher Gepflogenheit, als
wolle das heißen: wir rauchen gemeinsam, wie wir gemein-
sam fressen, saufen und so weiter; welche Gesellung! Und
Rauch schwelt nicht mehr, sondern die ganze Malerei löst
sich in Weindunst, Tabaksqualm und Funzellicht ein und
auf: Kreatur am letzten Tor; dahinter lauert das bare Elend.
Mehr als der Wein, mehr als der Spelunkeneros ist dann die
Zigarette Trost: »Laß mir auch noch einen Zug« — woher
kennen wir eigentlich alle das? Sollte uns, in verrotteten
Träumen, derlei schon begegnet sein? Oder wo sonst war die
Zigarette der letzte Luxus gewesen, der sich noch erlaubte?
    Zu solcher äußersten Pointe, nichts du von Zille!, taugt
nur sie.

Die Zigarette. Krieg und Sieg

Auch sie stammt von der iberischen Halbinsel, wenigstens was ihre Ausbreitung auf dem europäischen Kontinent anlangt. Erfunden worden ist sie in Brasilien,
dem Verlauten nach; denn uns wird erzählt, daß die
einzige Frau, die Casanova (1725–1798) abgestoßen

habe, eine Brasilianerin gewesen sei, die er in Spanien getroffen und die ihm zu sehr nach Zigarettenrauch geduftet habe. Also mindestens zweihundert Jahre alt ist sie, die Zigarette, und wenn wir uns wie Casanova verhalten wollten — und welcher Mann hätte nicht einmal davon geträumt —, dann stürbe die Welt langsam aus.

Von Spanien ist die Zigarette nach Frankreich gelangt, wo sie selbstverständlich im Sündenbabel Paris nach der vorigen Jahrhundertmitte bald in vieler Leute Munde gewesen sein soll. Napoleon III., der unglückliche Verlierer der Schlacht von Sedan sowie Freund Merimées, Gatte Eugénies, dazu Sieger von Solferino, soll ihr leidenschaftlicher Verehrer, und das heißt, Verbraucher gewesen sein. Da nun Soldaten in ihrem Feldherrn stets ihr Vorbild erkennen, führten sie die Zigaretten auch auf den Kriegsschauplatz der Krim, wo sie sie den verbündeten Engländern und Türken, auch den anwesenden Militärattachés der Österreicher kameradschaftlich zum Probieren überließen. Und nach glorreichem Sieg über Rußland verbreiteten die Angehörigen der Westmächte solche Kleinzigarre, Zigarette genannt, auch in ihrer Heimat. In den Feldlagern zu Solferino und Paris hat sie mithin bereits geglommen, allerdings noch nebenbei; die Zigarre war bei den Herren Offizieren, die Pfeife bei den Mannschaften weiterhin an der Herrschaft. Von Priem und Schnupftabak schweigt hier die Amateur-Historie.

Immerhin drang seitdem die Zigarette nicht nur auf dem Felde der Ehre, sondern auf dem mindestens ebenso ehrenhaften Felde des Zivil langsam vor, wiewohl bekümmerlich ist, daß es noch immer vorzüglich die Raubzüge sein müssen, die als Promotoren der Raucherleidenschaft fungieren. Natürlich liegt das daran — und unsere weiblichen Rauchgenossinnen mögen das gefälligst entschuldigen — es liegt an der Männerbündelei allen Kriegertums. Zudem findet sich der Soldat so stark auf den reinen Vollzug von Existenz zurückgeworfen, daß ihm das Rauchen seine extraordinäre Situation ertragen hilft, ganz davon abgesehen, wie sehr gemeinsam zu rauchen nach Wochen und Monaten engsten Zusammenseins Ersatz für längst erschöpftes Gespräch und kameradschaftlicher Kontakt ist. Gute Frauen spüren dann auch nach Kriegsende, wie sehr ihnen hierbei Partnerschaft verwehrt wird, und der noch immer nicht ganz überwundene Spott gegen die Blaustrümpfe rührt vielleicht daher, daß sie sich dennoch eines Tages rauchend in die männlichen Tabakskollegien eindrängen, obzwar gerade die Zigarette solche Ausschlüsse auch wieder aufhebt. Davon sogleich. Vorher haben wir zu sagen, daß die Frauen im allgemeinen von der Pfeife als dem männerbündlerischsten Rauchinstrument ausgeschlossen bleiben. Einer unserer jungen Freunde, Anselm, schickt uns neulich einen Zeitungsausschnitt zu, auf dem im Scherz, aber nicht ohne realen wie reellen Hintergrund, ein Fräulein Christel die gewisse Eifersucht der Frau auf die Pfeife gesteht, die der Mann »in stummer Zwiesprache und selbstzufrieden pafft«; und wenn wir Männer aus dem Dreißigjährigen Krieg erst mit ihr, der Pfeife, aus der Achtundvierziger Revolution mit der Zigarre und aus dem Krimkrieg endlich mit der Zigarette heimgekehrt sind, so brachten wir sie unter Umständen wie eine Trophäe mit, die die Frauen nichts angeht?

Freilich, ein wenig verrät uns nun die Zigarette, und zwar, weil ihr jede Exklusivität mangelt. Das liegt an ihrer Wendigkeit: Hans Rauch in allen Gassen. Sowohl die Pfeife wie die Zigarre rauchen und haben trotz allem geraucht die Frauen, und wie wir in Kopenhagen erleben, kann das vom Vereinzelten zum Allgemeinen gehen. Anderseits kam es uns nur als Sonderentwicklung vor; denn zigarrenrauchende Frauen im Hydepark oder im Bois de Boulogne wie dort im Tivoli? In Vincennes mag hinter der Registrierkasse eines Bistro die Patronne an der Zigarre saugen; typisch ist das nicht. Zigaretten ja; die raucht die Squaw in Peru und die Madame in Brüssel; die Squaw raucht auch Pfeife und Zigarre, die Chefin in Berlin-Steglitz nicht; aber es gibt keinen Kerl, der die Zigarette schiefer aus dem Mund hängen lassen kann als die Wirtin hinter der Tonbank in St. Pauli, die sich, anachronistisch jetzt, trotzdem Muttchen nennen läßt. Mit der Zigarette haben wir Neueren alle das Rauchen angefangen; sie ist zwar nicht für den Säugling da, und der erwischte Quintaner hat fünfundzwanzigmal abzuschreiben: »Ich darf keine Zigaretten rauchen«; aber der Satz lautet eigentlich: »Ich darf noch keine Zigaretten rauchen.« Fräulein Christel zitiert ihre Tante: »Wer nicht raucht, ist kein Mann.« Unsere Tanzstundendamen hätten uns nicht so leicht verziehen, daß wir ihnen auf die Füße traten, wenn wir nicht wenigstens geraucht hätten, mann- und männerhaft. Zum Dank boten wir ihnen beim Abschlußball, sobald die Mütter auf dem Dra-

chenfels dank intensiven Gedankenaustauschs nicht auf-
paßten, aus unserem versilberten Zigarettenetui pseu-
dograndseigneural ebenfalls einen Glimmstengel an.
Wieso haben wir uns den Unfug überhaupt angewöhnt? Geschmeckt hat das Zeug uns anfangs keineswegs. Trotz war dabei, Revolte, wie bei Raleigh und
bei Cromwells Soldaten, immer wieder; und in dieser
Revolte bewährten wir uns! Und zu solchem Trotz
eignete sich die Zigarette eben mehr als die Pfeife, al-
ein schon, weil sie sich rascher verzehrte und verräterische Spur auslöschte. Auch war sie, weil klein, trans-
portabler, leichter denn zu verstecken; gleichzeitig war
sie, trotz Trotzes, spielerischer, auch interimistischer.
Natürlich kann jedermann die Pfeife oder die Zigarre
ausgehen lassen; kein echter Raucher tut das; doch bei
der Zigarette ist es gang und gäbe. Allerdings hat Gebhardt erzählt, es fänden sich Leute, die zündeten sich
abends vorm Schlafengehen eine Zigarre an, täten ein
paar Züge und ließen sie dann erlöschen, um am nächsten Morgen nach dem Frühstück die erkaltete wieder
vorzunehmen. Es muß sich da um ungewöhnlich aus
gepichte Raucher handeln; eine solche Zigarre wird
ungemein schwer, offenbar des geronnenen Nikotins
wegen. Uns hingegen ist schon leidig, wenn sie während eines heftigen Disputs ausgeht; mit welcher Hast
setzen wir sie sodann wieder in Brand. Pfeife und Zigarre brauchen Muße; die Zigarette weniger; mit ihr
kann, wer will, ebenfalls revoltieren, insonderheit sie
sogar eine gewisse Hast des Rauchens charakterisiert.
Kurz, wie sie sich in jeder Richtung bequemt, das ist
ihr großer Vorzug vor Pfeife und Zigarre. Genau be-

dacht ist verwunderlich, daß sie ihre, wenngleich nicht ausschließliche Herrschaft, so doch ihre Prävalenz erst mit dem Weltkrieg 1914/18 erreicht; denn bis dahin ist ihr Vordringen zwar stetig, aber nicht sprunghaft. Wiederum mußten erst die Soldaten kommen, um ihr zum Triumph zu verhelfen.

Zigarettenparaphrasen

Sie ist, ursprünglich wenigstens, die diminutive Zigarre, an Format und an Wert; doch ist das lediglich phänomenal richtig, kategorial ändert sich das sofort, wie durch Mutation. Sie ist nicht nur dauernd präsent, von ihrer Eigenschaft als Präsent zu geschweigen, sie fügt sich auch leichter als der umständliche Zapfen der Zigarre oder der Kolben von Pfeife der Präsenz unseres Daseins. Noch ihre Glutspitze ist mit einem Wisch abzubrechen, wenn sie sich, von Mangelzeiten abgesehen, als geringes Wertstück nicht überhaupt beim ersten Anruf von außen wegwerfen läßt. So lebt sie in einer Art Daueralarm mit uns zusammen. Ihr Brand ist kurz, kann aber durch Reihung, wir sagen: durch Kettenrauchen beliebig ausgedehnt werden. Pfeifen- und Zigarrenrauchern gewährt sie keinen rechten Genuß, weil ihr Sog gering ist; sie tun unter Umständen Züge, die die Zigarette bis zu einem Drittel verzehren, und kommen sich wie Steher gegenüber Sprintern vor. Natürlich pflegen wir damit Vorurteile, und etwa das Selbstbildnis Anselm Feuerbachs mit der Zigarette wie seine schrecklich langweiligen Bilder deuten zumindest auf die Möglichkeit behäbiger Manipulation. Obwohl wir all dies nun mit leicht onkelhaftem Unterton konstatieren, müssen wir zugeben, daß, wie manche Zigarettenraucher dartun, ihre Gestik intelligenter zu spielen scheint, bis in die Mimik der Habitués hinein. Die beobachtete Schnute des Schiebers mit Zigarre findet sich höchstens bei, pardon!, anfängerhaften jungen Mädchen. Eine gut gerauchte Zigarette braucht nur unseren vordersten Lippenrand, und zweifellos liegt in solchen Äußerlichkeiten auch begründet, warum die Frauen die Zigarette bevorzugen müssen. Was sind wir Pfeifen- und Zigarrenraucher dagegen für plumpe Tapser und Papser, und fast müßten wir sagen, Zigaretten gehören nur in weiblich schlanke Finger — was natürlich ihre Verbreitung widerlegt. Dennoch provozieren die paar Gramm Gewicht eines durchaus konkreten, wiewohl zerbrechlichen Gebildes geradezu die sachten Silhouettierungen der Hand; und die eitlen desgleichen — nur daß hier die Zigarette an ihrer Grenze anlangt, indem sie, der Masse geweiht, sich entweihen muß. Anderseits: früher drückten die Maler ihren Porträtmodellen einen beliebigen Gegenstand in die Hand — das ist an zahllosen Bildnissen in unsern Galerien zu überprüfen —, den sie für alle Zeiten präsentieren und mit denen wir sie nun dummerweise identifizieren. Paßte da, statt eines Tüchleins oder einer Blume, oftmals nicht weit besser eine Zigarette in die mitunter verlegen beschäftigten Finger?

Womit wir anlangen bei einer der Funktionen, die Pfeife und Zigarre nur zum Teil mit der Zigarette gemein haben, nämlich beim Zeitvertreib oder noch schärfer: beim Vertrieb von Langeweile. Auch das hängt mit ihrer Fazilität zusammen. Eine beinahe prostitutive Gefälligkeit epidemisiert ihr Rauchen, als vermöge sie vermöge ihrer Kleinheit überall einzudringen, noch in unsere intimsten Lebenspausen. Möglicherweise hat sie um dessentwillen nicht ganz standfeste Pfeifen- und Zigarrenraucher in ihr Lager hinüberlocken können. Zudem hat sie etwas, wenn nicht zugewonnen, so doch herausgebildet, was die Amerikaner bei uns nahezu exemplarisch demonstriert haben, nämlich fast anmaßliche Saloppheit, die auf alles Zeremoniöse ›pfeift‹ um der Direktheit willen. War das Etui, in das wir daheim die einzelnen weißen Stengel sorgfältig einsortiert hatten, schon vorher der bunt oder charakteristisch aufgemachten Pappschachtel gewichen, so trat an deren Stelle vielfach die knappe Packung in Papier, die sich, bisweilen ziemlich ›zerknautscht‹, in die Jackentasche stopfen ließ. Allzu großer Knüll war insofern nicht zu befürchten, als sich die Hüllen rasch leerten. Wir schnipsen bei diesen Packungen mit dem Zeigefinger gegen das verschlossene Ende — einige Fans vermögen das aufs souveränste — zwei oder drei Zigaretten schießen hervor; jedermann bedient sich ohne Aufhebens, und dann stülpen wir mit gleicher Lässigkeit das restliche Bündel wieder in die Tasche. Ist es aufgebraucht, sühlt die Hülse überall herum, auf dem Kaffeehaustisch, im Eisenbahnabteil und auf dem Pult im Postamt; das streut sich dreist aus, streunt gar; nirgends im Stadtpark findet sich noch Morgensterns Butterbrotpapier; leere Zigarettenschachteln überall.

Die gesamte Bahnhofshalle ist übersät. Der Beamte, der sie auffegt, macht längst kein Aufhebens mehr von dieser sich in alle Poren ausbreitenden Schlamperei. Sie gehört zum Zigarettenkonsum und ist zugleich unentgeltliche Reklame der Zigarettenfabriken, deren Umsatz sich hier ablesen ließe wie deren Wettbewerbsfähigkeit. Unter Umständen dürfte ein Statistiker nachprüfen, in welchem Umfang die soeben an allen Litfaßsäulen gestartete Werbekampagne für ›XY‹ Erfolg gehabt und, bis zur Gegenkampagne der Konkurrenzfirma, Terrain auf dem Schlachtfeld gefallener Zigarettenpackungen erobert hat. Schüttelt uns nun das Grauen und sehen wir die ganze zivilisierte Welt eingeregnet und erstickt von Papphülsen für Glimmstengel! Wir waten hindurch; immer höher schwillt der Berg; wir rudern mit allen Gliedern; aber dann sinken wir, und wenn wir nicht rechtzeitig aus dem Alptraum erwachen, werden wir darin untergehen. Das würde der endgültige Triumph der Zigarette sein — und ihr Ende mit dem Ende ihres Verbrauchers.

Aber dazu kommt es nicht, weil die Zigarette mehr ist als Rauchgenuß, auch mehr als Nikotinsucht. Beides teilt sie mit Pfeife und Zigarre; wir versuchten das anfangs zu formulieren als ihren Beistand in unserer überkonzentrierten Welt. Nur leistet das die Zigarette, wenn nicht intensiver, so doch umgreifender. Sie ist unsere Gebetsmühle. Millionen, Abermillionen greifen morgens beim Erwachen ungesäumt zur Schachtel und stecken sich die erste Zigarette an, während sie sich den Federn noch gar nicht entringen. Sie waren mit der letzten eingeschlafen, und einige Tausend Zigarettenraucher sind damit in Flammen aufgegangen; die Polizeiberichte belegen es. Ein paar Zehntausend mindestens erwachen nachts halb drei Uhr aus dem ersten Schlummer, und ehe sie die zweite Runde antreten, verqualmen sie eine Zigarette. Der nun nicht mehr unentwegten, sondern der absolut verfallenen Zigarettenraucher ist Legion. Wundert einen noch, daß in der tabakkargen Zeit um Zigaretten gemordet wurde? Wir bringen einander ja auch um anderer Währungen willen um. Niemand übrigens wird nachweisen können, daß die Zigarettenfans die schlechteren Menschen oder gar die schlechteren Arbeiter sind; nur brauchen sie diese Mittel zur ständigen Bereitschaft. Nicht immer etwa kennzeichnet sie etwas Hektisches; die meisten frönen ihrem Laster mit Gelassenheit. Hinzukommt, daß wir und eben erst seit unserm Zeitalter so gründlich auf Präsenz gezüchtet sind, daß wir weder Hand noch Mund ruhen lassen können, ohne sie zu langweilen. Wir treten an eine Straßenkreuzung; Rot versperrt den Überweg; automatisch greifen wir während der kurzen Zeitspanne, wie wir auf Grün warten müssen, in die Tasche und holen uns eine Zigarette hervor. Es bleibt uns auch nichts anderes übrig; es wird uns vorgeschrieben, rechts, links, vorn, über uns, an der Grand Opéra, am Piccadilly Circus, am Stachus, vom unausweichbaren Blick zu den leeren Schachteln vor unsern Füßen und von den Reklamen. Die Werbefachleute im strammen Dienst der Volksvergiftung fangen uns an allen Ecken und nicht erst Enden; sie fangen uns mit unserm Fernweh nach Northstates oder an den Nil; sie ertappen uns als Pairs oder Lords bei unserer Großmannssucht. Rauche, staune mit guter Laune; leicht und mild, aber mit Profil; Mischungen von höchster Reinheit, was die Quadratur des Kreisels bedeutet; aber was tut's; wir gehen darauf ein, auch wenn wir keinen Frack tragen, weder Polo spielen noch in fremde Lande reisen. Stimmt denn die Rechnung nicht, daß uns der Glimmstengel in andere, na nun nicht Regionen, aber doch in andere Verfassungen versetzt als unsere triviale? Er ist ein Zaubermittel voller höchst intriganter Kräfte. Freilich, wenn wir mit ihm auch den feinen Mann spielen, gleichsam innerlich im Smoking — (to smoke — rauchen) —, während wir im Overall unser Moped putzen, so eignet ihm keine verspielte Prinzenherrlichkeit; Kalkül ist in solchem Verwandlungsakt, nichts Enthebendes wie beim Wein, vielmehr etwas Schärfendes, Aus- und Abrichtendes. Im Vergleich dazu heimelt die Pfeife an, so wie die Zigarre reserviert – indes die Zigarette eine knappe und prompte Injektion darstellt, setzt doch bereits die Häufigkeit, mit der wir uns zu ihr entschließen müssen, eine andere Bereitschaft voraus. Der heikle Brief, um den wir uns am liebsten drücken möchten, läßt sich nur diktieren, wenn wir eine Zigarette aus der Packung knipsen, das Feuerzeug anreißen, drei heftige Züge ausstoßen und, nach tiefer Inhalation, in medias res springen. Die notwendigen Sätze brechen wir brüsk aus uns heraus, und uns ist, als ob der Rauch das befördere, während wir die Zigarette barsch verbrauchen, mißbräuchlich fast, zu einem Dienst und nicht zum Genuß.

Wir krochen aus Luftschutzkellern und Schützengräben, um zuerst nicht die Pfeife zu stopfen — das entsprach der Situation nicht genau, war nicht ihres Stils — sondern um die Zigarette anzuzünden, drei Züge zu tun, sie dann der Frau oder dem Kameraden weiterzureichen; und wenn wir uns anschicken, diffizile Verhandlungen zu führen, solche, in denen es um Nuancen der Formulierung geht, gefährliche gar, da spitzt die Zigarette uns so zu, als symbolisiere sie mit der Kürze ihrer Dauer den Grat, auf dem wir balancieren — währenddes die Pfeifen- und Zigarrenraucher sich unbeteiligt räkeln. Derlei ist nichts für sie; ihnen wollen Pauschalen genügen.

Damenzigaretten

Was wir so zu umschreiben versuchen, trifft gewiß für das Gros der Zigarettenraucher nur bedingt oder eben nur zeitweilig zu. Für die Gesamtheit bleibt es — im Einzelstück billiger, in summa kostspieliger — Zeitvertreib, wenn sie Zigaretten raucht. Demzufolge, ließe sich behaupten, übernimmt die Zigarette fast die Funktion sozialen Ausgleichs, durch die weitgehende Egalität des Preises schon gar, wenn auch wieder leicht hochstaplerisch mit Astor und Gentry. Gleich macht der leichte Vollzug. In Hamburg-Horn auf der Rennbahn begrüßen die Leute auf den billigen Plätzen einander anders als die Herrschaften auf den Tribünen; Handkuß gegen das Tippen an die ins Genick geschobene Mütze. Die Zigaretten bieten und zünden sie jedoch einander in gleichem Modus an. Gestalt und Verbrauch entsprechend lassen die Zigaretten das anders

gar nicht zu, und vielleicht ist es gewagt, das schlechtweg zu erklären, aber glaubhaft ließe sich machen, daß
die Frauen sich der Zigaretten ebenso hochstaplerisch
bemächtigt haben, nämlich um sich, da die Verfassungen es noch verweigerten, durch gleiche Gewohnheiten zu emanzipieren. Von konservativen Großvätern
abgesehen, war dabei einzig ernsthafter Gegner der
schlechte Teint, den die Zigarette bewirkte. Dagegen
aber halfen Kontrollen, und notwendig zählten auch
diese zum Komplex von List und Verschlagenheit, mit
dessen Hilfe die Frauen sich eines männlichen Zeichens, des Zeichens der Gleichberechtigung versicherten, durch Scherz des Nichtzustehenden, durch vorge-
täuschtes Spiel, durch Hosenrolle. Die dummen Ge-
genargumente — steigende Zahl der Fehlgeburten bei
Raucherinnen etwa — ließen sich prompt widerlegen.
Immer fangen wir Männer damit an, daß der Kaiser
Soldaten brauche. Aber schön, diesen Gegenbeweis treten sie ungeniert an, und ihretwegen stirbt die Welt
nicht aus. Mütter waren lange entrüstet über ihre un-
schön qualmenden Höheren Töchter, besonders Schwie-
germütter über Schwiegertöchter, die dem Sohn das
sauer verdiente Geld in die Luft jagten. Hätten sie
nicht heimlich stolz darauf sein sollen, daß die legiti-
men Erbinnen ihrer Macht sich hier Privilegien aneig-
neten, zu deren Erlangung ihnen die Kraft gefehlt? So
lauerte auch hierin die Verschlagenheit der Zigarette.

Und dann vereinfachte sich die Situation rasch. Das
Mädchen im Büro tat die gleiche Arbeit wie der junge
Mann und sollte auf seine Insignien verzichten? Aller
Streit ist längst begraben; in die feinlackierten Finger

und zwischen die rotgefärbten Lippen unserer Frauen paßt derzeitiger Meinung nach das zierliche weiße Ding durchaus — und ob sie, nach dem Hingang der Schnupftabaksdose, ein Jahrhundert lang auf die passende Gelegenheit gespitzt haben sollten, diese bereits von Geburt an gewitzten Frauenzimmer, bis sie das ihnen an- und zustehende Rauchutensil fanden, ach was: bis es sich fand, bis es sich einfand, das ist gar nicht mehr zu erörtern. Ritardando: es gibt — pardon! — Weibsbilder, die rauchen wie ein Kerl, scheußlich anzusehen, eine Zigarette nach der andern; aber die hat der liebe Gott in seinem Zorn erschaffen als Menetekel, nicht so zu tun wie sie, die, was Männern weit seltener widerfährt, im Spiel das Spiel vergessen. Und hierzu noch dies: Es gibt und zwar anerkanntermaßen die Frauen, die für ihre Arbeit längst nicht mehr auf das Rauchen verzichten können, und so gelten alle angeführten stimulativen Elemente des Tabaks auch für sie. Wieso denn nicht, da diese unsere Welt ohne weibliche Aktivität gar nicht mehr vorzustellen ist. Trotzdem, jede Frau raucht, zumindest wenn ihr ein Mann gegenübersitzt, außerdem aus erotischer Intriganz. Gehen wir zu weit, wenn wir in weiblichen Händen der Zigarette eine Eigenschaft zuordnen, die sie vordem, in männlichen Fingern, nicht gehabt hat? Leibl hat seine ›Kokotte‹ vor bald hundert Jahren gemalt, aber ein Hauch davon, ein Air von harmlos verwegener Gefallsucht, züchtig lasterhaft, hängt den Raucherinnen noch immer an. Und wenn ein Gesetz herauskäme, das jede Frau verpflichtete, zu rauchen, es wäre das weibliche Rauchen auch dann noch voller

Hintersinn; das ganze Gesetz wäre womöglich ein hinterlistiger Anschlag auf die männliche Moral. Ja, hat denn Großvater in seiner Weisheit das nicht befürchtet, als er seinen Töchtern das Rauchen verbot?

King Size (Filter)

Was wir dem noch hinzufügen wollen, ist der Hinweis auf ein Bild und ist die Behauptung, an ihm ließe sich wie aus einem Konzentrat ablesen, was wir soeben zusammengetüftelt haben; wir meinen Max Beckmanns Porträt einer Amerikanerin aus dem Jahre 1934. Beckmann ist kein Genremaler wie die holländischen Kollegen; bei Brouwer konnten wir von der Typik seiner Gestalten, der ihrer Gebärdensprache, von dem Bezug auf ein Milieu sprechen; in solchen Vordergründigkeiten bewährt sich kein Beckmann. Aber alles, was er dar- und vorstellt, bindet dieser Maler gleichfalls in ein Milieu, und ohne die Kette, das Kopftuch mit den Schleifen, den Rock, den Sessel und den Fensterausblick charakterisierte sich sein Modell unzureichend. Diese Leptosome mit den überstreckten Händen, dem gezogenen Hals, der queren Parallelität von Brauen, Augen und Mund ist sowohl ein prätentiöses Weibsbild mit allen Extravaganzen und Unberechenbarkeiten wie eine höchst bewußte, über jede bloße Triebhaftigkeit hinaus aktive Person, ganz das also, was wir summarisch eine moderne Frau nennen, eine von denen, die ihre Zigarette sowohl als kokettes, dem Schleifchen und der Halskette zugehöriges Reizmittel gebrauchen, es zugleich aber wie ein Miniaturszepter vorweisen, das einer Partnerin zusteht und doch seine Abstammung vom Circestab nicht verleugnet. Diese Frau ist gleichzeitig Dame, bewußt in der Distanz, wie hochwache Teilnehmerin am Zwiegespräch, die notfalls aufsteht — was Odalisken nie tun, obzwar etwas davon in ihr steckt — und die Distanzen hinter sich läßt. Beckmann liebt solche Vibrationen des Moments vor der Entscheidung, und nächst den Augen ist es tatsächlich der winzige weiße Strich der Zigarette, die all das ausmacht. Die Zigarette und natürlich die sie haltenden, leicht und preziös durchgedrückten Finger weggedeckt, das machte aus dem Modell ein lebhaftes Mannequin; deshalb gehören sie ins Zentrum des Bildes. Wir halten uns zudem nicht grundlos an Beckmann. Von dem einen Blatt, auf dem die Spindel der Zigarre fast das Gesicht zerschneidet, sprachen wir bereits. Sobald etwa Liebermann die Zigarette mitmalt, ist sie ein Requisit; bei Beckmann ließe sich fast einen manualen Tanzschritt nennen, hinterindisch, was er sein Rauchutensil vollführen läßt; bei ihm ist die Zigarette oder die Zigarre nun tatsächlich das geworden, was sie in unserer Zeit endgültig bedeuten muß: nicht Zubehör, sondern Mittel, um zu existieren. So weit hat es der Tabak, und sowohl bei Mann wie bei Frau, unter uns gebracht. Auf dem Selbstbildnis 1944 taucht Beckmann aus dem Dunkel entsprechend auf; hier ist die Zigarre kaum gemalt; sie ist eingeschmolzen in die Silhouette der Hand, die mit gar nichts anderem bedient sein kann als mit ihr. Und — das als Parallele zu der Amerikanerin mit der Zigarette — hier düstert ein

Mann uns entgegen, ebenfalls verhalten, doch ebenfalls imstande, jederzeit uns entgegen aufzustehen, der so nur in unsern Zeitläuften vorgestellt werden konnte. Das war ja kein Maler von Idyllen, sondern einer der Fuchtel; und auf dem Selbstbildnis mit dem steifen Hut, Radierung 1921, wo die Hand nahezu kapituliert, ist es, als stelle die Zigarette den letzten, noch glaubhaften Wert dar. Wer auf Himmelfahrtskommando ein paar Jahre vorher, ein paar Jahre nachher hat nicht aus diesem Bewußtsein die letzte Zigarette geraucht, diese Tabaksuhr, erbarmungsloserer Zeitmesser als die mittelalterliche Sanduhr, denn brennend. Auf Himmelfahrtskommando sind wir möglicherweise immer, und Schnaps hilft da nur zu betäuben und nicht, noch einmal in voller, in gesteigerter Intensität zu atmen — mittels Nikotin, inhaliert, so daß vor solcher Gegenwärtigkeit, Gewärtigkeit alles Illusionäre unrettbar verraucht.

Nun, wir wollen uns dabei nicht verlieren. Allerdings hat keiner so schonungslos wie dieser Maler unsere brisante Situation im Bild bezeugt. Wir spielen mit Feuer. Wenn wir schnupfen, können wir die Drüsen der Nase reizen, um Kopfweh zu lindern, wenn wir kauen, die Speicheldrüsen anregen, was unseren Zähnen wohltun soll. Dem Schnupfen und dem Kauen gegenüber hat sich, jedenfalls heutzutage, das Brennen durchgesetzt, gar offenes Feuer, wenn wir die Pfeife ausklammern. Allzu viel wollen wir damit nicht ins Symbolische rücken; aber wir wissen, daß der Glimmstengel Häuser hat in Flammen aufgehen, Fabriken explodieren lassen, Wälder dem roten Hahn überantwortet hat, und durchaus nicht immer zufällig. Strapaziert es unsere Sache zu sehr, wenn wir fragen, ob es uns nicht doch bezeichnet, daß wir im großen ganzen zwar höchst bedachtsam mit dem gefährlichen Element Feuer umzugehen wissen, aber uns insgeheim vergnügen, es mit jeder Zigarette herauszufordern? Und ohne daß wir uns jemals darüber Rechenschaft geben, ist in diesem Spiel mit dem Feuer nicht vielleicht doch ein äußerster, vertrackter Reiz in unserer Raucherlust verborgen, pyromanisch?

Quand il était couché au soleil, soit seul, soit avec un de ses amis,
il ne se serait pas dérangé pour un empire.

»... bei einer Pfeif' Toba - a - ack, bei einer Pfeif' Toback«, haben wir gesungen. Ob das Lied noch im Schwange ist? Ein völlig veraltetes Lied, für Zigarettenraucher ungeeignet, und Zigarettenraucher singen auch nicht; es gibt keine Zigarettenlieder. Gemeint war in dem Lied freilich kaum unsere Shagpfeife; die Laudatio galt der langen Pfeife, einem für uns zu verqueren Gebilde und auch unserem differenzierteren Tabaksgeschmack nicht mehr entsprechend. So behaglich es sein mag, in den Backenstuhl zurückgelehnt sie zwischen den Knien zu halten und ihre Füllung im Lauf einer Stunde aufzurauchen, so umständlich ist es, von Rückenbeugungen begleitet sie anzuzünden. Ein solider Fidibus muß zur Hand sein, und nach dem Vollzug sinken wir nicht grundlos ermattet in unser Stuhlgehäuse zurück. Einer Dampfmaschine gleich paffen wir zuerst große Wolken vor uns hin; dann, wenn alles klappt, bücken wir uns noch einmal und klappen den Pfeifendeckel zu; keine lange Pfeife kommt ohne ihn aus.

Gewiß nötigt die lange Pfeife uns eine genaue Gravität ab und zwingt so zu gemächlichem Rauchen; dennoch ist sie es selbst, die sich in unseren Tagen zum Aussterben nötigt. Wir wollen in gelassenem Genuß rauchen, nur tyrannisieren lassen wollen wir uns nicht. Etwas Statuarisches eignet ihr; unser alter Kavallerie-General gab solch ein Monument her, wenn er, Bauch nach vorn, einen Arm im Rücken und in der Rechten die lange Pfeife gleich einem Marschallstecken, patriotische Phrasen donnerte, oder Bismarck, wenn er als Groller im Sachsenwald zwischen Doggen, Lenbach und anderen Frondeuren saß. Höchstens der Pfarrer von Cleversulzbach ist noch ohne Komik mit der langen Pfeife denkbar; aus dem Biedermeier ragt sie zu uns herüber. Um so weniger hat sie mit uns zu schaffen.

Ins Museum mit ihr! Uns stört sie, und dorthin, in ein Volkskundemuseum wohlgemerkt, gehört sie neben die Eskimopfeifen aus Bein, die Schieferpfeifen nordwestamerikanischer Fischervölker, die sibirischen oder keltischen Tabakspfeifen, solche aus Gelbguß, Sumatra, solche aus Bambusrohr, Formosa; denn kostbar geschnitzte sind darunter, solche, vor denen der Rauchakt Neben- und Hauptsache die Aufmachung gewesen zu sein scheint. Uns Heutigen, die wir das Funktionelle bevorzugen, kommt dabei, wie bei der langen Pfeife, manches abstrus vor, und wir müssen uns erst streng daran erinnern, was alles reiner Spielfreude entsprungen. Da hatte es einen Holzknauf gegeben mit einem Astloch, das nachgehöhlt und an ein Weidenrohr gesteckt die Raucherpfeife herzauberte. So war die erste lange Pfeife der Glücksfall eines durchbohrten Meterastes gewesen; und andersmal beulte ein Knuppel nach vorn, wie eine Nase; und schabten wir rechts und links von ihr, auch ein wenig unterhalb, so lugte aus unserem Knust eine Fratze heraus. Je nach unserer Fertigkeit geriet sie genau oder ungefähr, stellte etwas von uns dar, war genauso wie der Griff unseres Wanderstocks ein Maskottchen, natürlich auch eine Maske, bei der Pfeife sogar noch mehr als beim Stock, der zwar beschwörend emporgereckt werden konnte als bannender Zauberstab, wohingegen die Pfeife selbst vor unserem Gesicht hing, zweites Gesicht denn. Und wenn wir das weiter verfolgten, dann kämen wir darauf, daß derlei uns barg. Je länger die Pfeife war, desto sicherer schirmte, gar entrückte sie uns durch Metamorphose, o Ovid, in andere, weniger greifbare Existenz, mehr und magischer noch als der Stock, der ein Degen und ein Hammer sein konnte, während die Pfeife glühte, Rauch ausspie und uns, dank ihres Giftes, in höhere Bereitschaften steigerte. Hinzutritt, freilich aus ähnlichem Bereich, Schmuckbedürfnis. Nicht alle Knäufe geben Fratzen her, wiewohl allen Larven, selbst oder gerade den groteskesten, ein dekoratives Element innewohnt. Nur, sobald das in jedem Pfeifengeschäft gegen Barzahlung und ohne weitere Verpflichtung zu erwerben ist, machen ihre Besitzer sich zum Tropf, und dem Läppischen sind keine Grenzen durch Mühe gesetzt.

Die lange Pfeife wich der halblangen, die halblange der kurzen. Selbstredend wagen wir jetzt nicht zu behaupten, weil die Kurze nur weniger birgt, hätten wir uns weniger zu feien als früher, wiewohl wir, sie scharf im Mundwinkel, uns gern in die zaubrische Figur des Sherlock Holmes umzudenken versuchen oder in den ausweichenden Globetrotter entrinnen möchten, Globetrottel, die wir dann sind. Lange und halblange Pfeife bestehen aus drei Teilen, die kurze aus zwei; das ist rationeller. Die Tonpfeife war einteilig gewesen, was seine Nachteile gehabt hatte. Zigarre und Zigarette zehren sich auf, während die Pfeife weiterdient. Ein guter Diener aber will gehalten sein. Es ist unvermeidlich, daß Pfeifen verstopfen. Zwei Dinge lassen sie verstopfen, nämlich Tabakkrümel und Nikotin, das, mit Spuren unseres Speichels vermischt, einen mählich sich dikkenden braunen Saft ausmacht, gewiß nicht sehr appetitlich. Die Shagpfeife läßt sich am bequemsten sauberhalten. Der Händler liefert uns dünne Drähte, die mit einem Wollpelz umkleidet sind, und damit putzen sich die Pfeifenstiele leicht; für den Hals des Pfeifenkopfes eignen sich am besten Federn von Tauben, die freilich in der Großstadt selten zu haben sind, zumal sie sehr sauber sein müssen; und auch unser sonntägliches Huhn im Topf liefert der Geflügelmann bekanntlich gerupft. Große Reinlichkeit gewährleistet einen ungetrübteren Genuß, und es gibt nur wenig Ärgerlicheres, als wenn wir rauchend über einer Arbeit sitzen und ein Tabakkörnchen blockiert den Durchzug. Gewiß hilft mitunter einfaches Durchpusten des abgedrehten Rohrs; ist es aber nicht sauber, sprüht das bräunliche Nikotin mit dem Störenfried heraus, und nicht jede Hausfrau läßt sich davon gern ihren Teppich besprenkeln.

Ausweis eines echten Pfeifenliebhabers ist jedoch, wie er den Pfeifenkopf selbst putzt; denn darin setzt sich Holzkohle an. Der Vater gab uns den Rat, dieses durchaus reinliche Sediment forsch auszukratzen, sobald er sah, daß sich unser Pfeifenbehältnis immer mehr verengte. Zugegeben, wir machen uns selten gern an diese Arbeit, doch will sie unter allen Umständen gut getan sein, in nicht allzu großen Abständen. Unser Händler bietet auch Pfeifenräumer feil, ein dreiteiliges Gerät mit einem Stopfer, einem Kratzer und einem, ja, wie nennen wir den lütten Eisenstiel, der sich als drittes Glied daran befindet? Jeder von uns besitzt es, nicht jeder benützt es, um damit den beim Entzünden leicht aufquellenden Tabak zurückzudämmen. A propos: Gäbe es ein Pfeifenrauchlehrbuch, dann erführe der Schüler, daß Pfeifenköpfe niemals bis zum Rand gefüllt werden sollen. Wieviel ein Raucher stopft, das kennzeichnet ihn, und hier wäre rasch jener hoffnungslos verdorbenen Raucher zu gedenken, die sich drei, vier gestopfte Pfeifen zurechtlegen, um sie hintereinander weg zu rauchen. Sie wären aus unserer Gilde auszumerzen; sie kennen die zarte Ungeduld nicht, die zwischen zwei Pfeifen einzulegen ist, um ihren Genuß zu erhöhen.

Am Pfeifenkopf, der eben sein zweites Gesicht ist, entdeckt der Raucher sich uns mithin an der Art, wie er ihn ›in Schuß‹ hält. Rauchphysiognomik. Der Eisenstiel an jenem Räuminstrument mag mitunter taugen,

ein im Pfeifenhals sich einklemmendes Tabakstück weg-
zustoßen; bei gut, nämlich geschmeidig, nämlich nicht
bröckelig gehaltenem Tabak bedürfen wir seines Dien-
stes so gut wie nie. Bliebe also der Kratzer. Auch ihn
haben wir selten verwendet; es läßt sich mit ihm kaum
kratzen. Wozu also der ganze Apparat? Sehen Sie,
selbst wenn uns im Eifer die Pfeife einmal zu hoch gestopft ist, bedienen wir uns des Zeigefingers und zwar
sachte; sachte, weil der Tabak glüht und wir uns ungern die Fingerspitze verbrennen, und so können wir
den Stopf auch nicht zu fest zumauern. Was aber die
Pfeifenputzerei anlangt: es bleibt uns nichts übrig, als
das Kohlensediment herauszuschaben, und nach unserer bescheidenen Erfahrung dient hierfür am besten
ein schmales, scharfes Federmesser. Federmesser leiden
ohnehin an Arbeitslosigkeit; bei uns finden sie wieder
Beschäftigung und nicht ganz unter ihrer Würde. Wenn
wir in unsere Pfeife hineinschauen, freut uns der sil-
brigschwarze Schimmer, der sich an den Wänden ange-
setzt hat; er muß erhalten bleiben, also daß wir sanft
schaben und so die überschüssige Kohlenablagerung
wegschleifen, immer bedacht, abzustehen, wenn Gefahr droht, daß das blanke Holz durchschlägt. Sehr
konzentrierte Arbeit das, Sonntagsarbeit, und wir müssen von Frau und Töchtern strikt verlangen, daß sie
uns dabei nicht stören, zumal der gelungene Reini-
gungsakt sich bei den Damen des Hauses reichlich be-
zahlt macht, als wir darnach angesichts so adretter
Pfeifen in glücklichster Laune sind.

All das betrifft, wie sich versteht, die Shagpfeife. Es
soll noch Meerschaumpfeifenraucher geben; sie sind

eine Rarität. Meerschaum ist ein weicher, leicht zu bearbeitender Stein, der aus dem Balkan zu uns kommt; vom Rauchen wird er goldbraun, und sicherlich macht es Spaß, ihn langsam diese Farbe annehmen zu sehen; es ist ein ästhetischer, kein raucherischer Spaß. Böse aber ist es, wenn der Verfasser eines Tabakbuches meint, aus der Meerschaumpfeife schmecke der Rauch besonders angenehm, weil er durch ihr längeres Rohr kühl in den Mund gelange — was lediglich große Unkenntnis des Raucherhandwerks verrät. Nur gierige Paffer bekommen heißen Rauch auf die Zunge. Wir passionierten Shagpfeifenraucher saugen in so kleinen Zügen, in so behutsamen Schlucken — was ja eben als Quietiv wirkt —, daß wohl unvermeidlich der Pfeifenkopf sich anwärmt — kaltes Feuer zu erfinden steht noch aus — aber keineswegs zu heiß wird, vom Stiel ganz zu schweigen. Bedenklich ist übrigens auch, wenn einer, der kühl rauchen will, Zigarettentabak in die Shagpfeife stopft. Es steht ihr einzig der Krüllschnitt in Fäden bis zu anderthalb Millimetern Breite zu. Auch kommt es ein wenig auf das verarbeitete Holz an. Bei fast allen Pfeifen wird uns versichert, sie seien aus Bruyèreholz. Gibt es davon so viel? Bruyèreholz ist Wurzelholz einer in Südländern vorkommenden Ericaart, abgestorbenes Wurzelholz, das, wenn es seine echten Eigenschaften haben soll, nämlich Härte und geringe Wärmeleitfähigkeit, fünfzig bis siebenzig Jahre alt sein soll. Das bedeutet Auswahl und Kostbarkeit. Es sollte aber ein bemühter Raucher, ja, das meinen wir ernstlich, solchen Aufwand für zwei Pfeifen nicht scheuen. Er sollte auch eine Weichselholzpfeife besit-

zen — Holz des Weichselkirschbaums —, zur Abwechslung, zu mehr nicht. Weitere Pfeifen braucht niemand.
Er soll nicht zimperlich mit ihnen umgehen; zu Feti-
schen eignen sie sich nicht, und das Rauchen ist eine
Gewohnheitsübung, die all unsere täglichen Tätigkei-
ten begleitet.

   Die Pfeifenköpfe sollen wohlgeformt sein; je apar-
ter sie sich geben, um so verdächtiger macht ihr Raucher sich; er wird auch im Gespräch nicht sachlich bleiben wollen und querulieren. Fast ließe sich, mit einem
Halbdutzend Variationen, die Grundpfeife beschreiben;
das wäre die, bei der ihr runder Kopf in den Pfeifenhals gebogen übergeht; der Kopf öffnet sich nach oben

leicht, pflanzenhaft-organisch. Das Runde schmiegt sich in die haltende Hand. Freilich sind wir nicht so stur eingeschworen, als daß uns eine elegantere Silhouette nicht auch gefiele. Viel zu dieser Eleganz kann das Mundstück beitragen. Sein Material darf aus Horn sein, aus Bernstein, aber auch aus Hartgummi und sonstigem synthetischen Material; die Zunge muß es nur schmecken mögen. Sicher fühlen sich unsere Lippen bei der Berührung mit Bernstein am wohlsten; aber nach langem Gebrauch wird es unansehnlich; Horn hingegen vertragen nicht alle Zähne; denn bisweilen halten wir mit ihnen die Pfeife; im Stuhl zurückgelehnt und in der Linken das Buch, legen wir die Pfeife ungern ab, wenn wir mit der Rechten umblättern müssen. Und auch Horn verträgt nicht alle Zähne; einige Zähne sind zu scharf und zerbeißen es; manchen macht dann die zarte Faserigkeit dieses Materials nervös durch ihr Knirschen. Allerdings, wer von Horn auf Hartgummi umwechselt, dem schmeckt das schwarze Rohr nicht sogleich. Niemandem jedoch können wir es verdenken, der Hartgummi verdammt; wir gönnen ihm allen Reichtum, um sich an Bernstein gütlich zu tun.

Der Pfeifenstiel kann kurz, kann mittel, kann lang sein; er kann dick oder dünn sein, gerade oder gebogen, und bei der Biegung kann er in sanfter Linie schwingen oder in derber S-Schleife kurven. Wenn uns scheint, das gerade Rohr verdiene den Vorzug, weil es sich leichter reinigen läßt, auch schwerer verstopft und unserem bepelzten Draht bequemer durchzubürsten erlaubt, so hebt dieser Vorbehalt nicht auf, daß eine sanfte Schwingung jene organische Form besser ausschwingen läßt, von der wir soeben sprachen. Also behalten wir einer unserer Pfeifen auch diese Gestalt vor, und zu unseren Spielen rechnet ja, daß wir nach Laune wählen, die gerade oder die geschweifte. Übrigens, um dies keinesfalls zu vergessen, haben wir uns stets mit Vorsicht an die Säuberung zu machen und das Mundstück immer nur nach rechts drehend vom Kopfstück ab- und nach der Reinigung es so anzusetzen! Die Holzwand ist an dieser Stelle dünn, sie könnte brechen; die Holzwand ist noch dünner, wenn einige Pfeifen hier ein Metallgebilde einfügen, das den Rauch vom Nikotin filtern soll. Sogenannte Gesundheitspfeifen — schrecklicher Begriff, ja? — sehen sogar eine Papierhülse dazu vor. Jedenfalls läßt sich an dieser Naht, freilich stets zu spät erkennen, ob wir eine Pfeife aus gutem Holz geraucht haben oder aus schlechtem. Uns allen ist schon einmal eine Pfeife an dieser Stelle zerbrochen; statthaft ist es nicht; das ehrliche Ende einer Pfeife erleidet der Pfeifenkopf — nach fünfzehnjähriger Lebensdauer bei täglicher Benutzung und kategorischem Gebrauch von Krüllschnitt. Allmählich brennt sie am Boden durch. Jetzt müssen wir selbstredend gewärtigen, daß uns Freund Meyer aus Kiel in die Parade fährt und erklärt, daß er seine Pfeife bereits seit dem zweiten Staatsexamen raucht, täglich mindestens siebenmal; aber wir denken, mit unsern fünfzehn Jahren sind wir freigebig gewesen. Und dann, bei aller Treue: einmal, von Zeit zu Zeit, wandelt uns die Lust an zu wechseln, und wer von uns hat nicht schon vor dem Pfeifengeschäft gestanden, berückt von einer Pfeife? Unser Luxusetat ist gerade erschöpft; vorgestern

den Bilderband erstanden und den Valéry bestellt; um
Ionesco in den Kammerspielen kommen wir nicht herum. Dreimal stellst du dich völlig blöde an das Schaufenster. Dein Buchhändler wird dir den Valéry stunden, und drinnen läßt du dir natürlich die neue Mischung Tabak andrehen. Unparfümiert? Aber, mein
Herr, sagt der Inhaber unwillig, denn in dieser Stadt
ist er einer der wenigen verläßlichen Kenner — sagt:
diese Firma legt Wert auf ihren Ruf. Du bezahlst die
Zeche. Tabak zu rauchen ist ohnehin unvernünftig; du
lebst über deine Verhältnisse, gesundheitlich, wie nach-
weisbar. Warum dann nicht auch finanziell?

Keine neue Pfeife schmeckt. Diese Hürde muß genommen werden, und die dritte Füllung in der neuen
Pfeife empfiehlt dir, die angebotene Mischung in Er-
wägung zu ziehen. Wir hängen alle an unserer Mischung, jahrelang; dennoch wechseln wir im Lauf eines
Raucherdaseins einigemal die Sorte. Daß de gustibus
non disputandum sei, behauptet zwar jedermann; gibt
es aber nicht doch Grundsätze des rechten Geschmacks?
Tabak, sagen wir, sei von Natur her ein gutes Kraut,
geben jedoch zu, daß er aufzubereiten ist, mit Honig,
mit Zuckerwasser zu fermentieren, von der Auswahl
ganz zu schweigen. Freilich müssen wir uns bei diesem
Thema vorsehen; an ihm entzünden sich oft nicht nur
Pfeifen, sondern auch Gemüter; und dann enden wir
bekanntlich bei dezidierten Behauptungen. Die unsere
wäre, daß Tabak nicht parfümiert sein soll wie Zigaretten. Allerdings ist die Pfeifentabaksindustrie, wenn
sie auch keine solche Macht darstellt wie die Zigarettenindustrie, mächtig genug, uns hier gehörig Paroli zu

bieten; ihre Umsätze sind ihre Beweise, und aus ihren
Büchern geht unter Umständen hervor, daß mehr Fein-
als Krüllschnitt in Pfeifen verraucht wird und mehr
parfümierter Tabak, gesuppter, sagen wir verächtlich.
Lassen wir uns auf keine Streiterei ein. Wohin kämen
wir sonst? Chacun à son goût; ganz England und ganz
Amerika rauchen parfümierten Tabak; Holland hingegen, das großartige Holland mit seinen großartigen
Pfeifenraucherbildern, das raucht unparfümierten, wenigstens im allgemeinen. Wo Zwist droht, sind wir
Pfeifenraucher stets geneigt, das Gespräch abzubrechen;
wir könnten uns sonst die Pfeifen- auf die Holzköpfe
schlagen, was beiden nicht gut täte, auch wenn sie aus
gleichem Stoff wären.

Ein Lehrbuch für heranwachsende Tabakshändler nennt die Zigarre ein Kunstwerk, und sein Verfasser rät, verschiedene Tabagos einmal der Länge, einmal der Quere nach durchzuschneiden. Wer will, folge dem Rat; wahrscheinlich bedeutet das: erst wenn wir eine Zigarre zerlegten und nachschauten, wie sie gewickelt ist, kämen wir ganz hinter ihren Genuß. Erkennen wir an, daß jener Verfasser der Zigarre seine Hochachtung zollen wollte. Wir wissen, daß es Zigarren geben kann, die entsetzlich schmecken und stinken, Stänker denn; anläßlich ihrer begreifen wir, was es heißt, vom Chef eine Zigarre zu bekommen. Ursprünglich natürlich war, vom Chef eine Zigarre zu erhalten, eine Auszeichnung; denn die Zigarre ist Aristokrat unter den Rauchereien, und nicht allein ihrer möglichen Erlesenheit, sondern auch ihres Stammbaums wegen. Die Majas, altes mittelamerikanisches Kulturvolk, das wir Christen ausgerottet haben, dürften unserer Zigarre den Namen gegeben haben: ›sic‹ ist majanisch der Tabak, und ›sicam‹ heißt: rauchen. Eine Zigarre ist eine Tabaksrolle verschiedenen Formats, mit einem Deckblatt umwickelt. Wie es aber, bei einem gemalten Kunstwerk, darauf ankommt, daß die Farben auf der Fläche richtig verteilt sind, um ein sowohl reiches wie harmonisches Ganze zu ergeben, so kommt es bei dem Kunstwerk Zigarre tatsächlich darauf an, von welcher Qualität nicht nur der Tabak ist, aus dem sie besteht, sondern wie er zu der kleinen Krautkeule verarbeitet ist. Ihre drei Schichten heißen: Decker, auch Deckblatt,

Umblatt und Einlage; das Mundstück heißt Kopf — womit wir das Mundstück nicht nur in den Mund stecken, sondern auch den Kopf in unsern Kopf. Unmittelbar auf den Kopf folgt hier der Bauch, und besonders ihm dürften die anatomischen Forschungen gelten. Zigarrenbauchchirurgie! Das Brandende heißt Kneifer. Kneifen bedeutet laut Duden zwicken; dort nämlich ist die Zigarre nach ihrer Formung abgeschnitten worden, bekniffen; also müßte es eigentlich Kniffer heißen; es heißt aber Kneifer.

Der Doppeldreiklang in der Anatomie wiederholt sich bei der Fertigung; ja selbst nach der Fertigung wiederholt er sich. Wenn das nicht Aristokratie bedeutet! Es gibt drei Grundsorten von Zigarren, 1. Auslese, 2. Schuß, 3. Fehlfarbe. Das Schicksal aller Zigarren erfüllt sich in der Drei; mithin auch: 1. Herstellung, 2. Verbrauch, 3. Asche. Vergebens haben wir übrigens in jenem Lehrbuch Auskunft über die Asche gesucht. Tatsächlich ist sie ja reiner Abfall; im Augenblick der Veraschung ist, was an der Zigarre wesentlich war, dahin. Dennoch sollte gerade die Zigarrenasche — sehr zum Unterschied von der der Pfeife — kurzer Betrachtung wert sein, zumal wir gelernt haben, die Qualität einer Zigarre lasse sich an ihrer Asche ablesen. Natürlich bleibt ihr Geschmack das gültige Kriterium; aber frühzeitig sind wir belehrt worden, ein gleichmäßig helles Grau der Asche lasse auf eine ausgeglichene Tabaksmischung schließen, und eine lang haltende Aschenstange während des Brands bezeuge noch während, gar nach dem Verbrauch ihre gute Konsistenz, die Sorgfalt, mit der sie gewickelt worden; und so viel Sorgfalt wird kaum auf mindere Qualität angewendet. Stets nun fällt uns dabei jene Anekdote aus dem Eisenbahnabteil ein: Der D-Zug hält auf freier Strecke, weil die Notbremse funktioniert. Zugschaffner und -führer stürzen in das betreffende Abteil; eine Dame (Anfang vierzig), aufgeregt, aufgelöst, mit offener Bluse, berichtet, der Herr dort in der Ecke, allein mit ihr im Raucherabteil, habe sich (unsittlich) an ihr vergehen wollen. Verhaftet den Wüstling! Doch dieser weist lächelnd dem Zugführer seine Zigarre vor: vier Zentimeter unbeschädigte Asche daran; kaum glaubhaft denn, daß sie die Strapaze eines Unzuchtversuchs unversehrt ausgehalten hätte; das leistet auch die bestgewickelte Zigarre nicht. Mißbrauch der Notbremse wird schwer geahndet, von Verleumdung ganz zu schweigen. Verhaftet die Hysterikerin!

Zu dieser Anekdote gibt es eine Variante; da läßt der Zugführer, vermutlich Nichtraucher, sich keineswegs von der unversehrten Zigarrenasche düpieren, nimmt dem Herrn die Giftnudel aus der Hand (gar aus dem Mund) und schraubt die dort künstlich be- und verfestigte Asche vom Zigarrenstummel ab. Es steht jedermann frei, die Geschichte in dieser Fassung oder in jener zu berichten. Wahr mutt se doch sien; anners kunn man se jo nicht vertellen. Sie lehrt (merke!), daß bei der Zigarre selbst noch das Abfallprodukt einer Betrachtung wert ist.

Zurück zu unserer Dreiteilung. Eine rechte Zigarre hat a) gut zu ziehen, b) gut zu brennen und c) gut zu schmecken. Alle drei Güten hängen ab α) von der Herkunft des Tabaks, β) von der Mischung der Tabake und γ) von der Sorgfalt der Herstellung. Leuchtet sofort ein. 1. das Deckblatt sorgt für gutes Aussehen, 2. das Umblatt sorgt für guten Halt und 3. die Einlage sorgt für guten Geschmack. Eine letzte Dreierregel führen wir noch an; sie lautet: I. Fast stets werden Tabake verschiedener Anbaugebiete vermischt, eine Ausnahme machen nur die Havanna und die Brasil; II. jedes Jahr müssen die Mischungen neu vorgenommen werden, weil, wie beim Wein auch, die Jahrgänge differieren; III. es gibt keine endgültigen Rezepte für Mischungen. Dem Raucherbanausen, und den gibt es natürlich auch, wäre am liebsten, er erführe: x^0/o kubanischer Tabak, y^0/o mexikanischer, z^0/o uckermärkischer, und dann in gewissen Dosen noch Pfälzer, Manila, badischer, dominikanischer Tabak, und das machte dann, in mittlerer Preislage, die zuverlässige Sonntagszigarre aus. Uns aber ist die Vorstellung sympathisch, daß nach jeder Ernte der Erfolg einer Mischung in Frage gestellt ist, daß hier erst ein Risiko überwunden sein will, das Aufmerksamkeit fordert, um gediegene Qualität zu erzielen. Etwas Besonderes stellt sich damit vor; denn kein Zweifel, die Zigarre ist ein Serienprodukt, und hierin rangiert sie unter der Pfeife, die eine jedesmalige Stopfung darstellt, deren Mischung zudem viele Raucher sich aus mehreren Angeboten selbst besorgen. Aber wenn die Zigarre das Serielle auch mit der Zigarette gemein hat — was sie beinahe gemein macht — so kommt, aufhebend denn, hinzu die weitreichende Handarbeit.

Hinzukommt auch ein kleiner Barbarismus, wir meinen die Tatsache, daß wir bei der Zigarre das Rauchkraut direkt zwischen die Lippen klemmen. Natürlich gibt es auch die Zigarrenspitzen, aus Holz, aus Bernstein, gar aus Pappe oder Kunststoff; nur daß das Barbarisch-Sympathische bei der Zigarre gerade darin besteht, zwischen den Lippen Geschmack des gewachsenen Krauts zu spüren und Naturwüchsiges zu schmekken. Einer unserer Bekannten benutzt die Zigarrenspitze für das letzte Drittel seiner Zigarre, um sie nicht zu früh weglegen zu müssen — wohingegen Kenner erklären, lieber nur Zweidrittel, also weniger zu rauchen als diese Nikotinakkumulation zu ›verkraften‹. Aber bekanntlich sind schon die Bestimmungen, ob eine Zigarre leicht oder schwer ist, exakt nicht zu treffen, und hierbei treiben weniger objektive Kriterien ihr Spiel als subjektive der Konstitution, des Rauchtempos, auch der Feuchtigkeit der Zigarre, gar des Wetters, der Stimmung, der Tageszeit. Einen Mann allerdings haben wir gekannt, Vopelius, der rauchte Zigarren grundsätzlich aus der Spitze, und er gab freimütig zu, daß er einen ›Komplex‹ habe, den er nicht verdrängen oder sublimieren könne. Ihn ekelte, das Kopfstück zwischen die Lippen zu nehmen; als Quartaner sei er täglich auf dem Heimweg vom Wilhelmsgymnasium an der Werkstatt eines Zigarrenmachers vorübergekommen; nein, nicht an der Firma H. H., Schlottmann, die in Hamburg 1788 Deutschlands erste Zigarrenfabrik gegründet hat; die gab es längst nicht mehr; es war einer der zahlreichen kleinen Zigarrenfabrikanten, der selbst im Laden saß, den Jungen gutmütig bei der Arbeit zusehen ließ, also auch, wie er die Zigarre, sobald sie fertig gewickelt war, mit persönlicher Zunge und persönlichem Speichel am Kopf verklebte. Unser Freund nickte, wenn wir ihm versicherten, in neuerer Zeit würden die Zigarren mit einem Sonderklebstoff, den die I. G. Farben einmal entwickelt, farblos und geschmacklos verschlossen; er wußte es; dennoch konnte er keine Zigarre ohne Spitze in den Mund nehmen; lieber rauchte er nicht.

Dieser Klebevorgang ist tatsächlich der neuralgische Punkt der Zigarre; hier hebt sich ihr Barbarismus auf ins Zivilisatorische. Geklebt werden muß sie, sonst sprengt sie den Wickel, das ist: Decker und Umblatt. Übrigens halten wir es nicht für unsere Aufgabe, ausführlich den Produktionsgang zu beschreiben: Präparation der Blätter, Entrippung, Bündelung der Einlage, Pressung der Formen im Pennal, wobei Pennal hier eine Hülse ist, die der Zigarre ihre Form gibt. Jeder versteht auch so, daß der Wickel Luftdurchzug gewährleisten muß, daß das Deckblatt möglichst gleichmäßig ausfallen soll, weswegen ja die Zigarre weitgehend Handarbeit darstellt — ganz zuletzt wird sie noch mit der Hand auf dem Rollbrett gerollt, damit sich das Deckblatt gut anschmiegt — und daß das Ende oder auch der Anfang der Zigarre abgekniffen wird. Letzteres allerdings hat schon eher Interesse; denn hierbei unterscheiden sich einige charakteristische Formen der Zigarre, und wenn wir auch darauf beharren, daß es allein die gute Mischung ist, an der uns bei der Zigarre liegt, so hat sie ihre Spielformen; der Mann der Stumpen ist anders als der Mann der Virginia, der Mann der Corona anders als der Mann der Krummen Hunde. Der Mann von was . . .?

Es gibt mindestens ein Dutzend verschiedener Zi-

ROOK, PRUIM, SNUIF en SIGAREN TABAK, bij C. A. VEREUL Jz.

TE AMSTERDAM.

Op den Dam, onder
HET NOORDHOLLANDSCHE HUIS.
Nº 15.

garrenformen, und der Krumme Hund ist eine davon. Er tritt in Rudeln, nein, in Bündeln auf; geraucht haben ihn die wenigsten von uns. Die Stücke sind umeinander geflochten, und aus der Meute herausgelöst, behalten sie ihre spiralige Gestalt. Ziehen sie denn? fragen wir dumm; aber täten sie es nicht, gäbe es sie kaum, und selbst wenn es sie in unsern Tagen nur noch selten geben sollte, gegeben hat es sie; ihr Name bürgt für ihre Existenz; und dann haben sie auch gezogen. Im Raucherabteil aus dem Rucksack mit viel Geraschel einen Krummen Hund hervorkramen (»Gehnse doch damit ins Hundeabteil, Herr!«), ihm den Kopf abbeißen, seinen Kneifer anzünden und dann ohne Rücksicht auf den Nachbarn blaue Wolken vor sich hinpaffen, da darf jedermann gewiß sein, jedermanns Augen auf sich zu ziehen. Studienrat Krause fragt, ob dies Abteil überhaupt für Raucher sei; das ältliche Fräulein daneben beginnt aus Symphthie für ihn zu hüsteln; die beiden Lehrlinge gaffen entgeistert, und der intelligentere nimmt sich vor, sobald er etwas größer ist, ebenfalls öffentlich Krummen Hund zu rauchen; zwei Backfische, Petra und Marion, kichern. In Hamburg, Straßenbahn Nr. 16, erwartet den Besucher der Hansestadt auf der Fahrt zu Hagenbeck ein dementsprechendes Ereignis; dort sitzt ihm, die spezifische Schiffermütze in der Stirn, Hein gegenüber und raucht eine Hamburger Pfeife. Jetzt denken Quiddjes, Nichthamburger, wir meinten eine Pipe, einen Knösel. Weit gefehlt; wir meinen die hansische Zigarrenspezialausformung. Herr Konsul und Herr Senator rauchen sie natürlich nicht; sie rauchen Importen, Herr Konsul Figurados, Herr

Senator Parejos; das sind sie dem Überseehandel schuldig. Figurados weisen zu spitzem Kneifer einen spitzen Kopf auf, Parejos zu spitzem Kneifer einen runden Kopf; spitzen Bauch nur der Herr Konsul. Hamburger Pfeife raucht sein Fahrer — oder eben Hein. Es sind richtige Zigarren, nur gebogen zur S-Kurve einer Pfeife und so im Mund hängend. Kein Zweifel: die Hamburger Pfeife ist eine Konzession, ist die Rettung der Tabakspfeife in die Gefilde der Zigarre mit dem weniger penetranten Geruch. Im Hafen, dort, wo sich Hein eine Mexikanerin auf die Brust hat tätowieren lassen, wird sie allein noch feilgeboten, als inländisches Exotikum. Frau Konsul kennt übrigens den Laden, obwohl sie aus Pöseldorf stammt; der Fahrer John muß dort halten, aussteigen, Hamburger Pfeifen erstehen, sie der Konsulin ins Coupé reichen, und am nächsten Morgen überrascht sie ihn damit zum Geburtstag. Fein, nöch?

Früher hat Herr Konsul auch Coronas geraucht; denn Coronas sind gleichfalls Importen, wiewohl es sie auch als hiesige Produkte geben soll. Von Übersee kommen sie in besonders prachtvoll beklebten Kisten. Ach, seit der neuen Zweckschönheit verwerfen wir Goldetiketten mit Palmen und Exotinnen obendrauf, innen mit Medaillen. Staatsmännerporträts und Wappen ›Pour la Noblesse‹ und ›Honor urbis‹, das ist der ganze Rest des einstigen Kitsches; und wie haben die Importenkisten aus kulturell rückständigen Ländern Frau Senator noch immer Gelegenheit gegeben, derlei degoutant zu finden. Igittegitt! Sie schlägt ihrem Herrn Gemahl deshalb vor, die Zigarren in geschmackvollere

Keramikbehältnisse umzubetten; doch hierin ist der Herr Senator, obwohl sonst allem Neuem gegenüber aufgeschlossen, konservativ und zwar mit zureichenden Gründen. Er sagt: »Zigarren müssen atmen! Das können sie nur in Holz.« Er weiß, daß jedes Kistchen seinem Inhalt genau angepaßt ist; nie darf es offen stehen bleiben; er hält es kühl im Wandtresor, ein Schälchen Wasser daneben, damit die Zigarren nicht austrocknen. Nur noch seinen Weinen widmet er die gleiche Sorgfalt, abgesehen von der Kultur, die wir ja auch brauchen. Geringere Kenner als er, zum Beispiel Quiddjes, also Leute ohne Tresor, verlassen sich nur auf die lesbaren Vokabeln, während er alles aus Tradition weiß. ›Flor fina‹ ist eine Warenbezeichnung, ›Superiores‹ ist leicht angeberisch, ›Perla del Mar‹ soll darüber hinwegtäuschen, daß die Fabrikate aus Bremen (einer befreundeten, aber kleineren Hansestadt) stammen, auch ›Sumatrasandblatt‹ und der weiße Einlagezettel ›Habana‹. Auf dem Prospekt hat gestanden: aus reinen Überseetabaken, naturrein, handgearbeitet, unmattiert. Wir haben gelesen, daß Raucher gern helle Zigarren rauchen. Mit Geschmack und Schwere hat das nichts zu tun, wohingegen wir wissen, daß Zigarren oft mit Tabakstaub hell gepudert werden. Kenner lehnen das ab, und wenn Kenner eben am Spielerischen haften, dann an der Form, an der Corona, an der Corona mit Trompetenfuß. Bevorzugen Pykniker die Eiform oder, aus Gründen der Kompensation, den Torpedo, die gängigste Form? Wer ist für gerade Façon mit spitzem Kneifer, für Keule, für Perlfaçon, Kreiselfaçon? Ob jeder Raucher sich testen lassen sollte, welches die seinem

Äußeren wie seinem Charakter zukommende Façon ist? Wären sodann Zigarillos für Zwergwüchsige? Nun, das ›Zigärrchen‹, ohne verklebte Spitze — das ist sein Ehrentitel — und deshalb sofort rauchbereit, ist eine Miniaturcorona, die für Pausen reicht beziehungsweise für Raucher, die konstitutionell keine Zigarre durchstehen können. Leider vermag sich daran der raucherische Rhythmus der Zigarre nicht zu entfalten: die schwerelose Blumigkeit der ersten Düfte über die breite Nahrhaftigkeit der mittleren Partien, die fast dramatisch sich verdichtet in den höchst intensiven wie kondensiven letzten Zügen. Auch die Pfeife kennt eine solche Stufung nicht, vielleicht weil wir sie nicht wegwerfen; bald dient sie uns wieder; die gute halbe Stunde einer Zigarre jedoch hat uns mit ihr identifiziert, und und nun legen wir ein Stück von uns ab; es ist ja auch nichts an ihr Apparat. Fast ist der Mann, der soeben seinen Stummel abgelegt hat, nach der gerade durchgestandenen Steigerung ein Entwaffneter; und so gehört Selbstvertrauen dazu, sich derart auszusetzen. Hier wirkt jenes Moment, um dessentwillen wir den Tabak brauchen und gebrauchen, von dem wir eingangs sprachen; Potenzierung spielt herein, wahrhaftig etwas, das uns kennzeichnet; und hierbei leistet die Zigarre Spezifischeres als etwa Pfeife oder Zigarette, vom Zigarillo zu schweigen.

Dem Stumpen fehlt hierzu gleichfalls das Präliminarische; er ist, eine Erfindung der Schweizer, ohne rechte Poesie, eine Zigarre ohne Mundstück. Sieht er nicht aus, als wäre er Abschnitt eines unendlichen Tabakstranges? Dabei ist er, als Schweizer Fabrikat, eine gute

Sache, aber mehr nicht. Ihm ermangelt, was das Verrauchen einer Zigarre zu einem kleinen Drama macht;
negativ ausgedrückt: einen Stumpen, der sich schlecht
anraucht, den gibt es nicht, und selbst Stümper ver-
stünden ihn in Brand zu setzen — wohingegen zum
Drama der Zigarre gehört, daß nach dem Entfernen
der Mundstückspitze sich entscheidet, ob die Zigarre
überhaupt Zigarre wird, ob sie zieht. Denn ganz im
Hintergrund aller Ansteckzeremonie lauert die Erinne-
rung an Blamagen, die wir Anfänger einmal hatten hinnehmen müssen. Nichts davon beim Stumpen. Schweizer Abenteuer ist ein Widerspruch in sich.

An dieser Stelle ist nun der Virginia zu gedenken.
Denn auch sie hat jenem Anzünde-Debakel systema-
tisch gewehrt. Rein physikalisch böte ihre Länge besondere Gelegenheit zum Verstopfen; doch ist das nicht
der Fall. Übrigens gibt es viele langgediente Zigarrenraucher, die niemals eine Virginia geraucht haben; und
verschiedenen Auskünften zufolge steht sie auf dem
Aussterbeetat. In Norddeutschland ist sie ohnehin
höchst sporadisch beheimatet gewesen, und so könnte
sie als süddeutsches Gegenstück zur Hamburger Pfeife
gelten. Ihren Namen hat sie von der Tabaksorte, aus
der sie hergestellt sein sollte, vom Virginiatabak, nicht
aber vom Herkunftsland. In ihren schmalen, nicht sehr
ebenmäßigen Leib ist ein Strohhalm eingefügt, der am
Kopf herausragt wie bei der Oboe das Rohrmundstück;
in den Zeiten, da uns bisweilen noch Virginiaraucher
begegneten, sahen wir sie sanft mit diesem Strohhalm
wippen, leicht melancholisch, so wie die Oboe auch
traurig näselt. Ihr Dienst forderte einen zusätzlichen

Handgriff, wenn auch die Prozedur des Kopfabschnei-
dens entfiel: in den Alicante-Strohhalm war ein Grashalm eingelegt, der vor dem Anzünden dieser Zigarre
langsam herauszuziehen war. Ein Akt von Defloration
statt Dekapitation? Echte Virginiazigarren, so steht geschrieben, erkennten wir am roten, unechte am weißen
Strohhalm; und sollten sie, jedenfalls in unseren Jagd-
gründen, ausgerottet sein, dann hätten sie als Neben-
form zu gelten, gar als Fehltentwicklung, wie solche
auch die Natur mitunter versucht. Was aber nicht auf
uns Raucher gemünzt sein soll. Virginias gelten als besonders schwere Zigarren. Freilich hat uns das irgend-
wer auch von der schwarzbraunen Brasil gesagt, und wir
haben erfahren, daß sie hochwürzig schmeckt und nicht
schwerer verdaulich ist als andere Zigarren. Nun ist es
möglicherweise zu spät, eine Virginia zu probieren?
Dann setzen wir ihr hiermit ein Denkmal und gleichzeitig einen Punkt hinter unsere Zigarrenmeditation.
Sie war eine Huldigung. Zwei Diminutivformen des
Wortes Zigarre gibt es: Dem Zigarillo billigen wir
männliches Geschlecht zu, wenn zwar der Duden auch
sächliches erlaubt. Diesen Zweifel gibt es bei der Zigarette nicht, der zweiten Verkleinerung der Zigarre; sie
ist unbestreitbar weiblich. Aber außerdem ist sie nicht
nur eine Sonderart der Zigarre; das möchte morpho-
logisch stimmen, essentiell keinesfalls. Ihre Bedeutung
nämlich macht das aus, und hier ereignet sich einer der
seltenen Fälle, daß ein quantitatives Faktum in ein qua-
litatives umschlägt.

Im Dickicht der Zigaretten

Jahresverbrauch an Zigaretten laut UNO-Jahrbuch:
Zwei Billionen Stück

In der Auslage des Kiosks schräg gegenüber hat unsere Tochter vierunddreißig verschiedene Sorten gezählt, die gängigsten. Auf dem Kudamm oder der Kö gibt es noch mehr, teurere, und in Millionärskreisen, vermuten wir, sind Namen geläufig, von denen wir nicht einmal träumen, Mischungen von einem Aroma, einem Geschmack und vielleicht einer stimulierenden Wirkung, die die Millionäre befähigt, noch mehr Millionen zu raffen — bilden wir uns ein. Oder sind wir weltfremde Romantiker, die nicht sehen, wie demokratisierend die Zigarette wirkt, indem sie Herrn und Knecht mit der gleichen Kost speist? (Seit wann auch machen Millionen geschmäcklerisch?!) Denn von der Extrasorte der feinsten Leute wäre ja nur ein Schritt zu der Annahme, sie rauchten Marihuanazigaretten, also mit Rauschgift getränkte. Die gibt es, und an der Place du Tertre kennt einer unserer Bekannten einen Laden, der sie, nein, nicht feilbietet, sondern auf ein heimliches Stichwort hin aushändigt, sehr teuer. Wir wollen nichts mit ihnen zu tun haben, wenn wir auch zugeben müssen, daß sich bei ihnen nur ins Exzessive verirrt, was uns sonstige Raucher zum Tabak verführt, die Hoffnung, an Steigerungen unserer Vitalität teilzunehmen, zu denen der Wille allein uns nicht befähigt.

Vierunddreißig Zigarettensorten im Kiosk. Da es sie fast alle seit langem gibt, möchten wir wissen, aus welchem Grunde die einzelnen Liebhaber sie rauchen. Wir haben das herausbringen wollen, demoskopisch an einem »repräsentativen Querschnitt durch die uns erreichbare Bevölkerung«. Direkte Interviews vermieden wir schlau; denn gleich beim ersten Versuch erhielten wir eine Auskunft, so lögenhaft to vertellen, dat se wahr nich kunn sien. Geheimnisvolle Würzen gleich Kräften sollte die betreffende Mischung vor allen anderen enthalten, nach Länge und Breite einer individuellen Griffigkeit entsprechen; und um weiterer Phantastereien zu entrinnen, legten wir uns eine Packung der weniger geläufigen Zigaretten zu, um sie anderen Rauchern anzubieten: »Dies ist gewiß nicht Ihre Sorte«, sagten wir, »was rauchen Sie denn sonst, und warum eigentlich?« Wir erhielten folgende Antworten: »Was haben Sie mir denn da für eine Sorte aufgehängt? Schmeckt ja nach gar nichts!« Wir hatten ihm, einem Lehrer, eine sogenannte Filterzigarette angeboten. Ein Theologe, nach seiner eigenen Marke befragt und weshalb er sie rauchte, antwortete: »Weil schon mein Vater sie geraucht hat«, ein Biologe: »Der festen Schachtel wegen!«, ein (Badener) Kunsthistoriker: »Weil sie aus rein badischem Tabak hergestellt ist«, ein Musiker: »Leicht und bekömmlich!«, ein Anglist: »Warum? Warum? Weiß ich auch nicht«. Das nennt sich nun Wissenschaftlichkeit, dachten wir. Ein Germanist entgegnete: »Weil sie so ausländisch klingt.« Vielleicht dachte er heimlich an die Sphinx? Nil admirari! Ein Laborant: »Weil sie kräftig ist.« Ein Altphilologe, uralt: Wechselt dauernd, weil keine mehr schmeckt; durchaus stilvoll. Unser Hauswart: »Weil meine Schwester in der Fabrik arbeitet, die die Zigarette herstellt.«

Student: »Die Marke rauchen wir alle.« Stenotypistin: »Schick, was? Ganz neue Marke.« Das war schon nicht mehr stilvoll, sondern banal. Ärztin: »Aus dem Automaten; war sonst ausverkauft.« Finanzinspektorin, noch ziemlich jung: »Mal die, mal jene.« Eisenbahnkontrolleur: »Ist die beste von allen, bestimmt.« Senatspräsident: »Da bringen Sie mich aber in Verlegenheit.« Ingenieur: »Seit dreißig Jahren; da gewöhnt man sich.« Volksbibliothekarin: »Aus Prinzip immer eine andere.« Das war der Gipfel des Individualismus, dort, wo er an den Gipfel der Massenpsychose stößt (was also bildlich nicht möglich ist). Kunstmaler, abstrakt natürlich: »Im Lazarett war ich mit dem Fabrikanten zusammen.« Also ein Sentimentaliker. Hausfrau: »Was mein Sohn liegen läßt.« Architekt: »Ich wechsele alle Halbjahre.« Staatsanwalt: »Ich greife blindlings zu«, was natürlich reine Koketterie war; und die Trikotagengeschäftsführerin von nebenan: »Ganz nach Stimmung«, ausgesprochen weiblich. Oder?

Womit erwiesen ist — ja, was? Nichts, fürchten wir. Ein Pfeifenraucher steht dieser Tatsache fassungslos gegenüber; er war überzeugt, daß, zumindest nach dem Frühstück, einzig die X-Zigarette in Frage kommt, nach Feierabend die Y-Zigarette und für sportliche Betätigung lediglich die Z-Zigarette — bei dieser großen Auswahl! Das gibt es überhaupt nicht. Und der befragte Biologe erklärt, weil fast alle Zigaretten gleich viel kosteten, bestünden sie aus den gleichen Mischungen. Ungeheuerlich, staunen wir; aber er fährt fort und uns gleich über den Mund: »Es ist alles Sache der Aufmachung. Manche habens mit der Farbe der Pak-

kung; einige wollen ein Wappen haben; oder ein frem-
des Air; dazu hält dann der Markenname her.« Und
auf unseren Vorhalt, ob es den einzelnen Rauchern
nicht wenigstens auf die Form der Zigarette ankäme,
pariert er umgehend: »Die Länge der Zigarette beträgt
meist 6,4 cm, und länger als 8 cm darf sie niemals sein.
Das Mundstück? Daß ich nicht lache!« Ein Zyniker,
nicht wahr?, und die Zigarettenindustrie müßte einen
Preis auf seinen Kopf aussetzen; gegen entsprechende
Belohnung gäben wir seinen Namen preis. »Jede der
großen Werbeaktionen«, sagt er, »dient nur dem
Zweck, die Zigarette als solche zu propagieren.« Auf
den Einwand, daß die Firmen am Ende einer intensivierten Werbekampagne tatsächlich Steigerungen des
Umsatzes feststellen, lenkt er ein: »Wenn ich tagelang
mit einem Namen bombardiert werde, lasse ich mir die
Marke auch einmal geben, und zwar«, so fügt er verschmitzt hinzu, »weil vielleicht während der Kampagne die Mischung um einen Grad verbessert ist. Das
lasse ich mir nicht entgehen. Nachher kehre ich getrost
zu meiner alten Sorte zurück. O ja, es gibt Moden. Was
haben Sie in Ihrer Jugend geraucht? Massary? Kennt
kein Mensch mehr. Zugegeben, es finden sich Marken,
alt wie Methusalem; ein Geheimnis, wie sie überdau-
ern. Qualität, meinen Sie? Ich persönlich sage: idio-
synkratischer Zufall — Glück. Zugeben werden die
Fabrikanten das nie; Kaufleute nennen Glück Tüchtig-
keit.«

Zigaretten, spanisch Papelitos, sind Erzeugnisse aus
feingeschnittenem Tabak mit Papierumblatt. Wie überall, so ist auch hier die Mischung wesentlich. Klein-

blätterige Pflanzen von heller Farbe eignen sich besonders für Zigaretten; aber ob sie nun aus Virginia kommen, aus der Türkei, aus Griechenland, Bulgarien, gar
aus der Krim, alle müssen fermentiert werden. Ursprünglich waren wir Deutschen wohl für reinen Tabak, bei Zigaretten ebenso wie bei Pfeifenschnitt; nunmehr aber wird dem Tabak Zucker beigemischt, auch
Honig, Glyzerin, Vanille, die sogenannte englische
Soße; doch kann hier jeder Fabrikant experimentieren,
wie er will. Obiger Biologe behauptet, es würde uns
alles zugemutet außer Opium und Marihuana; aber das
ist bestimmt Verleumdung; befragt, ob sich denn nicht
hier individuelle Liebhabersorten durchsetzten, schüttelt er den Kopf. Einzig die Filterzigarette nennt er;
aber sie sei nur eine Manie; die gleichen Verbraucher
hätten sich seinerzeit auf die stark nikotinhaltigen Amerikaner gestürzt; jetzt verträgen sie eine Zeitlang nur
nikotinarme, Leute, die sich gleichzeitig den stärksten
Kaffee zumuteten. Er, der Biologe, habe in seinem bisherigen Raucherdasein ehrenwerte Männer getroffen,
die Goldmundstücke als Schnuller verspotteten und
nicht ahnten, daß sie Glimmstengel mit unsichtbarem
Mundstück rauchten; die Pappmundstücke (Jasmatzi
Söhne) seien ausgestorben — bis zu ihrer Wiederkunft.
Zigarettenspitzen seien en vogue gewesen, vier bis
vierzehn Zentimeter lang, aus Elfenbein, Silber, gar
aus Alabaster; alles reiner Dekor; das Putzige sei nur,
daß jedermann glaube, sich individuell zu entscheiden.
»Ihr Pfeifenraucher tut euch viel darauf zugute, daß
ihr jene Sorte und diese Form ein Leben lang bevorzugt; euer Leben lang dauert jeweils ein Jahrfünft;

aber haben Sie einmal einen Zigarettenraucher gefunden, der seine Marke darnach wählt, wie sie geformt ist, wie sie ihm also zwischen die Lippen paßt? Tausend zu eins: nein. Ja, Juno bitte, weil sie rund ist und darum die größte Quantität an Tabak verspricht; aber neben der runden Form fabrizieren die Hersteller noch Flachovale mit und Flachovale ohne Bügelfalte, Hochovale mit und solche ohne Bügelfalte. Das ist Ihnen bekannt? Na, da sind Sie aber eine Ausnahme; verständlich höchstens deshalb, weil Sie gar keine Zigaretten rauchen.«

Beim Abschied bemerkte der Defätist noch, die einzigen Sondermarken seien Asthmazigaretten; sie trieben den Teufel mit Beelzebub aus, und bei ihrem Gestank ersticke ein anständiger Asthmatiker endgültig. Üble Nachrede. Und die Scherzzigaretten, die beim dritten Zug explodieren? Ein schlechter Scherz. Damit verläßt er uns, und obzwar er der rechte Mann hätte sein können, uns über Fermentation zu instruieren, machen wir uns das rasch selbst klar. Bekanntlich sind rohe Tabakblätter nicht rauchreif; sie beißen auf der Zunge. Aromen und Würze sind in ihnen noch gebunden, sie wollen gelöst werden. Also schichten wir den Tabak übereinander, schichten ihn um, tun das zwei-, dreimal; innert dieser Schichtung findet Oxydation statt, und natürlich gehört Erfahrung dazu, zu wissen, wie sich die aromatischen Stoffe inniger verbinden, um die Güte des Materials aufs günstigste zu beeinflussen. Einer ersten Fermentation am Entstehungsort folgt am Ort der Fabrikation eine zweite mit Behandlung in Dampf, in Heiß- und in Kaltluft. Bereits am Entstehungsort rau-

PRYSEN VAN TABAK.

Zonder Verbinding.

Amsterdam 16 Maart 1822

Varinas in Canasters ..... 5t . 52 à 64 ½ ℔ Ned.ᵗ	
d.º in Rollen gesorteerd	26. 170. —
Ornocco	
Portorico gesorteerd 1.º Soort ...	16. 18. 20. _
" " 2	12. 14 ½ . 18. _
" " 3	8 ½ . 10. 12. —
gemeen en wrt	6. 7 ½ . _
Maryland fyn geel	18. 20. 22. _
d.º fyn Couleurig	15. 17. 18. _
. Couleurig	12. 13 ½ . 14. _
. blank & red. kleurig	8. 10. 12.
. bruyn & ordinair	6. 7. _
. kort Sonbron en gemeen	5. 6 ½ / _
. Dust	3 ½ à 4 ¼ . º
. by Partyen door een	4 ¾ . 6. 9 ½ : _
Virginy of Zwiesent vet 1.º Soort	
" " 2	7. 8. 10. —
" " 3	5. 7. _
. voor de Kervery droog	5. 6 ½ . _
. by Partyen door een	5. 7 ¼ . _
. basterd droog	4 ¾ à 7. _
Virginy Steelen in vaten	f 9. 16 50 ℔ N.
. d.º losse	7. 8. _
. in Pakke	9. 9 ½ . _
. Fabrik Steelen	4 ½ à 6. _
Carotten S.ᵗ Omer	45. 98 a 100. _
d.º S.ᵗ Vincent	40. 45. 75. _
Rappe dievers	5. 38 ½ ℔ N.
Braziel in Rollen	
d.º in Pakken	
Ukraine	f 14. 15 50 ℔ N.
Hongaarsche	
Elsasser	
Duytsche	
Inlandsche gesponnen Dik f 80 Dun f 9. 100 ℔ N.	
d.º Endouiles { ℔ L.B L.C	
8 9 ½ . 88 10 ½ fu ½ N. P. _	

chen wir zur Probe; am Fabrikationsort überwachen wir zur Bestimmung des Charakters den Tabak ebenso. Da wir nicht alle Chemiker sind, hören wir nur Wörter, wenn wir aufzählen, was ein Tabaksblatt alles enthält: Zellulose (das konnten wir uns denken), Eiweiß (Protein), Harze, Wachse, Stärkemehl, gar Zucker (das hätten wir nicht gedacht); an Säuren: Gerbsäure (aha!), Apfelsäure (Oh!), Zitronensäure, Salpetersäure, Oxalsäure (?); an Mineralien: Kali, Natron, Kalk, Magnesia, Eisenoxyd, Chlor und so weiter. Die hauptsächlichsten Stoffe aber sind Nikotin und Ammoniak. Nikotin kommt nun nicht rein vor; es ist an obige Harze und Säuren gebunden und in den verschiedenen Tabaksorten auch verschieden stark vertreten, in Virginia reichlich, im Brasil wenig; und Biologen haben nikotinarme, gar nikotinfreie Tabake gezüchtet. Rosen ohne Duft? Aber lassen wir auch das.

Nach der Mischung werden die Tabake geschnitten. Kurioserweise beeinflußt der Schnitt nachhaltig die Nikotinmenge; jedenfalls ist Feinschnitt nikotinärmer als Grobschnitt, und daher rührt vermutlich, daß wir den Grobschnitt auch niemals inhalieren, während es nur wenige Zigarettenraucher gibt, die das nicht tun. Nun wollen wir keinesfalls den Produktionsgang einer Zigarette verfolgen; kompliziert ist er nicht, zumal wir alle schon einmal Zigaretten selbst gedreht haben und sich dieser Akt eben nur maschinell vollzieht, freilich bei Produktion von tausendfünfhundert Stück und mehr in der Minute. Ein Wort höchstens noch zu den Papieren, die den Tabak einhüllen. Wichtig ist vor allem, daß sie so flüchtig sind, daß sie den Geschmack

der schmalen Menge Tabak nicht beeinträchtigen —
wiewohl ihre Aufgabe mehrfältig ist. Sie umschließen
den Tabak nicht nur; sie geben ihm seine Form, nach
Länge und eben auch dem Durchmesser nach. Sie tragen das Mundstück, und sie sind bedruckt, mit dem
Markennamen und auch mit einem Zeichen. Ihren
Leimstreifen kennen wir von den im Handel befindlichen Papieren, und wenn wir uns selbst die Zigaretten drehen, dann feuchten wir ihn mit der Zungen-
spitze leicht an. Dazu kommt es aber nur noch selten,
in Notfällen, obzwar hierauf ein intimeres, gar freund-
schaftliches Verhältnis zur Zigarette basierte, dem entsprechend, das den Pfeifenraucher zum sympathetisch
wiederholten Stopfen bringt. Vor ein paar Jahren verfiel ein närrischer Mann darauf, uns Pfeifenraucher
durch Fragezettel zu interviewen, ob wir es nicht begrüßten, wenn er uns den Tabak in kleinen, pfeifen-
kopfgroßen Papierbündeln lieferte, die wir lediglich in
die leeren Pfeifenköpfe zu legen und anzuzünden hätten. Diesen Mann scheinen wir alle abschlägig be-
schieden zu haben; das Stopfen gehort zu unserem
Spiel, obzwar sich unter uns Burschen befinden, die de
facto ihren Tabak in kleine Papierballen praktizieren,
um ihn so in der Pfeife aufzurauchen. Das müssen
merkwürdige Pedanten sein, solche, die Steinwein aus
Verdauungsgründen trinken und Bücher der Bildung
wegen lesen. Mit ihnen hat aber auch die fabrikgefer-
tigte Zigarette nichts zu tun; dies Maschinenprodukt
rechnet mit einer ganz anderen Art akuter Bereitschaft.
Wir können Zigaretten am Teetisch in Behaglichkeit
rauchen; aber ihre Flüchtigkeit meint ebenso das Vor-

übergehende, den präzisen Moment eines Entschlusses, die knappe Regeneration einer Pause, das Konzentrat einer Formulierung, auch die Aperçus eines Entscheids. All das vollzieht sich gewiß nicht bei jeder der zu Billionen gerauchten Zigarette; aber im fälligen Augenblick hat sie so zu dienen; hierfür liefern die Fabriken sie fix und fertig; und so gesehen, repräsentiert diese Industrie eine weit größere Macht, als sich wirtschaftlich darstellen läßt.

Die Zigarette beherrscht das Feld des Tabaks und die Tabaksfelder. Unsere hochreizbare Daseinssituation ist ihre Chance. Wie bequem sie sich schon transportiert im Vergleich zur sperrigen Pfeife und zur zerbrechlichen Zigarre! Möglich, daß sie uns Pfeifern und Zigarrern noch etliche Mitläufer abspenstig macht. Nahezu ein Vierteljahrtausend — um eine großartig klingende Zahl zu verwenden angesichts der Zigarettenübermacht — gibt es sie. 1720 soll in Sevilla — wo Carmen, du mein angebetet Leben, sie gedreht hat — die erste Zigarettenfabrik entstanden sein. In Hamburg, das sich rühmen darf, innerhalb Deutschlands die erste Zigarrenfabrik gegründet zu haben, hat 1812 ein Kaufmann aus kubanischem Tabak erstmalig sogenannte Zigaritos hergestellt, und 1862 etablierte Herr Huppmann in Dresden die erste Zigarettenfabrik. Wer früher dort auf der Brühlschen Terrasse saß, den grüßte von Norden her der geschmacklose Moscheebau von Jasmatzi, oder war es Yenidze?, sozusagen als Hintergrund des Zwingers. Herr Huppmann aus Rußland ließ seine Zigaretten noch mit der Hand drehen. Um 1890 kam aus Amerika die Zigarettenmaschine zu uns

De eerste cigaar
Mloolschoolongen

De cigaarhouder
De dandy

De lange cigarenpijp
De ambtenaar

De echte Havanna
De bankier

De Turksche pijp
De reiziger en rijmen

De akademiepijp
De student

De pijp en reispijp
De zigaarhoutsteker

De lange pijp
De burgerheer

Het eindje pijp
De arbeidersman

Steendr. v. P. W. M. Trap

ins Land; und erst sie ermöglichte der Zigarette ihre Expansion. So ist sie ein Protégé des technischen Zeitalters. Wir waren bei unseren Überlegungen davon ausgegangen, daß der Tabak seine Chance darin sah, wie sehr wir seit dem 16. Jahrhundert in ein besondeses Verhältnis zu unserer Umwelt gerieten, in ein Verhältnis, das ihn geradezu herbeinötigte; jedenfalls ließ sich unschwer vieles so interpretieren. Die Zigarette ist dann, bislang zumindest, die unserer Lage gemäßeste Ausformung. Pfeifen- und Zigarrenraucher haben zuzugeben, daß sie vor deren Liebhabern nur als leicht altfränkische Zeitgenossen bestehen. Schmerzt sie das? Vermutlich nicht. Denn es muß in dieser Zeit auch ein paar altfränkische Leute geben.

An Schmalzler bittä!

Schnupftabake hingegen sterben aus; in unserer engen Stadtgesellschaft haben sie keinen Raum mehr für ihre Gestiken. Ob es auch daran liegt, daß ihnen das Feuer mangelt? Dem letzten Schnupfer sind wir im Bayerischen Wald begegnet, vor Jahren schon, in Gestalt eines Holzfällers. Möglich, daß unsere Enkel eines Tages auch dem letzten Pfeifenraucher begegnen, in den Einöden Sylter Dünen; und eines Tages gibt es überhaupt keinen Tabak mehr, und wir, die wir hier sitzen, sind eine unglaubwürdige Legende geworden? »Gehns, Herr Doktor«, sagt dann unsere Tischnachbarin, »schneidens net so auf!« A propos Bayerischer Wald: Süddeutschland ist seit eh und je das Revier der Schnupfer gewesen; Norddeutschland hat lieber gekaut; und so soll es innert der weißblauen Grenzpfähle noch Liebhaber geben, die sogar auf ganz bestimmte Marken eingeschworen sind. Schlüssig wird das Fakt dadurch, daß nur südlich der Mainlinie eine schnupferische Sondermarke gepflegt wird, nämlich der Schmalzler. Den führt nicht einmal ein Spezialitätengeschäft im Hamburger Hafen, das immerhin mit Spaniol aufwartet und mit Nostrano, weil hier spanische und italienische Seeleute einkaufen; denn Spaniol und Nostrano sind spanischer beziehungsweise italienischer Schnupftabak; ein bayerischer Fahrensmann aber ist fast eine contradictio in adiecto.

Zur Definition des Schnupftabaks: er darf nicht rauchbar, muß mehlartig und zudem gesoßt sein. Es gibt gefetteten — eben den Schmalzler —, parfümierten und unparfümierten. Gesoßt sein muß er also, und hier beginnt das Schnupftabaksmysterium; denn die Soßen sind das streng gehütete Fabrikgeheimnis. Hundert, sagen die Verschworenen, zweihundert, ach was!, dreihundert verschiedene Soßen gebe es, und bereits mit ein wenig Honig zuviel könne ein Geschmack völlig gestört werden; und wenn auch kein gewöhnlicher Sterblicher (also etwa ein Raucher!) je Einblick in die Rezepte erhalte, könne er sich vorstellen, wie wichtig schon sei, ob Tannen- oder Lindenblüten-, Klee- oder Heidehonig zugefügt würde. Dennoch bestimmt nicht die Soße den Grundcharakter des Schnupftabaks; er hängt von der Mischung ab und hierbei vom Harzreichtum der ausgesuchten Tabake. Das Schnupfen kann, wie gesagt, auf eine glorreiche Vergangenheit zu-

BAZELER STADHUIS TABAK en
alle Soorten van Ongekurven en Gekurven
TABAK.CARROTTEN SNUIF & Segaren
Worden Verkocht By HUGO GEBROEDERS
NAVOLGERS in het S.† ALBANDAL
in de Nabyheid van den RHYN
TE BAZEL

80 gr.

rückblicken; möglich denn, daß wir in den drei- bis
vierhundert Rezepten Relikte einer großen Zeit aufbe-
wahren; möglich natürlich auch, daß die Differenzie-
rungssucht der ›Fans‹ aufs vertrackteste versucht, in
solcher Vielfalt ein Vielfaches aufscheinen zu lassen,
was insofern trügerischer Schein ist, als für jedes Rezept
immer nur höchstens ein paar Dutzend Verbraucher in
Frage stehen. Da ist es denn nicht verwunderlich, daß
Schnupftabake oft aus Kleinbetrieben hervorgehen und
daß sie Hausmacherarbeit sind. Stets müssen es fette
Tabake sein, und nicht jedes Jahr bringt sie hervor.

Gewissenhafte Vorratswirtschaft ist nötig und Züch-
tung durch Spezialdunge und Köpfung der Pflanzen,
also eine Art Kapaunen. Nostrano braucht ungarischen
Tabak neben einigen Teilen orientalischen, Spaniol wird
aus schwerstem Havannatabak hergestellt. Natürlich
will auch das Schnupftabaksgut fermentiert sein, aber

erst dann, wenn es in die Soße eingetaucht und zum Abtropfen aufgehängt war. Zudem gibt es drei verschiedene Aufbereitungsmethoden, was sehr bemerkenswert ist. Oder nicht? So heißt es, die sogenannte Karottenmethode sei lange geheimgehalten worden. Portugiesen und Spanier haben sie entwickelt; nach dem Soßen haben sie die Tabaksblätter zu möhrenförmigen Gebilden zusammengedreht, zu Riesenkarotten, sie mit Leinwand umhüllt, vier bis sechs Wochen lang, und in diesen Beuteln den Schnupftabak vergären und somit reifen lassen. Wenn die Leinwandumhüllung abgenommen ist, dauert die Vergärung noch bis zu sieben Jahren; die Schnupftabaksfabrikanten investieren also viel Kapital! Das erhöht den Stolz der Schnupfer. Lediglich die Pfälzer Tabake rechnen mit nur zwei Jahren und kommen bereits dann in die Mühle; wenn das Gut dabei zwischen zwei kachelförmigen Mahlsteinen zerrieben wird, heißt es »rein gekachelter Schnupftabak«. Er ist jetzt völlig trocken; doch das darf er nicht sein; folglich erhält er Zusätze und zwar von Salzwasser, von Essig, Rum und Wein; und wiederum müssen wir uns mehrere Wochen lang gedulden; kein Wunder, wenn König Franz inzwischen stirbt; in großen, dicht schließenden Fässern gelagert, sollen sich im Pulver noch mehr aromatische Stoffe lösen.

Die zweite, die Pariser Methode, entwickelt sich erst nach Franzens Tod. Es war nicht verwunderlich, daß die Fabrikanten dem bourbonischen Hof und seiner vornehmen, verwöhnten Kundschaft nur sorgfältig präparierte Ware anbieten wollten, wiewohl ihr Ver-

fahren nur etwa fünf Jahre beansprucht. Unsere Altvorderen haben es sich also etwas kosten lassen, Zeit —
Gärung in Salzwasser bei 40 Grad Celsius — und da
Zeit Geld ist, auch Geld; und sicherlich gibt es Tabaks-
schnupfer, die Herren unter ihnen, die herausschmek-
ken oder herausschnüffeln, ob ihnen Tabak à la carotte
angeboten wird, und die jedem die Garotte wünschen,
der ihnen Schnupftabak nach der Schnellmethode zu-
mutet. Lächerliche sechs bis acht Wochen dauert hier
der Aufbereitungsvorgang: gemahlen, gesoßt, in Fäs-
ser dicht verschlossen und sodann bereits einer schnup-
pernden Nase zum Verbrauch unterschoben.

»Da gebens mir lieber an Schmalzler, Herr Dimpf-
linger.« — »Bitte schön, bitte gleich, Herr Kanzlei-
rat!«

Der Schmalzler ist rein brasilianischen Tabaks, natürlich auch nach Geheimrezept gesoßt, aber während
des Mahlens mit gelöschtem Kalk vermischt. Höchst
beachtlich, nicht wahr? Darnach erhitzen wir das Produkt und fügen ihm Butter, reine (Allgäuer) Kuhbut-
ter!, zu. Diesem Fettzusatz verdankt der Schmalzler
seine Beliebtheit; er macht ihn griffig und mildert seine
Strenge.

»An Schmalzler, Herr Nachbar. Wohl bekomm's!«

Wie dem Schmalzler Kalk zugesetzt ist, so dem Spaniol rote Erde. Er ist der älteste Schnupftabak, und
seine erste Manufaktur entstand wiederum in Sevilla.
José hätte ihn schnupfen sollen; dann wäre ihm die bekannte Zigarettenarbeiterin vielleicht nicht so gefähr-
lich geworden, insonderheit wenn seiner Marke San-
delholz beigemischt worden wäre oder Safran, auch

pulverisiertes Rosen- oder Weichselkirschblatt, oder Zimt, Vanille, Baldrian, Majoran, Bergamotten- oder Rosenöl, Veilchenwurzel oder Krauseminze.

Schnupfer verweisen verächtlich auf die dreihundert Zigarettensorten, die es gibt und von denen die meisten sich gleichen. Wer ernstlich beabsichtigt, sich ihrer Gilde zu gesellen, der sorge zuerst für gute Aufbewahrungsgefäße, ganz abgesehen von einem würdigen Platz in seiner Behausung; denn die Nachbarschaft von Seifen (sic!) und Petroleum, Benzin, auch von Heringen, Käsen, Zwiebeln und Knoblauch schädigt den Schnupftabak enorm. Außerdem wird unser Adept eine Reihe sehr großer, möglichst knallbunter Schnupftücher brauchen; sie sind nur noch schwer zu haben. Na, und dann: »Sehr zum Wohle, Herr Rechnungsrat! Hatschi! Prösterchen!«

Prima Priem primissima

Priem ist ein niederländisches Wort, heißt Pfläumchen und meint Kautabak. Kautabak hat ein wahrhaft tragisches Schicksal zu erleiden. Daß wir alle sterben müssen, ist bekannt; aber zu erleben, wie gekaut, weitergekaut wird, und dennoch nicht mehr gekaut zu werden, das ist bitter, bei weitem bitterer als der Saft, um dessentwillen einmal gekaut worden ist — zumal, was sich nunmehr kauen läßt, der Kaugummi nämlich, von kraftloser Süße ist. Nichts gegen das Kauen an sich, wenn es so elementar vollzogen wird, wie es zu begreifen ist: als geduldiges Vermümmeln der Zeit und so zu großartigem Stoizismus erziehend. Malmend sitzt der Angler hinter seiner Rute, bis der Fisch anbeißt, steht der Held auf verlorenem Posten, unerschütterlich wie der Kapitän auf dem Kiel seines gekenterten Schiffes, den Rettern Zeit lassend, ihn zu sich herüberzuhieven, und in langem Strahl die See um sich bräunend. Auch Jäger auf dem Anstand wären so zu denken, Examenskandidaten vor Verkündung ihres Geschicks. Nur behaupte einer jetzt nicht, all das leiste der Kaugummi auch; er leistet es mitnichten, denn ihm fehlt das stimulierende Nikotin. Langsam den Priem von der linken in die rechte Backentasche befördern, das ist, zusammen mit dem herben Geschmack, gleich dem Viertelstundenschlag einer Kirchturmsuhr und signalisiert einen bewältigten Abschnitt Lebenszeit.

Gesetzlich ist Kautabak so zu definieren, daß er unrauchbar ist. Das Gesetz gibt sich mit Tabakswaren bekanntlich deshalb so eingehend ab, weil ihnen Steuern auferlegt sind, Lustbarkeitssteuern wohlgemerkt! Es setzt also voraus, daß Kauen Spaß macht, und den macht es insofern auch, als es ein Urakt ist, uriger noch als das Saugen; es fingiert Essen, ohne zu sättigen, und wenn nicht Essen, so Wiederkauen; doch hier halten wir mit dem Urigen inne.

Auch Kautabak soll gesoßt sein; doch schließt das nicht aus, daß auch anderer Tabak gekaut werden kann. In unsern großen und größeren Städten hält jeder Händler zwei drei Sorten Kautabak in Vorrat. Soldaten sollen ihn gern nehmen; auf Wache, wo Rauchen des Feuers, des Schwadens oder, vor Pulvertürmen, der Explosionen wegen unstatthaft ist, kann Kauen stattfinden. Für die Hundswache reicht ein Täfelchen Preßtabak aus, gute Qualität. Neulich begegnet uns sogar ein jüngerer gedienter Mann, der erklärt, sommers nähme er, offenbar zur Erfrischung, ein zusammengeballtes Stückchen seiner Zigarette in die Backentaschen; das habe er in Norwegen gelernt, und die Norweger streuten sich sogar Schnupftabak in den Mund! Diese Nachricht bitten wir mit Vorbehalt aufzunehmen, wiewohl sie aus Hamburg stammt, und in dieser Stadt finden sich Männer aus aller Herren Länder ein, aus Norwegen schon gar. Sonst aber sind Priemer nur noch ältere Leute. Einmal, nach dem letzten Krieg, gab es allerorten einen kleinen Aufschwung im Kautabakhandel; das war, als die Oberschlesier zu uns emigrierten. In den dortigen Kohlengruben, wo Rauchen nicht möglich war, hatten die Hauer gepriemt. Dieser Boom ging jedoch vorüber, und jetzt gibt es für Kautabak Spezialhändler, so wie für Schnupftabak.

Er darf allein in Spitztüten zum Verkauf gebracht werden — warum, das konten wir nicht eruieren. Stets beherrscht der Kentuckytabak, weil fett, schwer und nikotinreich, das Feld, selbst in Beimischungen aus italienischem Tabak; und obwohl selbstverständlich jedes Land eigene Mischungen für den Nationalgeschmack erzeugt, dringen die deutschen über die eigenen Grenzen hinweg. Das erfüllt uns mit Stolz. Was nicht jedermann weiß, ist, daß Kautabak, ähnlich wie die Zigarre, aus Einlage und Deckblatt besteht. Einlage ist das Buschgut, der entrippte Tabak, der nach der Trocknung in Steingutbottichen seine Würze erhält durch die zu einem Soßenbrei vermischten Rippen, die Tabakslauge, deren Eigenschaften wiederum tiefstes Werksgeheimnis sind. Dennoch wissen wir, daß Zucker und Rum in ihr enthalten sind, ganz so wie beim Grog, weswegen vielleicht beide, Kautabak und Grog, sich im Bild der Seeleute zusammenfinden; und spinnen die Herren Seebären dann an Bord ihr berühmtes Garn, nur unterbrochen von einem tiefen Zug aus dem Grogglas und einem gelegentlichen hohen Bogen gen Lee, dann denken zumindest wir Amateurtabakforscher vorübergehend daran, daß auch der Kautabak gesponnen sein wollte. Denn aus den Steingutpötten hervorgeholt und getrocknet, gelangt das Einlagegut nunmehr in den Spinnsaal (nicht Spinnstube!). Hier werden die Tabakblätter in schmale Streifen zerschnitten und zusammengesponnen zu einem dünnen Seil, das Deckblatt und Einlage umspannt und zur Einheit verschmilzt, zu Stangenrollen, die daraufhin mehrere Monate lang lagern müssen. Hierbei veredeln sie ihr Aroma und ihre Saftigkeit und erhalten ihre Schwärze. In Stangen, von denen wir uns das jeweilige Stück abbeißen, kommt er in den Handel, aber auch in Tafel-, fast Tablettenform, in Hufeisen, Knoten oder Schleifen; als Gabelbissen bezeichnen wir die Einzelportionen in den Blechdosen, als Twist jene Stangen, die nur aus Deckblättern ohne Einlage bestehen.

In Deutschland entstand die erste Kautabakmanufaktur 1811; aber zweifellos ist Tabak gekaut worden, ehe wir ihn rauchten, ahnungslos fast, so wie wir einen Grashalm in den Mund nehmen, wenn wir sommers auf einer Wiese liegen. Hoch-Zeiten seines Verbrauchs etwa wie beim Schnupftabak hat es niemals gegeben, nur Tiefzeiten dank seines Todfeindes, des Kaugummis, der seine Herrschaft auf Grund einer gewaltigen Industrie rücksichtslos ausbreitet. Aber vielleicht, wie es auch in der Natur vorkommt, übersteht er gerade deshalb, nämlich in einiger Abseitigkeit, die mißlichen Zeitläufte? Qui vivra (mâchera), verra; und so geduldig, wie er ist, wollen wir uns gedulden.

Der Däne K. O. Möller zitiert in seinem Buch ›Nicotiana‹ folgenden Brief eines englischen Matrosen, der gewiß für viele Kautabakler, aber auch andere Tabakkonsumenten aller Zeiten und Weltgegenden stehen darf. Er lautet:

Auf der Höhe von Gravesend
24. 3. 1813.

Lieber Bruder Tom!
Dieser Brief trifft dich hoffentlich in guter Gesundheit an, wie er mich verläßt, der ich hier seit gestern vier Uhr nachmittags sicher vor Anker liege, nach einer hübschen Reise, die erträglich kurz war und ein paarmal Sturm brachte. Lieber Tom, ich hoffe, daß unser guter alter Vater wohlauf und rüstig ist. Ich muß dir mitteilen, daß ich gar keinen Priem mehr habe. Ich sah in Gravesend danach, fand aber nur miserables, schlappes Zeug. Der Schiffsjunge wird dir diese Zeilen bringen, lieber Tom, und den Priem einstecken, wenn du ihn gekauft hast. Den besten in London bekommt man beim ›Schwarzen Mann‹, in sieben Schlingen gerollt. Geh dorthin und frage nach dem besten Priem; ein Pfund wird genügen. Ferner bin ich knapp an Hemden, lieber Tom. Ich nahm ja zwei Hemden mit auf die Fahrt, und davon ist eines ganz abgetragen und taugt nichts mehr; aber vergiß vor allem den Priem nicht. Ich habe seit Donnerstag schon keinen mehr. Was die Hemden betrifft, lieber Tom, so wird deine Breite passen, nur sollen sie länger sein. Ich habe die Hemden gern lang und sollte jetzt ein neues haben. Gut und auch sehr billig bekommst du es in Tower Hill.
Aber vor allem geh zum ›Schwarzen Mann‹, lieber Tom, und laß dir ein Pfund vom besten siebenteiligen Priem geben und sorge, daß er gut ist. Der Schiffsjunge soll ihn mir bringen; aber er ist selbst versessen auf Priem. Binde das Päckchen also gut zu. Lieber Tom, diesen Montag geht's wieder los, irgendwo hin. Es ist mir nicht so wichtig mit dem Hemd, da das jetzige ja gewaschen werden kann, aber vergiß mir nicht den Priem. Ich verlasse mich darauf & bin
dein dich liebender Bruder T. P.

P. S. Vergiß nicht den Priem!

268

Einmal in der Woche macht unser Dienst- oder Arbeitsweg einen Abstecher. Als wir in unsere jetzige Stadt oder in das neue Viertel umgezogen sind, haben wir einen Händler gesucht, der die Zigarrenmarke führt, die wir bevorzugen, den Pfeifentabak, der nicht überall vorrätig ist. Wir sind ja mit der Zeit immer heikler geworden, und während der ersten sechs Wochen haben wir, die Straßen durchschlendernd, ausgeschaut, wo unser zukünftiger Lieferant stecken könnte. Dem, für den wir uns nun entschieden haben, wünschen wir treu zu bleiben. Es ist Herr Danneberg, und wir fragen ihn, ob er unsere Spezialmarke führe. Er führt sie nicht; aber nun bietet er uns nicht etwa eine andere, ebenso gute, wenn nicht gar bessere Sorte an, sondern, obwohl wir ihm völlig fremd sind, erklärt er sich ohne weiteres bereit, innerhalb dreier Tage das Gewünschte zu besorgen. Innerhalb dreier Tage findet es sich ein.

Der Laden ist nicht groß; in den Hauptstraßen der Innenstadt gibt es Geschäfte von Handelsfirmen, so geräumig, daß wir darin tanzen könnten. Nichts gegen sie; dennoch meinen wir, unser Stammhändler sollte ein selbständiger Handelsmann sein, einer, der seine Existenz sehr persönlich seiner spezifischen Ware und seiner spezifischen Kundschaft verpflichtet hat. Darum wird er sein Metier aus dem ff verstehen, und das verspricht bereits sein Schaufenster, dem wir anzumerken glauben, hier habe sich ein Mann gründlich mit allen Möglichkeiten des Tabakwarenhandels abgegeben: die

Fülle wie ihre Zusammenordnung weisen es aus. Ob er diese Schau nun selbst ausgerichtet oder sie von einem Berufsdekorateur hat ausrichten lassen, er scheint vom Pfeifenrauchen genau so viel zu verstehen wie von Zigarren. Auch alle Lieblingsmarken der Zigarettenraucher sind ausgestellt, sogar ein paar weniger übliche. Aber der Zigarettenhandel ist ein Verteilerbetrieb; wenn wir uns auf dem Stuhl niederlassen und die Zigarettenkäufer beobachten, dann finden sich am Ladentisch jene Stammkunden ein, die ihr Geldstück mit einem Gruß auf den Zahlteller legen und dafür ohne weiteres die erwartete Marke einstecken; die Laufkundschaft nennt kurz die verlangte Sorte und verschwindet wieder, oft für immer; und wer von uns zählt nicht auch zur Laufkundschaft. Unsere Tante Lina in Leipzig, die auch ein Zigarrengeschäft besessen hat, liebte zu versichern, daß die Laufkundschaft für den Bestand des Unternehmens lebenswichtig ist; aber so wie für uns Stammkunden ist für sie das einzelne Geschäft nicht wichtig; an jedem Kiosk findet sie ihre Lieblingszigarette ebenfalls — während wir, ehe wir zum erstenmal hier eintreten, eine Zeitlang vor dem Schaufenster herumstehen, auch einen Blick ins Innere des Ladens tun und das vorgewiesene Sortiment mustern. Die Auswahl der Zigarren war da sehr wesentlich: nichts glänzend Glattes, Farbmattiertes darunter. Frauen würden daran vorübergehen. Selten verstehen Frauen etwas von Zigarren, abgesehen von der alten Gräfin Maltzan. Allerdings kaufen Frauen Zigarren immer nur zu Weihnachten; doch gerade dann bei dem herrschenden Hochbetrieb ist es schwierig, sie zu überzeugen, daß jene Zigarren den größeren Genuß versprechen, denen die gute Stofflichkeit des Tabakblatts anzusehen ist. Am 21. Juli, zum Geburtstag des Herrn Gemahls, ist das leichter; so Herr Danneberg; er ist ein erfahrener Mann.

Nicht minder aufschlußreich ist seine Ausstellung von Pfeifen. Natürlich muß er auch billige zeigen, obwohl es gar nicht auf die Preise ankommt. Es gibt da ein je ne sais pas quoi, was darauf hinweist, daß der Inhaber des Ladens selbst die Pfeife zu rauchen versteht. Ein paar Tonpfeifen sind vorhanden; die kaufen nur junge Leute, wenn sie sich auf einer party damit gleichsam kostümieren wollen. Die lange Großvaterpfeife und einige halblange zeigt der Chef auch, zur Dekoration; aber uns will scheinen, daß er das Dekorative aus der Sache herleitet, seine Ware selbst zur Werbung nutzt, ohne Koketterien des Blickfangs. Keine Abbilder nämlich. Steinguttöpfe als Tabaksbehälter mit gut eingepaßtem Deckel ohne ›Brimborium‹; daneben ein paar Maiskolben- und Weichselkirschpfeifen und fast verschwenderisch offenen Tabak; denn der muß als reine Unkosten verbucht werden. Eine kleine Flamme brennt mitten im Laden. Zwei der Männer, die fünf Zigarren kaufen, stecken eine davon sofort an. Die Flamme ist das Sinnzeichen des Geschäfts, hier wie überall. Allzuviele Zigarrenraucher, die unterwegs rauchen, treffen wir allerdings nicht; wahrscheinlich begegnen uns nur die, die während ihrer Arbeit darben müssen; hier im Laden sind sie eingekehrt, um sie sogleich anzuzünden und damit das Sinnzeichen zu beglaubigen; sie funktionieren also. Eine

Zeitung nehmen sie auch noch mit. Ja, ein paar Zeitungen hält unser Händler feil, eine Sportzeitung darunter, keine bunten Illustrierten, so wie er auch keine Alkoholika verkauft. Das ist eine andere Branche; aber Lotto und Toto, das vermittelt er. Wir zählen nicht zu diesen Kunden, die freitags und sonnabends den engen Laden füllen. Im Tabaksmuseum zu Bünde (Westfalen) hängt ein Gemälde aus dem vorigen Jahrhundert, ein Tabaksgeschäft, das zugleich Lotterieeinnahme ist. Offenbar stimmt da etwas zusammen: Tabak und Spiel; Tabak, der uns zu pointierter Gegenwärtigkeit steigert, und Lotteriespiel, das, eins zu soundsoviel, das Glück versucht. Beides versucht das Schicksal, wenn auch auf verschiedene Weise, und Zeitungen, ausgesprochene Nachrichtenblätter mit nichts als Schlagzeilen auf der ersten Seite, zählen gleichfalls dazu. Hier wird Ereignis, was wir bereits anfangs andeuteten: Alle drei Mittel, Tabak, Lotterie und Gazette rechnen mit unserer reizsüchtigen Ungeduld, und während wir in unserem Stuhl sitzen und die drei Geschäftsgänge beobachten, wie sie sich nahtlos ineinander verquicken, steigert sich zum psychologischen Phänomen, daß wir höchst ehrenwerten Raucher uns bedenkenlos dreimal hintereinander mit den stärksten Giften einlassen, Glücksspieler, die wir sind! Und angesichts solcher Oxymora fragen wir unseren Lieferanten dreist, wie einer eigentlich Tabakshändler würde.

Herr Danneberg war zur See gefahren. Ei, nun auch noch — siehe Joseph Conrad — das unberechenbare, launische Meer! Und nach bestandenem Abenteuer, was Redlicheres war da zu tun, als im Hafen ein Geschäft mit Rauchwaren aufzumachen? Austausch der Elemente: Wasser gegen Feuer, geradezu vorsokratisch. Und nach fünfunddreißig Jahren ist mit dem nunmehrigen Laden im Stadtinnern durch Bewährung sanktioniert, was erst Verlegenheit und dann Gelegenheit gewesen sein mochte. So will es der Tabak eigentlich, so bedingt er es. Oder? Wir haben allesamt angefangen, ihn als verbotenes Abenteuer zu genießen; und dann rauchen wir ihn, wenn wir längst kreditwürdig geworden sind, ohne den Schatten des Hasardeurtums. Des Tabaks Paradoxie. »Anno 28«, sagt Herr Danneberg, »kam in Bremen eine Zigarre heraus, namens Indianer, Maschinenfabrikat. Eines Tages, das bleibt nicht aus, wird es nur noch maschinengefertigte Zigarren geben; damals aber haben wir Händler uns mit Erfolg dagegen gesträubt.«

Sie wollten die individuelle Zigarre, die der, der sie verkauft, selbst erprobt hat; die Maschinenzigarre würde ein Standarderzeugnis sein, von gleicher Qualität in Flensburg wie in Meersburg; und selbstverständlich pflichten wir unserm Händler bei; die Zigarre ist ein Reservat des Risikos, das wir eingehen wollen. Unser Biologe würde vermutlich spöttisch lächeln und nachweisen, daß zwischen der Vierzigpfennigzigarre in Meersburg und der in Flensburg dennoch kein nennenswerter Unterschied bestehe angesichts der Grundsubstanzen. Trotzdem beharren wir auf dem winzigen Wagnis unserer Wahl und unseres Vertrauens in diesem einen Punkt so lange wie möglich; das gehört zu unserem Spiel. Und der Name ›Indianer‹ nimmt uns das nicht ab; er erheuchelt es nur. Die Zeitung vom 19. Februar notiert, die Filterzigarette habe sich 68 % des gesamten Zigarettenverbrauchs in der Bundesrepublik — 71 Milliarden Stück — erobert. Alle Zigarettenraucher haben sich in sorgsamer Selbstprüfung individuell dafür oder dagegen entschieden. Über das Fiktive hierbei haben wir gesprochen; es ist aber auch etwas Vexierendes darin. Gleichzeitig stieg der Verbrauch ›schwarzer‹ Zigaretten, solcher also, die zu mindestens fünfzig Prozent aus inländischen Tabaken bestehen und die weit stärker sind als etwa ungefilterte Orienttabakzigaretten, den laut Herrn Danneberg von den wahren Kennern bevorzugten Fabrikaten. Draußen vor unserem Laden steht auch ein großer Automat, ein neutrales Instrument, das niemanden überredet; und aus ganz freiem Willen wählen wir, individuell, zu achtundsechzig Prozent. Der Witz des Vorgangs liegt offen zutage.

Kleiner Abstecher durch die Tabaksfelder: Überall wächst Canaster, wo nur einigermaßen die Sonne lang und warm genug scheint. Das danken wir den Züchtern, und schon das Wort Canaster weist in mehrere Weltgegenden; denn ursprünglich meint es auf griechisch das Rohrkörbchen, in dem besonders kostbarer Tabak befördert wurde. Über Spanien kam es nach Holland, wo es zum Knaster wurde — o Teniers und Brouwer!—, und womit es einen weiten Weg zurückgelegt hat, einen in die Tiefe; denn nun bezeichnen wir mit diesem Ausdruck allein eine anrüchige Sorte Tabak, Machorka fast, mit dem sich Imker die Bienen vom Halse halten, also durchaus nicht nur einheimischen Tabak, keinesfalls aber Badener. Denn die Badener bauen hierzulande zwar nahezu die Hälfte dessen, was gedeiht, doch in einer Güte, daß es in den Handel kommen kann — ja, nicht nur das, sondern vielmehr von solcher Qualität, daß unsere Vorstellung vom Tabak nicht vollkommen, nicht umfänglich genug wäre ohne ihn — ohne ihn in unserem Lande, wie ohne jene entsprechend anderen in andern westeuropäischen Ländern — ohne seine so kräftigen wie würzigen Aromen. Zudem scheint es so zu sein, als ob Raucher, die auf der Suche nach Varietäten einmal zu dieser, ein andermal zu jener Tabaksorte griffen, wahrhaft eingeschworen und, wie sie angeben, dies für immer, die Liebhaber jener schwarzen Zigaretten seien, die badischen, meist rotblühenden Tabak verwenden. Und bitte: hierorts wächst ja auch Wein, und zu einem Schoppen eine Pfeife badischen Tabaks, das mag gut sein. Weniger gut wäre wohl, gälte es eine Pfeife uckermärkischen Tabaks zu uckermärkischem Wein; da empfähle sich eher ein Seidel Bier, und möglich, daß zu west- und ostpreußischem Knaster — diesmal träfe der Ausdruck zu ! — ein Schnaps nötig gewesen wäre. Der Tabak, der in Franken gerät, um Würzburg und Nürnberg, hat einmal die Hälfte dessen ausgemacht, was Baden liefert; aber zur Konkurrenz scheint er nie recht gereicht zu haben, abgesehen von den erwähnten unseligen Zeiten der Autarkie, in denen selbst Großvater mit den heimischen Produkten rivalisierte. »Ein Zug aus der noch nicht brennenden Zigarette«, so kündet der Slogan auf der Packung eines heimatlichen Produkts; solch Zug überzeuge uns von der aromatischen Feinheit und Würze der verwendeten Tabake; naturrein seien sie und geröstet, nicht aber parfümiert. Der Ausdruck ›rösten‹, auch ›darren‹, meint ein Verfahren, das, mitunter bei 100 Grad Celsius, dem Tabak überschüssige Feuchtigkeit entzieht, um ihn vor Verderbnis zu bewahren, vor Dumpfwerden und Verschimmeln. Sachte spekulieren — wohlkalkuliert natürlich in ihrer Treuherzigkeit — diese Angaben auf unseren Sinn für Hausmacherkost. Und dies vielleicht nicht einmal zu Unrecht, weil eben nicht ganz überzeugt, wieso wir gestern Marylandtabake oder solche aus Virginia mit bisweilen 5,81 g Nikotin auf 100 g Menge vorziehen — wobei Maryland sich vom Virginia, der süßer riecht, durch ein wilderes Aroma abhebt —, und wieso wir bald darauf den aus Makedonien und der Türkei stärker bevorzugen, Orienttabak also von besonderer Milde, bei dem nur 0,78 g Nikotin auf 100 g kommen. Dabei hatten sich unsere Soldaten in Rußland sogar an den Machorka gewöhnt, einen dort gedeihenden rundblätterigen Tabak, der samt Stamm und Stengel geerntet und so für den Verbrauch zerkleinert wird. Und was wird mogen up to date sein?

Dies Rätsel müssen wir der Tabaksindustrie zur Lösung überlassen, sofern natürlich es nicht gerade deren Manipulation sein sollte! Oder klingt das zu intrigant? Dann bitte, überlegen Sie sich, was wir gleich beim ersten Zug aus unserer Corona oder Pfeife über das Konspirative getüftelt haben. Bedeutende Kapitalien sind investiert, und in Deutschland haben wir Raucher 1956 5,423 Milliarden DM für Tabak ausgegeben! Wer rechnet aus, wieviel davon zurück in die Werbung fließt? Werbung überzeugt uns, wie erwähnt, davon, daß der

Mann Zigarre raucht; sie hat uns die Filterzigarette angeraten und einmal jeden zum feinen Mann erklärt, der Goldmundstücke zwischen die Lippen nimmt, nein, lieber Strohmundstücke, ach was: solche aus Kork mußten es sein, bis wir wieder beim bloßen Papier angelangt waren, beim weißen Papier. Denn es hat auch farbiges gegeben, es hat solches aus Tabakstrünken gegeben, während sonst die Feinpapiere aus Flachs- und Hanffasern, ferner Baumwolle und seltener aus Jute herzustellen sind und zwar so, daß sie leicht brennen und den Tabaksgeschmack überhaupt nicht beeinträchtigen. Das versteht sich gewiß von selbst, und die Analysen und die Praktiken, etwa um anhaftende Fette oder Farben zu tilgen, werden wir getrost den verantwortlichen Chemikern überlassen dürfen. Aber wer dirigiert darüber hinaus unseren Geschmack? Sitzt gar wie Richelieus Père Josephe im Hinterzimmer eines Großunternehmens hexenmeisterlich ein fast anonymer Werbechef und ›fingert‹ die Moden halb nach Laune, halb nach Kalkül, d. h. nach der Einsicht tüchtiger Geschäftsleute, die wissen, wie sehr wir immer wieder angeregt, immer wieder zu Neuem verführt werden wollen? Und dann sieht es mitunter aus, als ob wir als ehrbar-ahnungslose Hasardeure ein Glücksspiel finanzierten, das auf der Welt Millionen Beschäftigte benebst Familie ernährt. Trifft sonach zu, daß unsere noch immer anschwellende, jährlich um 0,5 % steigende Rauchleidenschaft propagandistisch angeheizt wird: auf welcher nun gar nicht mehr ökonomischen Basis existieren dann diese Arbeiterheere! Fristen sie ihr Dasein per vabanque? Aber ist denn nicht alles

Dasein vabanque! Und diese banque wird nicht gesprengt werden, obwohl hinter unserer Tabaksucht menetekelig, wenn das Wort erlaubt ist, der niederländische Tulpenbankerott gespenstern dürfte. Da hatten die Mynheers in Rembrandts Tagen die Tulpen eingeführt, hatten sie gekreuzt, hatten mit ihnen gehandelt als mit einer reellen Ware; über jedes vernünftige Maß hinaus hatten sie mit ihnen spekuliert, über jede sinnvolle Freude an diesen schönen Blumen hinaus — und eines Tages krachte die Tulpenbörse, nicht allmählich, nein, über Nacht. Kein Mensch wußte warum. Die kostbarsten Züchtungen, je Zwiebel tausend Gulden und mehr, waren morgens keine fünf Heller mehr wert. Müßte derlei nicht warnen? Eine bestimmte Zigarette unserer Tage, tuscheln Eingeweihte, würde vorwiegend gemischt nach einem Rezept, das südafrikanisch lizenziert sei, vielleicht mit Tabaken, die dort gedeihen und exportiert werden sollen — wiewohl Südafrika nur spärlich am Anbau beteiligt ist. Jeder zweite Fan raucht sie dann. Bis, aus genau bestimmbaren politischen Gründen, unsere Sympathie für das Herkunftsland Schaden erleidet und der Umsatz jener Zigarette dazu.

Wir können uns selbstredend für das Getuschel nicht verbürgen, aber fragen nun: Ist es möglich, der Laune solchen Schicksals zu begegnen? Etwa ganz einfach mittels stabiler Prozeduren der Mischung, die gegen Capricen immunisieren? Oder zwingt das Teufelskraut schlechterdings zu halsbrecherischer Spekulation? Wie denn, wenn eines der Ausfuhrländer, beziehungsweise dessen halbstaatliche Institution, die die Anbaufläche und Erzeugung des Tabaks kontrolliert, dadurch, daß sie als Gegenleistung bei ausreichender Qualität Mindestpreise garantiert wie in den USA und in Canada, wie also, wenn sie Nachrichten in die Presse lancierte, die unsere Zuneigung für konkurrierende Exportgebiete minderten, so daß uns Zigaretten aus deren Tabak nicht mehr schmeckten, wir sie jedenfalls verschmähten? Ist es eine zu phantastische Perspektive, anzunehmen, daß die große Politik hinter derlei stekken könnte, weil eine Weltmacht etwa einen kolonialistischen Querulanten selbst mit tabakwirtschaftlichen Restriktionen zur Vernunft bringen wollte? Es hat ja auch einmal einen Opiumkrieg gegeben. In den Vereinigten Staaten, deren Zigarettenbedarf zu 95 % nur fünf Fabriken decken und die 1955 mit 2315 Stück je Kopf den stärksten Jahresverbrauch aufwiesen gegen 960 in Deutschland, dort also war gerade in dem genannten Jahr der Konsum merklich zurückgegangen. Wieso? Damals, munkeln nun die Eingeweihten, kursierten die erschreckenden Nachrichten über nikotinbedingten Lungenkrebs. Keine Gazette ließ die Sensation aus, die unsere Todesangst kitzelte. Seitdem kursieren die Meldungen nicht mehr? Ist so undenkbar: ein paar lukrative Inserate weniger in den Zeitungen — bei dem rückläufigen Konsum, meine Herren, müssen Sie das doch begreifen! — und kein für sein Blatt wie für seine Familie verantwortlicher Redakteur hat noch Platz für diese ollen Kamellen, die ohnehin auf wenig gesicherten Vermutungen beruhen, auf Experimenten an Ratten, bitte schön, ganz abgesehen davon, daß wir das dubiose Nikotin von jetzt ab filtern. Ist der Mann korrumpiert? Aber, aber! Er ist viel eher ein Patriot. Das Vaterland braucht die Einnahmen aus der Tabakssteuer, beim König Jakob, beim Kaiser Leopold usw. usw. In Deutschland sollen sie 7,5 % der Gesamtsteuern des Bundes und der Länder ausmachen, 1954 in Dänemark gar ein Fünftel. Forcieren wir lieber den Konsum, etwa indem wir neue Zigaretten entwickeln, zum Beispiel die Blendzigarette, die aus einem besonders hellen, röhrengetrockneten Virginiatabak besteht sowie aus Burley, das ist eine erst 1864 in Ohio gefundene und seitdem langsam kultivierte, ursprünglich rotblühende, dann weiß ausgelesene Tabakspflanze, und aus Orienttabak. Wie lange wird sie durchhalten? Das bleibt das Geheimnis der Zukunft.

Nochmals denn: Wer das Geheimnis der Raucherzukünfte dirigiert? Botaniker kreuzen, züchten, düngen, mendeln, selektieren, bestrahlen, um neue Qualitäten zu erzeugen für unseren immer raffinierteren Geschmack oder nur zu unserer Abwechslung, je nachdem; und vielleicht lassen sich die Tabaksexperten selbst überraschen von neuen Ergebnissen? Sie fühlen und riechen und schmecken und rauchen sich durch hundert verschiedene Sorten und Mischungen hindurch, die ihnen aus aller Welt vorgesetzt werden: flue-cured (to cure — trocknen, räuchern), air-cured, fire-cured, sun-cured. Mit einem von ihnen haben wir uns zusammengesetzt und sind in ihn gedrungen. Jedes Jahr im Herbst fährt er nach Griechenland und in die Türkei, um dort für sein Produkt, das sich in der Qualität, nach Wert also und Art gleichbleiben soll, die Rohstoffe einzuhandeln, kleinblätterige Ware, feingliedrig,

INDE KEURVORST van KEULEN

Suivere Varinas en Portorico

by Luchs en Stadler en Amsterdam

Deze en andere soorten van Varinas Portori
co Blaadjes en gesponnen Suicent Tabac worden gefabriceerd by Luchs en Stadler in de
Keurvorst van Keulen   a Amsterdam.

von geringem Teergehalt, viel geringer, so sagt er, als beim Virginiatabak, von dem er erklärt, daß er viel Charakter hat und dessen Aroma betonter ist. Denn, fügt er hinzu, niemand darf behaupten, der eine Tabak sei absolut besser als der andere, höchstens etwa, daß Orienttabake milder und leichter gerieten — weshalb auch Filter sie zu sehr abschwächen würden. Auf der Packung vor ihm steht: Cairo, Egypt. Nun, in Ägypten wächst kein Tabak; doch hat sich hier, so sagt er, eine ungewöhnlich hohe Rauchkultur entwickelt, obzwar die Rohstoffe aus Makedonien und der Türkei bezogen werden. Wenn wir nun probieren und mit einer anderen Marke vergleichen, wird der Unterschied gewiß deutlich; jedoch in Worte zu fassen, was daran typisch ist, das glückt nicht, und die Sprache versagt bei solcher Differenzierung. Anders ausgedrückt: die Zunge erweist sich als autonom.

Jedenfalls, unser Fachmann schmeckt aufs genaueste, was das Spezifikum seines Fabrikats ist, er hat gleichsam das absolute Gespür dafür. Kann einer von uns den Unterschied zwischen Es-dur und D-dur in Worte kleiden? Mit Müh und Not unterscheiden wir dur von moll, und C-dur als klar, voller edler Einfalt und bestimmter Strenge zu definieren, macht niemandem vor, wie es klingt. So etwa. Jedes Jahr fällt die Ernte, aus der der Verantwortliche die für ihn brauchbaren Varietäten auswählt, besonders aus, und mindestens drei Ernten braucht er, um sein Tabaksgut zu mischen, jüngere und ältere; denn aus frischem Tabak ließe sich keine ausgereifte und ausgeglichene Zigarette herstellen. Dann sitzt er bei den Händlern und dreht sich eine nach der anderen aus den angebotenen Qualitäten und raucht, bis er jene Harmonie komponiert hat, die sein Geschmacks- und Geruchssinn sich vorstellt, sozusagen als Leitbild seiner Marke. Dringlich und eigentlich überflüssigerweise fragen wir noch, welche Essenzen denn dem Tabak außerdem zugesetzt würden. Doch seine Zigarette braucht weder Soßen noch Parfums noch gerösteten Tabak wie die derberen amerikanischen Produkte. Die Briten, das fügt er noch an, soßen übrigens auch nicht, obwohl sie seit Raleighs Tagen virginischen Tabak verwenden, und die Franzosen rauchen geradezu unisono schwarze Zigaretten.

Zum Abschluß, glücklicherweise schon fast an der Tür und deshalb noch ein wenig kecker, und weil uns ein Freund seine Hausmarke mit solchem Hinweis empfohlen hatte, fragen wir, ob es denn hierzulande nicht auch opiumhaltige Zigaretten gäbe. Da fährt der Mann auf, ja, wie von der Tarantel gestochen. Unsere Frage muß geklungen haben, als ob wir ihm eine Schändlichkeit unterstellen wollten. Derlei gibt es bei uns nicht, aber auch nicht in Amerika oder in England, von dem übrigens das Greuelmärchen vor über achtzig Jahren ausgegangen ist. Es hat sich lange gehalten, nicht wahr, und geht doch nur auf das Konkurrenzmanöver einer englischen Fabrik zurück, die erstmalig Orientzigaretten auf der Insel herstellen ließ und der rivalisierenden Virginiazigarette den Qualm abspenstig zu machen versuchte.

Aber mißtrauisch, wie wir sind, eilen wir ungesäumt zur Gesundheitsbehörde. Und hier erleben wir unseren höchsten Triumph. Hier finden wir die Verordnung über Tabak und Tabakerzeugnisse vom 19. Dezember 1959, und da ist es dokumentiert: der Tabak zählt unter die Lebensmittel. Welche Rehabilitierung endlich: Gesetz vom 21. Dezember 1958; die Volksvertretung hat es beschlossen. Gewiß, dafür muß er sich nun allen Kontrollen unterwerfen; doch das stellt ihn fast auf die gleiche Stufe mit dem Brot, der Milch und der Wurst! »Von den Organen der Lebensmittelüberwachung ständig und streng überprüft«, so heißt es. Und weiter: »Alle nicht in der Verordnung aufgeführten Zusätze sind verboten!« Opium denn? »Strafbar üble Nachrede«, hatte unser Experte gesagt. »Als Weißbrand- und Flottbrandmittel zugelassen Aluminiumhydroxyd.« »Als Feuchthaltemittel zugelassen: Glyzerin.« »Als Klebe-, Haft- und Verdichtungsmittel: Schellack arsenfrei.« »Konservierungsmittel, jedoch nicht für Zigarren und Zigaretten: Sorbinsäure und ihre Natrium- und Kalziumverbindungen.« »Stoffe für Filter: Zellulose und Zelluloseazetat.« Opium? Der Herr Regierungsoberinspektor hält uns für Witzbolde. Der Tabak ist endgültig legitimiert. Kann er da noch ein Bankert, gar ein Ganove sein? Als Mittel zum Leben?

Und dann, auch auf weiteren Nebenwegen, geraten wir den Spuren des Tabaks nach in die Stadt Bünde. Kennen Sie Bünde? Eine sympathische Kleinstadt, und das Lexikon meldet in knappem Telegrammstil: »Zigarrenfabriken.« Ihre Hauptsehenswürdigkeit für uns aber ist das Tabaksmuseum, ein kleines Häuschen, dessen Erdgeschoß Vitrinen voller Pfeifen, Schnupftabaksdosen, dessen Wände Bilder von berühmten Rau-

chern und dergleichen füllen: also ein Kuriositätenka-
binett aus Anlaß einer kuriosen Sache, wie es Tabak
und Rauchen ist. Dennoch, insofern nämlich Tabak
und Rauchen trotz aller Paradoxien recht vitale Phä-
nomene sind, vertragen sie gar kein Museum; wir fei-
ern sie durch Verzehr, und ihre Schutzpatrone sind
nicht Feldmarschall Moltke und Hoffmann von Fal-
lersleben, sondern wir Raucher selbst; und mit uns gewiß die gesamte Tabaksindustrie. Gemäß wäre demnach eher eine Schau aller Produkte und Einrichtun-
gen, die dem Tabak dienen, wie im Museum zu Bremen; denn das, was Bünde vorstellt, ist eine sehr frag-
mentarische Sammlung von Seltsamkeiten, die ihren
Sinn höchstens dadurch erhält, daß sie uns das Spott-
bildliche unserer Rauchleidenschaft spiegelt. In einem
Raum hängt da von der Decke eine Nachbildung der
Caravelle des Kolumbus, der uns ja nebenbei auch das
tabakuöse Laster entdeckt hat. In der Vitrine liegt die
kleinste Tabakspfeife der Welt, nebenan eine, die be-
anspruchen dürfte, die größte zu sein. Ein Tabaksstän-
der präsentiert vergoldet Hygieia, die Göttin der Gesundheit, was angesichts eines der stärksten Gifte sich
nur sarkastisch einsehen läßt. Gegenüber noch zweifel-
hafter ein Bildwerk: der automatische Raucher, ein
rauchender Neger, in dem offenbar immer Tabak ver-
glimmt. Als ob uns Rauchern nur an der Verqualmung
der Stubenluft gelegen wäre! In einem Raum sind auch
die Geräte ausgestellt, die der Zigarrenfabrikation dienen. Den Hauptplatz nimmt eine Vitrine ein, in der
die größte Zigarre der Welt anzustaunen ist, einen
Meter und siebenzig Zentimeter groß, das Meister-

stück von vier Bündener Zigarrenmachern, die mit viel Mühe und Geschick dies Unikum, nein, dies Unsinnikum geschaffen haben, vor dem uns der vergeudete Tabak leid tut. O ja, es hängen auch eine Zeichnung des Tabakskollegiums von Menzel hier und Breitkopf & Härtels Ausgabe der ›Tabakspfeife‹ von Johann Sebastian Bach, vorherrschend aber die Abseitigkeiten wie plastische Porträts aus reinem Tabak und ungezählte lange und halblange Pfeifen mit Köpfen, auf denen sich Sentimentalität, Patriotismus und sogenannter Humor austoben; darunter sogenannte Reservistenpfeifen. Offenbar hatte sich im kaiserlichen Heer die Gepflogenheit herausgebildet, den Soldaten während ihrer Dienstzeit einen Bruchteil ihres Solds einzusparen und ihnen, wenn sie den aktiven Dienst verließen, dafür eine lange Pfeife zu überreichen, auf der »Es lebe der Reservemann« stand, mit entsprechendem Bild, oder »Reservist Fritz Berg«, auch »Volldampf«, wozu dann als Bild nicht ein Dampfer, sondern ausgerechnet ein Segelschiff erschien! Es finden sich auch Inkapfeifen, Pfeifen von Kamerunnegern; jedoch dominieren Pfeifen mit Chinesenkopf, die Tonpfeife des Pfeifenclubs 1725, die die sieben Schwaben darstellt, eine Pfeife mit dem Wahlspruch »Gott, trink ich gern«, die Pfeife, deren Kopf als Lokomotive geformt ist. Zigarrenspitzen mit Rübezahl- beziehungsweise Kaiser-Wilhelm-Kopf oder dem Haupt eines weiblichen Wesens, das der Königin Louise ähnelt. O Freud! Dem Besucher wird das mit biederem Ernst gezeigt; warum nur soll er denn mißtrauisch werden und argwöhnen, er sei unter Narren, gar Verrückten gelandet? Die

Gratiszigarre legt er nach dem Anrauchen diskret beiseite; damit pflückt sich die Zigarrenstadt kein Ruhmesblatt. Der Tabak aus dem bereiten Tabakstopf ist gut, nur leider parfümiert. Warum eigentlich?

Hamburger Marginalie: *In der Hansestadt hat die Zigarettenfabrik Reemtsma ebenfalls ein Museum eingerichtet. Es unterscheidet sich aber von dem Bündener dadurch, daß es kaum auf das Absonderliche erpicht ist, mehr auf das kritische Sammeln von Stücken, die die jeweilige kulturhistorische Situation kennzeichnen, in der das Rauchen stattfindet. Also interessieren die Packungen oder Illustrationen uns hier weniger durch ihr sozusagen grobes Substrat; das ist eben der Tabak, ist die Zigarre und die Zigarette; vielmehr markieren sie sich — gewiß nicht durchweg, aber für den Kenner in wesentlichen Exemplaren und dann dank vortrefflicher Darbietung — durch den Ton, in dem sie sich an ihre spezifischen Liebhaber gewandt haben, kurz durch das, was uns in unserm Gespräch gleichfalls immer wichtig war: die Bedingnisse unseres Rauchens und wie sie sich sozusagen gestisch manifestieren.*

Und da wir gerade in Hamburg sind — gleich hinter der Elbe, wo Jonny in seiner Barkasse sitzt, auf Fahrgäste wartet und bedächtig an seiner Pfeife kaut; langsam kommt ein Amerikaner herein, vielleicht siebentausend Tonnen, Faßtabake in seinem Bauch: Virginia, Kentucky und Maryland —, entschließen wir uns zu einem Besuch Hamburg-Bergedorfs, landeinwärts, wo sich das Tabak Technikum befinden soll. Ganz anders verhält es sich hier, extrem anders sogar. Nie vorher hatten wir davon gehört, und wir sind auch der Meinung, daß der Name des Instituts täuscht. Im Korridor hängt zwar ein Plakat, drei männliche Hände darauf zu dem Satz Nikolaus Lenaus: »Nur beim Rauchen kommen die Gedanken!«, und natürlich fragen wir uns, was dazu der meskine Grillparzer repliziert haben könnte; Tabak Technikum scheint uns, fürs erste jedenfalls, eine Zauberanstalt zu bedeuten. Nichts davon jedoch, das genaue Gegenteil von Museumssentimentalität. Das Verrückte daran ist nunmehr, daß nichts daran verrückt ist. Tabaksparadoxie? Es geht um den Tabak auch hier, aber lediglich als Stoff einer abzuleistenden Arbeit. Höchstens, allerhöchstens der automatisch rauchende Neger im Bündener Museum böte einen Berührungspunkt. Am Tabak Technikum studieren Maschinenbauer Fabrikation von und Umgang mit Tabaksbearbeitungsapparaturen. Die Industrie ist groß, ihre Tätigkeit fordert Spezialisten; im Tabak Technikum bilden sie sich aus, sechs Semester lang. Hier regiert kein Pfeifenfetischist oder Zigarettennarr, sondern Herr Kühne, ein Diplomingenieur, und auf merkwürdige Weise prallen unsere tabakenthusiastischen Fragen immer wieder an ihm ab. »Leute bilden Sie hier aus, um uns besonders gute Zigaretten zu fabrizieren?« Seine Leute sollen besonders gut mit den Zigarettenmaschinen umgehen können. »Aber sie sollen auch etwas von Mischungen verstehen?« Sie sollen Mischmaschinen reibungslos in Gang halten, vielleicht auch bauen können. Und dann, einigermaßen brüsk formuliert, was uns selbstredend enttäuscht, weil wir uns nicht vorstellen wollen, daß einer an Tabaksmaschinen arbeitet, ohne sich dem Tabak verschworen zu haben: Fachleute an Tabaksmaschinen sind keine Tabaksexperten. Desillusionierend stellt sich heraus, daß jemand Zigaretten fabrizieren kann, ohne sie zu rauchen! Hier hat der Tabak allen Zauber verloren, ist er Objekt eines Wirtschaftszweiges und zwar nicht einmal im Hinblick auf die sozusagen sportliche Seite, nämlich den Wettbewerb; all das ist conditio sine qua non, dadurch wohl im Kalkül, doch nicht mehr in der Diskussion, völlig ohne Romantik und, wäre uns Paradoxisten des Tabaks ein solcher moralischer Terminus erlaubt: nahezu nihilistisch. Es ist das ein sehr moderner Aspekt: Der Unfug des Lebens, nehmen wir ihn erst einmal hin, verlangt perfekte Organisation; einundsiebenzig Milliarden Zigaretten reibungslos zu produzieren, das gilt's! Gewiß erfahren die Studenten hier auch von Nikotinanalysen, aber einzig im Hinblick auf das Funktionieren der dazu verwendeten Destillationsapparate. Magie eines der giftigsten Gifte? Wir gehen gesenkten Hauptes von dannen; die uns angebotene Zigarette haben wir verschmäht. Vielleicht hätten wir sie doch annehmen sollen und prüfen, nein, nicht wie sie schmeckt, das war unerheblich, sondern daraufhin, ob die Maschine, die sie fabriziert hat, tadellos gearbeitet hat? Heilsam freilich ist immer, sich derart schokkieren zu lassen. Seit Jahrzehnten frönen wir einer ziemlich fragwürdigen Leidenschaft, machen uns als Feinschmecker wichtig, verbrämen das Spiel mit ironischen Spekulationen — und nun wird dem Anbeter seine Geliebte als Produkt aus Wasserstoff, Sauerstoff und Stickstoff analysiert, dessen ganzer Reiz in bestimmter Ablagerung von Fettpolstern besteht.

Die Ortschaften Bünde und Bergedorf ähneln einander in ihrem Kleinstadtcharakter; die eine liegt auf dem Süd-, die andere auf dem Nordpol des Tabakglobus; das trennt und eint sie. Wir eilen zum Bahnhof; rasch wieder in bewohnbare Gegenden, wo das Lebendige rauscht — und raucht.

Postludium

»Noch eine Zigarre gefällig, lieber Freund? Diesmal keine Corona; zum Schluß eine gerade Façon mit langem spitzen Kneifer und Buttkopf, Fehlfarbe, fünfzig Pfennig das Stück. Unser Bremer Lieferant hat sie zur Probe gesandt. Wir sind noch nicht ganz entschlossen dazu; deshalb geben Sie bitte freimütig Ihr Urteil ab. Und wie ist es, gnä Frau? Noch eine Zigarette? Sie haben so tapfer mitgehalten bei unserem Gespräch. Von Zigaretten verstehen wir wenig, aber unser Händler hat sie als etwas Besonderes empfohlen; sehen Sie nur, was auf der Schachtel steht: ›Le roi des cigarettes, la cigarette des rois‹. Königin, das Leben ist schön, jedenfalls mit solch einer Zigarette, rein ägyptisch. Na und Du, willst Du Dir nicht noch einmal eine Pfeife stopfen? Sie ist längst wieder kalt. Hat eine gute Form, kannst Du Dir leisten, Ihr Anwälte scheffelt ja das Geld. Aber erinnerst Du Dich noch der Knösel, die wir als Studiker verraucht haben? Na, bestimmt, Du warst auch damals schon wählerischer als wir aus dem theaterwissenschaftlichen Seminar. Hauptsache war uns, daß viel hineinging — und hineinging swarter Kruser, hundert Gramm dreißig Pfennige, kaum zu glauben, was? Gab's in dem Laden Ecke Hinter der Mauer, Keller. Der Krüll hier kostet das Zwanzigfache; tempora mutantur et tabacco in iis. Na, wir haben es wenigstens dazu gebracht, so aussichtslos es seinerzeit auch geschienen haben mag! Wie schmeckt die Zigarre? Aber natürlich, wir schreiben Ihnen die Adresse auf, Onkel meiner Frau, in Bremen. Hier ist ein Aschenbecher, gnädige Frau, obwohl die Asche bis zur Hälfte hält. Und weißt Du noch wie wir damals . . .?«

Rauch, Rauch . . . auch Asche. Asche? Viel Asche und Feuer: »Hast Du Feuer bei Dir? Nee; aber Skasa hat; frag' den . . .«, und viel und immer wieder Tabak, so oder so oder so. Rauchringe; Fest des Rauchens allerorten; und wenn es gut gewesen ist, dann ist es guter Tabak gewesen. Ein Gruß an den alten Indio, der ihn uns, long long ago, entdeckt hat. Na ja, und an den Herrn Kolumbumbus dazu.

Autor und Verlag haben dafür, daß dieses Buch mit einem so reichen Bildschmuck erscheinen kann, einer Reihe von privaten und öffentlichen Sammlern herzlichst zu danken.

In erster Linie gilt dieser Dank der Firma H. F. & Ph. F. Reemtsma in Hamburg, die die reichen Bestände ihrer schönen und vielseitigen Sammlung in der großzügigsten Weise zur Verfügung stellte. Aus ihr stammt der weitaus größte Teil der Abbildungen. Ein besonders glücklicher Umstand, daß nämlich das Städtische Museum in München eine Ausstellung der Sammlung Reemtsma im Sommer 1961 veranstaltete, ergab die einzigartige Gelegenheit, alle die aus dieser Sammlung zur Verfügung gestellten Blätter unmittelbar nach den Originalen zu reproduzieren. Es handelt sich dabei vor allem nicht nur um anonyme Tabakgraphik des 18. und 19. Jahrhunderts, unter der sich besonders schöne Blätter befinden, sondern auch um Meisterblätter von französischen Graphikern wie Honoré Daumier (Seite 59), Paul Gavarni (Seite 70 und 204) und Jean Ignace Granville (Seite 222), ferner um englische Meister wie Thomas Bewick (Seite 15), Georgs Cruikshank (Seite 143) und William Hogarth oder niederländische und deutsche wie Chodowiecki und Ostade.

Weiterhin gebührt unser Dank Herrn Professor G. Trump, München, der die Vorlagen für die Illustrationen auf Seite 41, 67, 90, 99, 267 sowie für die farbigen Abbildungen neben Seite 16, 112, 128 und 160 zur Verfügung stellte. Die Illustration auf Seite 281 ermöglichte das Germanische National-Museum in Nürnberg, die Wiedergabe der Radierung von Anders Zorn auf Seite 159 die Firma Karl & Faber in München.